Les Fautifs

Du même auteur

Autobiographie
Ensemble pour toujours, 2015

Romans
Adèle et Amélie, 1990
Les bouquets de noces, 1995
The Bridal Bouquets (Les bouquets de noces), 1995
Un purgatoire, 1996
Marie Mousseau, 1937-1957, 1997
Et Mathilde chantait, 1999
La maison des regrets, 2003
Par un si beau matin, 2005
La paroissienne, 2007
M. et Mme Jean-Baptiste Rouet, 2008
Quatre jours de pluie, 2010
Le jardin du docteur Des Oeillets, 2011
Les Délaissées, 2012
La Veuve du boulanger, 2014

La Trilogie
L'ermite, 1998
Pauline Pinchaud, servante, 2000
Le rejeton, 2001

Récits
Un journaliste à Hollywood, 1987 (épuisé)
Les parapluies du diable, 1993

Recueils de billets
Au fil des sentiments, vol. 1, 1985
Pour un peu d'espoir, vol. 2, 1986
Les chemins de la vie, vol. 3, 1989
Le partage du cœur, vol. 4, 1992
Au gré des émotions, vol. 5, 1998
Les sentiers du bonheur, vol. 6, 2003

En format poche (collection « 10/10 »)
La paroissienne, 2010
Un purgatoire, 2010
Et Mathilde chantait, 2011
Les parapluies du diable, 2011
Marie Mousseau, 1937-1957, 2012
Par un si beau matin, 2012
Quatre jours de pluie, 2012
La Maison des regrets, 2013
L'ermite, 2016
Pauline Pinchaud, servante, 2016
Le rejeton, 2016

Denis Monette

Les Fautifs

roman

Catalogage avant publication de Bibliothèque et Archives nationales du Québec et Bibliothèque et Archives Canada

Monette, Denis
Les fautifs
ISBN 978-2-89644-007-8
I. Titre.
PS8576.O454F38 2016 C843'.54 C2016-940997-X
PS9576.O454F38 2016

Édition : François Godin
Direction littéraire : Nadine Lauzon
Révision et correction : Michèle Constantineau, Nicole Henri
Couverture : Groupe Librex
Mise en pages : Clémence Beaudoin
Photo de l'auteur : Alain Lefort

Cet ouvrage est une œuvre de fiction, toute ressemblance avec des personnes ou des faits réels n'est que pure coïncidence.

Remerciements
Nous remercions le Conseil des Arts du Canada et la Société de développement des entreprises culturelles du Québec (SODEC) du soutien accordé à notre programme de publication.
Gouvernement du Québec – Programme de crédit d'impôt pour l'édition de livres – gestion SODEC.

Les Éditions Logiques
Groupe Librex inc.
Une société de Québecor Média
La Tourelle
1055, boul. René-Lévesque Est
Bureau 300
Montréal (Québec) H2L 4S5
Tél. : 514 849-5259
Téléc. : 514 849-1388
www.edlogiques.com

Dépôt légal – Bibliothèque et Archives nationales du Québec et Bibliothèque et Archives Canada, 2016

ISBN : 978-2-89644-007-8

Distribution au Canada
Messageries ADP inc.
2315, rue de la Province
Longueuil (Québec) J4G 1G4
Tél. : 450 640-1234
Sans frais : 1 800 771-3022
www.messageries-adp.com

Diffusion hors Canada
Interforum
Immeuble Paryseine
3, allée de la Seine
F-94854 Ivry-sur-Seine Cedex
Tél. : 33 (0)1 49 59 10 10
www.interforum.fr

À Marcel,
Françoise, Gisèle,
Gérard et Louis,
les frères et sœurs
de ma défunte épouse.

Prologue

Vendredi 8 septembre 2000

Chère Émilie,

Quelques mots pour te faire part de mon retour de cet étrange pays des jouvenceaux... Si nombreux, si beaux que Léonard de Vinci en aurait fait d'illustres tableaux. Stefano, Julio, Carlo, Nino... tous des prénoms se terminant par cette voyelle si chère à l'Italie. Mais Nino, sans tenter d'être scabreux, était le plus sublime. Lors d'une promenade sur les rives de la mer, je l'ai aperçu se baignant nu et j'en ai été émerveillé... Vingt-quatre ans, velu, avec une barbe de trois jours...

Affairée à son four où une pâte à gâteau venait d'être déposée, Émilie n'alla pas plus loin. Repliant la lettre de son frère, elle la glissa dans la poche de son tablier enfariné et laissa échapper un soupir de découragement. Un coup de foudre de plus ! Comme chaque fois que Paul lui écrivait. Il aurait pu lui téléphoner, lui parler de ses émois de vive voix, il aurait même pu lui faire parvenir un courriel, mais le frère aîné préférait utiliser encore le stylo noir et le papier beige sur lequel l'effigie de la main tenant une plume de paon se répétait sur chaque feuille. Peut-être avait-il honte de lui avouer ces choses en personne ? Elle en doutait… Il lui avait tant de fois fait état de ses soirées turbulentes quand il avait pris un verre de trop ! Aucune retenue dans ces moments-là, il racontait ses nuits de débauche comme on le fait de ses journées de travail. Mais sobre, il préférait écrire, trouver des mots plus recherchés, tentant d'amadouer Émilie avec des : *Les paroles s'envolent, les écrits restent,* espérant chaque fois qu'elle se rende au bout de sa lettre, même après s'être arrêtée devant quelque insanité décrite sans gêne. Sachant fort bien aussi que sa sœur bien-aimée n'allait rien dévoiler de son satyriasis qui lui faisait multiplier ses relations charnelles. Jour et nuit, n'importe où, avec n'importe qui ! À l'insu ou presque de Manuel, son amant depuis vingt ans, avec qui il partageait un condo acheté sur le Plateau, pas trop loin du quartier « commercial » de la rue Sainte-Catherine où il allait assouvir son érotomanie en fin de journée, juste avant de rentrer chez lui et de demander à son conjoint : « Qu'as-tu préparé de bon pour le souper ? J'ai une de ces faims ! »

Paul était sans respect pour celui qui lui avait donné ses plus belles années. Ce Manuel qu'il appelait Manu et qu'il avait rencontré alors que ce dernier n'avait que vingt ans. Soit l'âge des conquêtes de Paul encore aujourd'hui. Un âge où ces jeunes hommes sont à l'apogée de leurs corps et de leurs pulsions, selon lui. Manu, conscient des déloyautés de son amant vieillissant, fermait les yeux sur les infidélités de ce dernier. Par amour, pour la passion qu'il éprouvait toujours pour cet homme de cinquante-neuf ans, encore beau, quoique légèrement bedonnant. Pour ce Paul qui lui avait tout appris de la vie : les bonnes comme les mauvaises choses qu'il avait gardées en mémoire ou rejetées sur-le-champ. Cet homme l'avait tellement aimé naguère... Plus physiquement que de cœur, mais il l'avait aimé presque chaque soir avant... de le tromper. Une pause ou presque de son hypersexualité. Manu n'était pas dupe : les rentrées tardives, l'odeur des eaux de toilette étrangères, les prénoms et numéros de téléphone échappés par terre ou jetés à la poubelle. Mais Manuel se taisait et ne lui reprochait rien de peur d'un rejet qui l'aurait anéanti, lui si dépendant de l'autre depuis toutes ces années. Paul, homme cultivé, haut fonctionnaire au gouvernement provincial avait des connaissances sur le théâtre, le cinéma, la musique classique comme celle du jazz ou des ballades anciennes, le culte de l'histoire des pays les plus éloignés, tout comme des guerres les plus récentes et celles anticipées. Paul avait tout appris à Manuel, lui qui n'avait pas terminé son secondaire et qui avait quitté le toit familial à la mort de sa mère parce que son père buvait trop. Seul dans la vie, sans frères ni sœurs, Manuel l'avait suivi chez lui dès leur première rencontre, dans un restaurant où il était serveur. Pour ne plus repartir puisque Paul, épris après une seule nuit, lui offrit le gîte et le confort, ce qui n'avait jamais cessé depuis. Jeune amant du départ, Manu s'était senti avec le temps porteur de bagages et homme à tout faire dans cet appartement où il avait échoué. Pour Paul, il était vite devenu le Manuel de son quotidien, celui qui faisait tout ce condo richement meublé : la lessive comme l'entretien ménager, la cuisine, l'épicerie, les gâteries... L'homme de maintenance, quoi ! Pour que celui qu'il aimait ne manque de rien. Encore séduisant à trente-neuf ans, presque quarante, Manu n'avait d'yeux que pour Paul qui, à cinquante-neuf ans, presque soixante, n'avait plus le charme d'antan. Émilie l'avait maintes fois prévenu de la vie de débauche de son frère, elle l'avait même incité à le quitter, mais le compagnon, fidèle et envoûté, ne comptait appartenir à personne d'autre, quitte à ne rien voir ni rien entendre des frasques de son vieil amant. Sympathique et compatissante, Émilie l'avait mis en garde sur les années à venir, sur le rejet possible de la part de son frère, de la solitude du plus jeune alors que le plus vieux serait peut-être en résidence... Mais Manuel faisait la sourde oreille. Pour lui, c'était si loin tout ça ! Paul, très en forme, ne souffrait de rien d'inquiétant pour l'instant, sauf d'une hypertension héritée du côté paternel. Et Émilie, lasse de ses recommandations inutiles, avait fini par baisser les bras, laissant l'amant aux bons soins de son frère en qui elle n'avait nullement confiance malgré ses bonnes intentions. Il lui avait dit : « Ne t'en fais pas, petite sœur, s'il m'arrive quelque chose, tout ce que je possède va aller à Manu, à part un montant d'argent destiné à ton fils, Joey, mon filleul. »

En fin d'après-midi, avant que son mari et ses fils rentrent au bercail, elle avait achevé la lecture de la lettre mise de côté et, profitant du temps libre qui lui restait, elle avait téléphoné à Paul à son travail pour lui dire :

— Tu pourrais te retenir dans tes descriptions pornographiques. Tu n'as pas à entrer dans les détails, je te connais assez pour les imaginer.

— Que veux-tu, je n'ai pas de retenue et j'étais si amoureux de Nino…

— Allons donc, amoureux ! Juste un de plus en passant ! Dès demain, un autre va te le faire oublier dans un bar du centre-ville.

— Tu me juges sévèrement, j'ai parfois des sentiments…

— Oui… le temps d'un assouvissement. Écoute Paul, tout ce que je peux te dire, c'est que ton état déplorable empire de jour en jour. À ton âge, avec les cheveux gris, tu ne crois pas que tu pourrais ralentir un peu. Tu as Manu…

— Je ne peux pas, Émilie, je souffre d'une dépendance, tu le sais bien… C'est comme être alcoolique ou narcomane…

— Alcoolique, tu l'es déjà ! Périodiquement, mais tu l'es quand même ! C'est ce qui te conduit à tes audaces et qui se transforme en une passivité totale… Un jour, tu vas te faire voler, tabasser, peut-être assommer…

— Ne crains rien, je suis prudent, je ne m'aventure pas n'importe où…

— Non, mais tu vas dans les saunas avec n'importe qui, tu me l'as déjà dit, Paul ! Il faut que tu consultes, ça se guérit une telle obsession, un bon psy…

— Arrête, je n'ai que cette déviation dans ma vie…

— Et Manu, lui ?

— Quoi, Manu ?

— Tu vas le contaminer, Paul ! Tu vas lui transmettre des germes et des maladies. Tu couches avec n'importe qui ! Tu le mets en danger !

— Voyons, Émilie ! Pour ce qui se passe entre Manu et moi…

— Il ne suffit que d'une fois, tu devrais le savoir pourtant… À ton âge ! Et ça vaut aussi bien pour toi ! Tous ces gars rencontrés au hasard, la malpropreté, les maladies vénériennes…

— Bon, tu as fini ? Je n'ai pas répondu à ton appel pour entendre tes remontrances. Je vais avoir soixante ans en décembre, je ne suis plus un enfant…

— Dans ce cas, ne te confie plus à moi, Paul. Ne me parle plus de tes ignominies, je ne veux plus rien apprendre de tes nuits sordides et encore moins lire en détail tout ce qui s'y passe. Laisse-moi reprendre mon souffle, livre-toi plutôt à Caroline !

Paul éclata d'un rire franc pour ensuite ajouter :

— Parlant d'elle, que devient-elle, la petite dernière de la famille ? Toujours heureuse à vendre des pilules, la pharmacienne ?

— Oui, et très heureuse avec William. Aux dernières nouvelles, ils planifiaient un voyage au Portugal, à peu près le seul endroit qu'elle n'ait pas encore visité.

— S'informe-t-elle de moi ?

— Non, jamais, et quand je mentionne ton nom, elle détourne la conversation. Tu devrais savoir que Caroline n'a jamais approuvé ton style de vie…

— Encore homophobe, la p'tite sœur ?

— Non, elle est assez ouverte sur le sujet, mais elle ne prise guère ta conduite.

— Qu'en sait-elle ? Tu ne lui dis rien, au moins ?

— Absolument pas, mais lorsque je lui apprends que tu es parti seul en France ou en Italie, je n'ai pas à lui faire de dessin. Elle se souvient de tes années sous le toit familial et elle s'imagine très bien ce qu'est ta vie.

— Bah ! qu'elle aille au diable ! Je n'ai pas à me justifier à Caroline, c'est toi ma confidente, Émilie, pas elle ! Sa vie, c'est son William et ses ventes de comprimés. Elle n'a même pas été capable d'avoir d'enfants…

— Elle n'en a pas voulu, c'est différent.

— Encore plus égoïste que moi, ça !

— Bon, on ne recommencera pas, si tu veux bien… Dis, c'est vraiment en janvier ou février prochain que tu songes à prendre ta retraite ?

— Oui, le temps est arrivé. 2001 s'en vient et j'en ai assez de me traîner au bureau chaque matin… Mais il faut que je parle à Manu avant…

— Pour lui dire quoi ?

— En temps et lieu, ma grande ! On va fêter ses quarante ans en novembre et mes soixante ans en décembre, on va laisser passer les Fêtes et, après, je te dirai où on en est et où on s'en va, lui et moi.

— Ensemble, j'espère… Tu n'as pas envie de…

— J'ai envie de rien pour l'instant, Émilie… On en reparlera si tu veux bien.

— Ça tombe pile, j'entends un des garçons mettre sa clef dans la porte, ma table n'est pas mise et mon bœuf aux légumes mijote encore.

Chapitre 1

Paul avait raccroché et, quelque peu songeur, il se demandait si sa sœur n'avait pas raison de le rappeler ainsi à l'ordre. Lui-même ne s'aimait pas dans ce dérèglement de sa vie, mais quelque chose de plus fort que lui l'incitait à poursuivre ses débauches, même quand il se jurait de tout laisser tomber. Difficile, voire impossible, après toutes ces années… Il soupira, ferma quelques dossiers et décida de rentrer à l'appartement retrouver celui qui l'y attendait patiemment.

De son côté, Émilie avait vite déplié la nappe, lorsque Joey surgit devant elle en lui lançant :

— Bonsoir, m'man ! T'as passé une bonne journée ?

— Oui, mon grand, et toi ? Pas trop pénible à l'université ?

— Non, comme de coutume… Les profs sont excellents et l'un d'eux nous a entraînés dans les sillages de Napoléon aujourd'hui.

— Tu connais tout de lui pourtant ?

— Je le croyais, mais j'en ai encore beaucoup à apprendre. Il n'y a pas que lui, maman, il y a tous ceux qui l'ont entouré dans ses années d'exil. Des noms que j'ai notés et que je vais chercher sur Internet. Je vais essayer également de découvrir leurs visages pour mieux les cerner, parce que le prof en question, aussi bon soit-il, n'est pas tellement descriptif. Moi, quand j'enseignerai l'histoire, les élèves les verront, mes personnages illustres, ils n'auront pas à les deviner, à les imaginer, je vais les leur décrire…

— Ce que tu fais déjà sans cesse, Joey. Avec toi, on n'a pas à se demander si la voilure de ton copain est bleue ou blanche…

— Non, et même chose pour la force de son moteur ou la puissance de ses freins. Je suis très précis, je le sais, mais il paraît que c'est essentiel dans le cheminement que j'ai choisi. Un autre prof me l'a dit récemment. Tiens ! Mathieu n'est pas encore rentré ? Papa non plus ?

— Non, mais ça ne devrait pas tarder pour ton père. Quant à Mathieu, il n'était pas certain d'être là pour le souper. En médecine, les sessions sont de plus en plus exigeantes, il ne sait jamais à quoi s'en tenir. Et puis, il y a Sophie… Ils sont ensemble dès qu'ils le peuvent, ces deux-là.

— Ouais… Elle prend bien de la place, sa nouvelle blonde ! Johanne ne l'accaparait pas autant.

— Peut-être, mais ils s'aimaient moins. Ils se querellaient souvent, ils se questionnaient… Tandis qu'avec Sophie, une fille qui deviendra urgentologue, ils parlent le même langage et ils semblent vraiment se plaire.

— Si tu le dis…

— Tu verras quand viendra ton tour, Joey.

— Ben, c'est pas près d'arriver, m'man ! Et je ne cherche pas à rencontrer. J'ai mes amis, nos sorties de fin de semaine, les films à voir, les bars où prendre un verre ou deux... Des filles, il y en a partout ! Pour jaser, ça va. Mais de là à m'embarquer...

— Attends, quand tu auras le coup de foudre...

— Pour l'instant, j'ai l'estomac creux. Viens que je t'aide avec la table. Ça sent bon ton chaudron, t'as acheté des Grissols au blé entier ? Tiens ! J'entends la porte qui s'ouvre, c'est sûrement Mathieu. Non, c'est papa avec le grand sourire comme d'habitude.

Renaud Boinard, chiropraticien de renom, entra, embrassa sa femme sur la joue et, après s'être lavé les mains, prit place aux côtés de son fils.

— Mathieu n'est pas encore rentré ?

— Non et il n'a pas téléphoné, mais on ne va pas l'attendre, il est déjà dix-huit heures, c'est l'heure de manger.

— Oui, tant pis pour lui ! Il mangera réchauffé ! s'écria Joey. À moins que sa Sophie...

Mais il fut interrompu par la sonnerie du téléphone. Émilie répondit et Mathieu, au bout du fil, la pria de ne pas compter sur lui pour le repas, qu'il avait encore un cours à terminer et qu'il irait ensuite manger au restaurant avec Sophie. La maman raccrocha et son mari lui demanda :

— Il ne vient pas ? Encore des cours ? Pas facile la médecine...

— Pas juste ça, papa, il y a aussi sa blonde qui décide pas mal de choses pour lui.

— Allons, Joey, ne parle pas ainsi, elle est très gentille sa Sophie, et très jolie en plus. Il est normal de vouloir se retrouver seuls...

— Ouais, mais de là à l'envahir... répondit Joey qui, on le voyait, n'aimait pas qu'une fille s'empare de son frère aîné qu'il affectionnait depuis qu'il était tout petit.

Ils soupèrent tous les trois et, après que Joey eut rapporté les mauvais côtés de Napoléon à son père, ce dernier, à son tour, lui parla de certaines patientes qui tentaient de lui faire réduire le prix de ses séances, comme s'il n'avait été qu'un simple massothérapeute, lui, chiropraticien depuis tant d'années.

Né à Paris d'un père français et d'une mère égyptienne, il avait cependant grandi à Montréal où la famille s'était installée après sa naissance. Donc, pas d'accent pour lui, d'autant plus que sa mère, morte très jeune, ne lui donna ni frère ni sœur avec qui converser. Son père, seul avec lui, l'éleva du mieux qu'il put et rendit l'âme à son tour dans la cinquantaine, alors que Renaud étudiait pour devenir chiropraticien. Orphelin avec deux tantes en Égypte qu'il ne voyait plus et un oncle en France qui n'avait jamais été près d'eux, il s'organisa dès lors avec sa vie jusqu'à ce qu'il rencontre Émilie Hériault qui vint tout doucement combler un vide.

Enseignante dans une école primaire, elle avait abandonné son travail à la demande de son mari lorsqu'elle tomba enceinte de son premier enfant. Très à l'aise financièrement grâce à l'héritage paternel, Renaud Boinard fit l'acquisition d'une superbe maison de pierres grises construite sur un vaste terrain à Outremont, parmi les notables de ce quartier. Et sa profession allait la lui payer sans qu'il ne touche à ses placements qui lui rapportaient énormément.

Toutefois, ancré dans les mœurs de son père, il préférait que son épouse soit une femme au foyer avec son enfant à élever et les autres qui suivraient. Ce qu'Émilie ne contesta pas, peu grisée par l'enseignement et peu portée sur l'ambition. Un bon mari, une grosse maison, une luxueuse voiture et un petit à dorloter, voilà qui suffisait à son bonheur présent et à venir. Avec la bénédiction de sa mère qui la félicitait de ce choix très maternel. Son père, quant à lui, était décédé d'un arrêt cardiaque au début de la quarantaine, et avait laissé sa femme avec trois enfants : Paul, Émilie et Caroline. Madame Hériault se débrouilla fort bien en étant parfois économe, et sans chercher à refaire sa vie pour autant. Propriétaire d'une boutique de vêtements pour dames, Annabelle Hériault fit d'assez bonnes affaires pour subvenir aux soins de ses enfants ainsi qu'à leurs études respectives. Émilie, bien mariée, accoucha de son premier fils, Mathieu, suivi deux ans après, de Joey. Et là s'arrêta sa famille, car ses grossesses avaient été difficiles.

Or, vingt ans plus tard, à la mort de madame Hériault alors qu'elle était septuagénaire, Émilie, sa sœur et son frère héritèrent des biens de leur mère et de la petite fortune amassée avec son commerce qu'elle avait vendu à haut prix au moment de la retraite. Très à l'aise, plus que Paul qui dépensait énormément et que Caroline qui travaillait encore, Émilie se dévouait entièrement au bien-être de son mari et de ses deux garçons qui s'apprêtaient à réussir leur vie.

La soirée s'annonçait calme, Joey était parti chez un ami pour voir, sur son téléviseur à écran de soixante pouces, un film assez récent de Ben Affleck, et monsieur Boinard, confortablement installé devant son téléviseur, regardait un bulletin de nouvelles tout en lisant *La Presse,* lorsque le téléphone sonna. Émilie, se demandant qui pouvait l'appeler, consulta d'abord l'afficheur de son sans-fil pour y apercevoir le numéro de sa sœur. Se retirant au boudoir avec l'appareil, elle répondit tout en s'y rendant:

— Oui, bonjour toi !

— Émilie ! Tu as le temps pour un bout de jasette ?

— Bien sûr, Caroline ! Renaud regarde son bulletin de nouvelles et je viens de m'asseoir dans mon petit fauteuil préféré pour causer. Comment ça va, toi ?

— Pas mal du tout. William n'est pas encore rentré pour le souper, il fait de l'*overtime* dans un nouvel immeuble où l'électricité doit être installée. Un gros contrat pour lui !

— Ah ! quel métier dangereux ! Moi, les décharges électriques...

— Voyons donc, William travaille dans ce domaine depuis des années ! C'est sa profession et il la connaît par cœur. Ne t'en fais pas pour lui.

— Et toi, pas d'heures supplémentaires ce soir ? Le personnel est au complet ?

— Oui, la caissière et la vendeuse sont là et la pharmacienne de soir est en poste. Moi, je me garde le jour. Mais, avec une collègue, nous avons l'intention d'acheter une pharmacie bientôt. Associée à une chaîne, bien entendu...

— N'y a-t-il pas un risque ? En affaires, de nos jours...

— Non, aucun ! Pas là où nous prévoyons nous installer ! J'en ai assez de travailler pour les autres !

— William est d'accord avec ta décision ?

— Absolument ! Il est dans les affaires, lui, non ? Il nous y encourage, ma collègue et moi, il va même investir dans notre commerce, et pour le reste, la banque s'en chargera.

— Je suis vraiment contente pour toi, Caroline. C'est une excellente nouvelle et Renaud sera fier de l'apprendre. Quoi de neuf en plus ? Tu prépares ton voyage au Portugal ?

— Non, j'ai changé d'idée ! Je ne veux plus aller au Portugal, ça ne m'attire pas. William a suggéré l'Écosse une fois de plus, mais on l'a déjà vue, du moins en grande partie, et je n'ai pas envie d'y retourner. Je ne détesterais pas la Chine, mais c'est lui qui recule devant ce choix. Alors, comme on n'a rien qui nous attire vraiment et avec tout ce qui s'en vient dès le printemps prochain, nous allons attendre en janvier et aller à Freeport aux Bahamas, pas loin, du soleil, du repos…

— Tu risques d'y rencontrer ton frère, il aime ce coin-là…

— Ne me parle pas de lui ! Il est revenu d'Italie, l'obsédé sexuel ?

— Caroline ! Sois indulgente, c'est sa vie et Paul n'a pas à nous rendre des comptes…

— On sait bien, tu l'as toujours protégé, toi ! Ce n'est pas sa vie qui me dérange, mais ce qu'il en fait. Que du… Tu sais ce que je veux dire, non ? Et la joie de nous en parler quand il le peut, ce que William n'apprécie pas.

— Ce n'est pas à son âge que tu vas le changer, Caroline.

— Je n'essaierai même pas ! Mais il pourrait au moins tenter de s'améliorer. Il va finir par salir le nom que nous portons à force de le traîner dans la boue. Il a un chum depuis des années, qu'il s'en tienne donc à lui ! Est-ce possible, à son âge, d'avoir des déviations de la tête jusqu'aux pieds !

— Tu exagères un peu…

— Non Émilie ! Lorsque tu t'es mariée, c'est moi qui suis restée à la maison pour le voir sortir et entrer avec n'importe qui en pleine nuit. Maman ne disait rien, elle priait pour lui, mais revenir avec quelqu'un devant sa mère et sa sœur… Comprends-tu pourquoi je lui en veux, Émilie ? Un irrespect total ! Trente ans plus tard, qu'il fasse ce qu'il désire, mais ne m'en parle pas. Maman faisait brûler des lampions pour lui, mais en ce qui me concerne, qu'il aille au diable !

— Bon, une prescription de pharmacienne, celle-là ? renchérit Émilie en riant.

— Les ordonnances viennent des docteurs, Émilie. Ne prends pas à la blague ce que je te dis sur lui. J'en ai tellement vu dans son genre, alors que j'étais jeune diplômée, venir à la pharmacie acheter de l'huile pour bébé, mais jamais de condoms ! Au moment où les risques étaient légion dans les années 80… J'aime mieux ne pas aller plus loin. Rien ne lui est arrivé ? Grand bien lui fasse ! Mais je plains son pauvre Manuel de perdre son temps avec lui. Paul est un égoïste de la pire espèce ! Il l'a toujours été ! Lui d'abord, les autres après, quand il ne sait plus quoi faire de son corps. Bon, on l'oublie, dis-moi comment se portent les garçons, Émilie.

— Mathieu étudie très fort, il persévère et deviendra le médecin qu'il désire être. Quant à Joey, l'histoire et l'enseignement le passionnent. Je suis privilégiée d'avoir de tels enfants, Caroline. Le bon Dieu m'a aimée…

— Tu les mérites bien, tu es une bonne épouse et une excellente mère. Et Renaud, toujours en forme ? Encore au boulot ?

— Oui, et pas près de prendre sa retraite, celui-là ! Finalement, il n'y a que moi qui ne travaille pas… Parfois, je me demande…

— Ne te demande rien, tu es pas mal gâtée, un mari avec de l'argent, la grosse cabane à Outremont, ta garde-robe, ta voiture… Que veux-tu de plus ? Je n'ai pas eu ta chance, moi ! Je travaille encore et William ne fait pas autant d'argent que Renaud, lui !

— Voyons, il a le portefeuille bourré avec ses installations d'électricité ! Et avec toi en affaires bientôt… C'est parce que vous n'arrêtez pas de voyager que tu ne cesseras jamais de travailler ! T'as fait le tour du monde…

— Tu pourrais en faire autant, ce n'est pas l'argent qui manque.

— Oui, mais j'ai encore des enfants à la maison, j'ai un mari qui est professionnel et qui n'a pas de remplaçant, lui.

— Comme si c'étaient de bonnes raisons…

— Qu'en sais-tu ? Tu n'en as pas eu, toi, tu n'as pas eu à te lever en pleine nuit pour eux, à les élever, à les attendre après l'école…

— C'était ton choix, Émilie ! Moi, les petits, non merci ! Je n'en ai pas voulu et je ne le regrette pas. Mais je ne t'ai pas appelée pour qu'on se compare l'une à l'autre ni pour parler de Paul, je souhaitais juste prendre de tes nouvelles.

— Alors, tu les as, Caroline. Rien de plus, rien de moins, tout va bien et comme il en va de même pour toi… J'oubliais, Paul aura soixante ans en décembre, on ne va quand même pas laisser passer cette fête sans la souligner…

— Ah non ! Dis-moi pas que t'as l'intention de le fêter en grand ? Pas au restaurant du moins ?

— Tu vois ? Tu as des réticences... Ne viens pas me dire que tu es ouverte sur l'homosexualité... Même celle de ton frère te dérange !

— Pas moi, mais William ! Il n'a rien contre les gais, il y en a qui travaillent pour lui. Ce qui le gêne, ce sont les manifestations de l'un envers l'autre en public. Manu est trop plein d'attentions pour Paul, ça attire les regards...

— Alors, il n'aura pas à s'en faire, ça va se passer chez moi. Il n'y aura que nous : Renaud et moi, les enfants et Sophie, puis William et toi. Mais je ne vous y force pas, Caroline. Libre à toi d'accepter ou de trouver un prétexte...

— Je t'ai toujours dit que je serais là dans les grandes occasions. Les mariages, les baptêmes, les anniversaires précieux... Alors, nous y serons, William et moi, mais ne t'attends pas à me voir lui sauter au cou. Paul et moi, tu sais...

— Oui, je sais, mais c'est une décennie si importante la soixantaine, et je sens que ça le contrarie...

— Sûrement ! Avec son genre de vie, un an de plus, ça doit coûter plus cher !

— Caroline ! Tu n'as que ça en tête ! Paul a quand même des qualités...

— Ah oui ? Lesquelles ?

— Je crois qu'il est préférable de clore le sujet.

— Oui, on se laisse, j'ai à préparer une liste de choses pour mon travail demain, et William est à la veille de rentrer. Donc, passe une belle fin de soirée et embrasse tes fistons pour moi.

— Je le ferai, bonne nuit et dors bien. Salue William de notre part et, un de ces soirs, il faudrait bien sortir ensemble tous les quatre...

— Nous trouverons l'occasion, Émilie. L'automne va être long, c'est si laid dehors avec toutes ces feuilles sous la pluie. Bon, on se quitte. À bientôt.

Émilie n'eut pas le temps de répliquer que la benjamine de la famille avait raccroché. Maussade comme d'habitude, Caroline s'empara de quelques dossiers à consulter au moment même où son mari rentrait de son dur boulot dans l'immeuble assez froid, sans fenêtres encore.

— Bonjour, ma chérie, tu as passé une bonne journée ?

— Oui, assez bonne, je viens de raccrocher d'avec Émilie.

— Ah oui ? Tout va bien de leur côté ? Les gars sont aux études ?

— Oui, tout va bien, sauf qu'elle a encore tenté de me parler de Paul en l'excusant sur les bords… Là, j'ai sauté un peu.

— Change de sujet la prochaine fois, ne t'emporte pas pour lui, il n'en vaut pas la peine. Quelle idée que de vouloir toujours dérouler le tapis pour lui ? Émilie devrait savoir que toi et Paul… Pis moi aussi ! Fichu d'beau-frère !

— Fichu ou pas, Émilie compte fêter ses soixante ans en décembre et nous sommes invités.

— Ah *shit* ! Où ça ?

— Reste calme, juste chez elle, et en famille seulement. Avec Manuel, bien entendu…

— Tu as accepté d'y aller ?

— Écoute William, je n'aime pas les chicanes, je ne veux rien provoquer de la sorte, nous sommes si peu nombreux. Nous allons nous y rendre, lui offrir un cadeau de circonstance, mais ne t'en fais pas, je ne lui sauterai pas au cou !

— Ça va, je vais te suivre, mais je t'avertis, s'il commence à parler de cul après avoir bu, moi, je déguerpis !

De son côté, secouant son parapluie, Paul Hériault était rentré chez lui où l'attendait Manu avec un vin blanc qui respirait sur la table et un poulet en casserole qui mijotait sur la cuisinière. S'approchant de Paul, il l'aida à retirer son imperméable et, voulant déposer un baiser sur son front, il sentit son amant se dégager et contrer ainsi le geste. Déçu, Manu se contenta de lui demander si sa journée avait été plaisante, si le travail ne l'avait pas épuisé…

— Non, non, tout est correct. Comme d'habitude. Et toi, tu es sorti de tes murs, t'as visité des amis au moins ?

— Non, je suis allé acheter le poulet que j'ai préparé, rien de plus. De quels amis parles-tu ? Je n'en ai pas vraiment, ce sont les tiens qui viennent ici, parfois. Moi, être seul avec toi me suffit…

— Oui, je connais la rengaine, mais je n'aime pas que tu parles de la sorte. On dirait un couple marié et je déteste cette attitude. Ça fait… Bon, je me comprends ! T'as acheté un pain croûté ?

— Oh non ! J'ai oublié ! Je m'habille et je cours vite à la boulangerie avant que ça ferme…

— Non, laisse faire, je vais me contenter du pain tranché.

— Tu sais, si tu me permettais de t'appeler à ton travail, ces oublis n'arriveraient pas, tu pourrais me rappeler ce que tu désires.

— Non, pas d'appels au bureau, je te l'ai dit et je te le répète depuis vingt ans, notre relation n'a pas à être publique. Pas au travail, du moins.

— Tu me gardes à l'écart de ta vie, et pourtant tu ne te gênes pas pour descendre dans la rue Sainte-Catherine et t'afficher avec le premier venu… Là où tu pourrais être vu…

— Pas un mot de plus, Manu ! Surtout pas aujourd'hui ! J'ai assez de ma sœur pour me reprendre sans arrêt. Comme si j'avais besoin de ses conseils à mon âge ! Une sœur plus jeune que moi !

— Émilie t'aime beaucoup, tu le sais. Elle m'aime aussi. Elle est notre complice depuis vingt ans, Paul ! Ça mérite notre respect, non ?

— Bon, ça suffit, ça me regarde, c'est la mienne, pas la tienne. Quel vin as-tu ouvert ? Pas celui du dépanneur au moins…

— Non, le Saint-Véran que tu aimes bien. Je sais que tu préfères le rouge, mais avec du poulet… Depuis le temps, je devrais le savoir…

Paul ne répondit rien, mangea copieusement sans même remercier son amant pour le succulent repas et, rassasié, se dirigea vers le petit bureau où il se réfugiait quand il désirait être seul. Manu, accaparé par la vaisselle et les miettes à ramasser, leva la tête pour lui lancer :

— J'ai oublié ! Tu as reçu une lettre, elle est sur la commode de la chambre. Ça vient d'Italie !

Sortant de son bureau avec un sourire, Paul trouva le moyen de rouspéter encore une fois :

— Pourquoi sur la commode de la chambre ? C'est sur mon pupitre dans mon bureau que tu déposes mon courrier d'habitude. Tu n'apprendras donc jamais ?

— Excuse-moi, le téléphone a sonné, c'était pour les draps commandés. Je suis allé mesurer ceux du lit et la lettre était dans mes mains...

— Bon, ça va, ne t'excuse pas, je vais aller la chercher.

Paul se rendit à la chambre et s'empara de l'enveloppe verte avec des timbres de toutes les couleurs. Revenant dans son bureau, il referma la porte avant d'ouvrir la lettre qui venait de Nino, évidemment. Dans un anglais massacré, le jeune homme lui demandait s'il pouvait le recevoir à Montréal, s'il s'y arrêtait. Une tante du côté maternel l'attendait à Ottawa, mais il aurait aimé passer une ou deux journées chez Paul s'il voulait l'accueillir. Sans penser plus loin que le bout de son nez, le fonctionnaire humait déjà le corps de ce bel Italien qui l'avait séduit sur la plage et ailleurs. Voulant renouveler ces agréables moments, souhaitant revivre cette folle passion, il allait faire en sorte de trouver la façon de le recevoir et de l'étreindre de ses mains impudiques. Le soir venu, heureux dans ses pensées, anticipant la scène érotique qu'il allait vivre avec Nino, il se rapprocha de Manu qui, loin de s'attendre à quoi que ce soit au lit, sentit le pied de son amant lui flatter le mollet. Se retournant délicatement, croyant que Paul rêvait, il s'aperçut qu'il était éveillé, les yeux grands ouverts, un sourire inquisiteur en coin... Le regardant, il lui demanda timidement :

— Tu veux ? Ça fait si longtemps...

Paul se rapprocha davantage, saisit le bras musclé de son amant, le palpa, puis l'embrassa sur la nuque tout en cherchant ses lèvres. Sans répondre à sa question, il se frôla sur son compagnon en proie à une violente érection. Enchanté de la situation, Manu lui demanda :

— M'aimes-tu encore, Paul ?

Sans répondre, une fois de plus, il s'empara du corps de son amant comme il le faisait naguère, alors que Manu avait à peine… l'âge de Nino. Glissant une main moite sur la courbe des reins de son conjoint qui, surpris d'un tel élan, se prêtait à ses fortes poignes, Paul exigea plus de lui ce soir-là. Puis, satisfait, repu, lui tournant maintenant le dos, le presque sexagénaire, n'en déplaise à sa sœur ou à l'humanité entière, s'endormit sur des désirs pervers… Avec quelqu'un d'autre !

L'automne, de plus en plus frais, forçait les gens à revêtir leur imperméable et leur foulard pour se rendre au travail. Mathieu, très affairé par ses cours, avait fait comprendre à Sophie qu'il leur faudrait limiter les sorties pour ne pas nuire à leurs études. Elle fit un peu la moue, n'étant pas, sur ce point, aussi à cheval sur ses principes que son amoureux, ce qui causa une altercation dont Mathieu sortit vainqueur. Joey, de son côté, avait passé le cap de Napoléon et son exil, et naviguait ces temps-ci dans l'histoire du Canada, avec ses premiers ministres, leurs vérités et leurs fumisteries. Il avait son opinion sur chacun, manifestait en pleine classe, ce qui enrageait parfois ses profs qui n'aimaient pas être contrariés par les : « Détrompez-vous, monsieur, ce sont les Anglais qui avaient engendré… » d'un jeune blanc-bec qui croyait pouvoir modifier les pages des archives. Joey comprit qu'il valait mieux se taire et tout avaler en silence, quitte à se reprendre quand il serait à son tour devant des élèves. Parce que Napoléon ou Wilfrid Laurier n'étaient pas, dans son livre à lui, ce qu'on en disait dans les ouvrages de référence. Études mises à part, le jeune homme se divertissait le plus souvent possible avec des amis dans les bars, ou installé confortablement dans les sièges moelleux des cinémas. Étudiant en histoire le jour, mais un peu plus dévergondé le soir, surtout quand il rentrait avec un verre de trop dans le nez, et que sa mère le lui reprochait. Fort heureusement il ne conduisait pas, mais ses parents n'appréciaient guère ce penchant qu'il avait pour les spiritueux et les bons vins de la Société des alcools, tout comme ceux des bars où on les vendait à gros prix. Trop gros… pour un étudiant qui se retrouvait bien souvent cassé comme un clou ! Mathieu, conscient que son frère bambochait un peu trop au détriment de ses études, ne s'en mêlait pas pour autant. Il ne voulait à aucun moment écorcher la bonne entente qui régnait entre eux. Joey ne jurait que par lui, il le savait et en profitait largement. Comblé par les attentions de son frérot, il préférait laisser les remontrances à ses parents pour ses mauvais penchants. Ce qui n'empêchait pas Joey d'être rempli de bonnes volontés, d'aider énormément à la maison, d'avoir le cœur sur la main, de songer à chacun, s'oubliant souvent pour donner aux autres. Mais Émilie, aux aguets, le surveillait de près. Elle craignait parfois qu'il ait hérité des vapeurs de l'alcool de son parrain, l'oncle Paul. Quoique Joey ne fît des abus que périodiquement… Mais à bien y penser, Paul aussi ! Était-ce donc de famille ?

Le mois de novembre se leva et, le 12, Manu fêtait ses quarante ans. Comme la fête tombait un dimanche, Émilie avait prévu l'inviter au restaurant avec les siens pour souligner l'événement. Paul accepta de bon gré, c'est Émilie qui allait payer. Caroline s'abstint d'y assister, William aussi, et Mathieu se désista, prétextant des études importantes pour le cours du lendemain. Madame Hériault se retrouva donc à table avec quatre hommes, son mari, son fils Joey et les deux amants, si on pouvait utiliser encore ce terme. Manuel était ravi d'être ainsi comblé et remercia Émilie de ne pas l'avoir oublié. Elle lui offrit un joli pull noir d'un grand magasin, mais Paul se contenta de lui remettre une carte avec ses bons vœux, en lui disant que son présent l'attendait à la maison. On mangea copieusement, on profita du bon vin commandé en assez bonne quantité, quoique Joey, sentant le regard de sa mère sur son verre, le vidât plus lentement ce soir-là. Paul, empressé auprès de son filleul, le félicitait pour sa belle allure sans omettre de lui dire que son jeans d'un bleu pâle délavé lui allait à merveille. Un vêtement qu'Émilie lui reprochait d'avoir enfilé pour une telle soirée. Mais tout se passa dans la joie et l'agrément éprouvé par le fêté. Manu ne se plaignait pas de franchir le cap des quarante ans, il disait que c'était normal d'avancer pour faire place aux autres. Ce que Paul n'admettait pas, évidemment. On se quitta sur un au revoir sincère de la part d'Émilie et de son mari et, de retour à la maison, Joey leur déclara: « Il est sympa, ce Manu, oncle Paul peut se compter chanceux d'avoir un type comme lui dans sa vie ! » Sa mère acquiesça, sachant toutefois que son frère aîné n'était pas aussi entiché de son Manu que Joey pouvait le croire. Et à plus forte raison, puisque arrivés dans leur condo du Plateau, Paul avait dit à Manu, qui le remerciait encore de sa carte, que son cadeau n'était pas acheté, mais qu'il ne perdait rien pour attendre. Le pauvre ! Il allait l'attendre longtemps !

Décembre se pointa et c'était maintenant au tour de Paul de fêter ses soixante ans le 9 de ce mois. Ça tombait bien une fois de plus, c'était un samedi et Émilie avait tout mis en œuvre pour souligner l'événement chez elle avec toute la famille et Sophie, l'amie de cœur de Mathieu. Cette dernière avait apporté à Paul un petit éléphant gris, porte-bonheur s'il en est un, que tous admirèrent de près. Un traiteur était venu avec différents plats et desserts, le vin coulait à flots et la joie semblait de mise, même si Caroline et William souriaient plus souvent qu'ils ne riaient, peu heureux d'être là... de force ! Mathieu et Sophie s'étaient joints aux convives et Joey, encore vêtu de son jeans bleu et d'un t-shirt noir, amusait la galerie, le vin aidant, avec ses blagues de mauvais goût. Paul riait à gorge déployée, bien entendu, Joey était son neveu préféré. Il le voyait dans sa soupe ou presque... Et si Joey n'avait pas été de sa famille, bien là... Manu avait offert discrètement à son vieil amant un chèque-cadeau d'un magasin à grande surface, Émilie et Renaud lui avaient remis un superbe veston de velours côtelé gris, Caroline et William y étaient allés d'un cognac de qualité, ce qui ne serait pas perdu, et les jeunes, réunis sous un même pli, avaient acheté à leur oncle des mules en cuir véritable pour les froides soirées d'hiver. Bref, tout se déroula fort bien, ou du moins agréablement, et Caroline en profita pour engager la conversation avec Mathieu et Sophie pour ne pas avoir à le faire avec son frère et son chum. William s'adressait à Renaud, discutait affaires avec lui, et Paul et Manuel en étaient réduits à causer avec Émilie et Joey des mêmes sujets que lors de la fête de Manu en novembre dernier.

Toutefois, Caroline fit la bise à son frère avant de partir et William lui serra la main ainsi qu'à son compagnon. De retour chez lui avec son amant, Paul s'empressa de lui faire remarquer :

— Tu as vu comme elle était distante, Caroline ? Son mari également !

— Bah ! qu'importe, Paul, Émilie est si charmante et Renaud a toujours le sourire. De plus, avec tes neveux et la petite qui est pas mal jolie…

— Oui, heureusement que j'ai les Boinard pour me faire oublier le couple maudit…

— Ne dis pas ça, tout le monde s'est amusé et on t'a bien gâté.

— Ouais, si tu veux, mais tu ne vois pas tout ce que je vois, moi. J'ai les yeux partout, je ne suis pas dans les finances pour rien.

— On a eu une belle soirée, Paul, c'est tout ce qui compte ! Et moi, autant te le dire maintenant, ça ne me dérange pas que tu aies soixante ans…

— Ça te dérangerait que ça ne changerait pas grand-chose, Manu.

La neige, le vent froid, les guirlandes, les sapins décorés, les échanges de souhaits et de cadeaux et, dès le 3 janvier de l'année qui venait de se lever, tout était terminé. Émilie, férue des traditions, avait demandé à ses fils à table :

— Vous avez pris des résolutions, tous les deux ? On peut savoir ?

Joey sourit et s'empressa de lui répondre :

— Oui, moi j'ai décidé de ne plus me laisser marcher sur les pieds par les profs, de leur tenir tête, de les envoyer paître !

Renaud et Émilie éclatèrent de rire, et la mère, retrouvant son sérieux, ajouta :

— J'espère que t'as aussi promis de moins lever le coude !

— M'man ! Tu me juges mal ! J'prends juste un verre à l'occasion !

— Bon ! passons... Et toi Mathieu, aucune promesse de ton côté ? insista la mère.

Relevant la tête, fixant ses parents et son frère d'un regard sérieux, l'aîné répondit :

— Elle est prise, elle s'est même transformée en décision et c'est parti, j'ai rompu avec Sophie.

Chapitre 2

On aurait pu entendre une mouche voler. Tous étaient restés stupéfaits et c'est madame Boinard qui, la première, rompit le silence :

— Tu es sérieux, Mathieu ? C'est fini entre Sophie et toi ?

— Oui, maman, bel et bien terminé. Je suis un homme libre maintenant.

— Mais pourquoi, s'écria le père, elle était si gentille !

— À ses heures, papa, et lorsqu'elle venait ici. Mais il n'en était pas toujours ainsi. Sophie était dominante, il me fallait sans cesse me plier à ses exigences et cela a fini par me taper sur les nerfs. De plus, deux personnes dans le même métier, ça ne forme pas un bon couple. Moi, entendre parler de médecine toute la soirée après avoir étudié toute la journée… Non, c'était trop. J'aurais aimé discuter de cinéma, de musique, de musées, pas de ce qu'elle avait fait à chacun de ses cours… J'ai donc mis un terme.

— Ainsi, c'est toi qui l'as quittée, Mathieu, pas elle, de renchérir Joey.

— Oui, c'est moi et je n'ai pas attendu que Noël arrive, je voulais m'en séparer avant les festivités. J'ai prétexté un malaise chez elle pour excuser son absence de notre souper traditionnel, mais en réalité, c'était déjà terminé entre nous. Je vous l'annonce donc officiellement maintenant.

— Elle a dû le prendre mal… risqua Émilie.

— Oui, maman, très mal. Je t'épargne ses mots durs envers moi, les regrets que j'aurais, le temps que je lui avais fait perdre… Mais je n'ai pas cédé, j'ai tenu mon bout sans lui répondre et je suis parti.

— Mais tu dois la croiser à l'université ? demanda le père.

— Bien sûr, mais elle ne me regarde pas, elle détourne la tête, elle presse le pas, mais je n'en ai que faire. Un an encore et j'entrerai en stage quelque part.

— D'après ce que je vois, vous ne vous quittez pas bons amis…

— Non, Joey, je ne le lui ai même pas suggéré, je ne tiens pas à avoir de relations amicales avec mes blondes quand ça se termine. Je n'ai jamais revu Johanne et je ne compte pas revoir Sophie après l'université. Là, je n'y peux rien, je crois qu'elle fait exprès de se retrouver sur mon chemin, mais je fais mine de ne pas l'apercevoir et, si je suis assis à la cafétéria, je me plonge dans un livre. Mais, assez parlé de tout ça ! Tu as un bon dessert, maman ?

— Plus qu'un, j'en ai trois ; j'ai fait la tarte au citron que tu aimes tant et des carrés aux dattes pour Joey. Ton père n'aura qu'à faire son choix, j'ai aussi un gâteau au chocolat.

— Ce qui veut dire que tu pourras sortir avec moi et mes amis, Mathieu, puisque tu es maintenant libre ? demanda Joey.

— Oui, mais j'ai des études par-dessus la tête ! Et tu sais bien que nous n'avons pas les mêmes goûts ! Moi, les ordinateurs, les jeux en ligne, pas du tout mon genre, ce sont tes amis, pas les miens. Mais pour le cinéma une fois de temps en temps, je ne dis pas non. Il paraît que Depardieu est très bon dans *Vatel* et j'aime aussi Daniel Auteuil…

— Il a joué dans *Sade*, lui, la vie du sadique marquis que j'ai étudié en littérature. Je vais t'accompagner pour l'un ou l'autre de ces films, Mathieu, tu n'auras qu'à choisir le moment, répondit Joey qui, pourtant, préférait les productions américaines.

— D'accord, ça me changera les idées, ça me sortira des laboratoires de médecine qui sont parfois plus macabres que les films sur Sade ou Landru.

Joey éclata d'un rire franc, trop heureux de retrouver enfin son grand frère qu'il adorait, et soulagé d'avoir appris qu'il avait quitté Sophie, la petite prétentieuse qu'il n'aimait pas.

Le souper du 6 janvier, celui de la fête des Rois auquel Renaud tenait fermement, avait lieu chez les Boinard et, comme de coutume, la parenté s'y était réunie. Chacun avait apporté un cadeau pour quelqu'un d'autre, et Caroline et William s'étaient empressés d'offrir à Joey, des chemises à carreaux comme il les aimait. Paul arriva avec Manu, embrassa sa sœur Émilie, serra la main de Renaud et effleura sans empressement la joue de Caroline tout en donnant poliment la main à William. Manu, plus chaleureux, les avait tous salués avec entrain, mais se contenta d'étreindre seulement Émilie, sa complice de toujours. Paul remit des gants de cuir à Mathieu qui les apprécia vivement, en plus de déposer sur la table une bouteille de vin de qualité ainsi qu'un bouquet de fleurs pour le vase de cristal. Joey, qui avait démonté le sapin la veille, avait réussi à se défaire de son jeans délavé pour enfiler un pantalon noir avec une chemise anthracite à manches longues. Mathieu, de son côté, avait revêtu son habit beige des beaux jours, accompagné d'une chemise de même ton, avec cravate de soie noire et miel. Personne ne remarqua l'absence de Sophie sauf Caroline qui, la cherchant des yeux, demanda à son neveu :

— Ton amie n'est pas là ? Elle est en retard ?

— Non, nous avons rompu, c'est terminé, elle ne viendra pas.

Devant le regard suppliant de sa sœur, Caroline n'osa s'aventurer plus loin dans ses interrogations, se promettant bien de revenir à la charge avec Émilie le lendemain, au bout du fil. Quitter une fille avec un si bel avenir ! Pour changer le sujet de conversation, Mathieu s'empressa de demander à l'oncle Paul s'ils avaient fêté quelque part pour le réveillon du jour de l'An, Manuel et lui.

— Non, nous sommes restés sagement à la maison. Moi, le tapage nocturne du bas de la ville, non merci. Manu avait loué le film *The Insider* avec Al Pacino. Une histoire vraie ! Pas mal comme histoire, on l'a apprécié tous les deux. Puis, un scotch ou deux pour moi, un carafon de vin pour lui, et notre fin d'année s'est terminée avec le générique du film. J'avais eu une grosse semaine au travail et j'étais épuisé... J'avance en âge, tu sais.

— Voyons, mon oncle, soixante ans seulement ! C'est une belle décennie qui s'en vient...

— Pas quand on a le foie en compote, riposta Paul.

— Ce qui se guérit quand on s'en donne la peine ! rétorqua Caroline qui n'avait pu se retenir.

Paul la toisa d'un regard furieux, voulut l'apostropher, mais préféra regarder ailleurs pour ne pas mettre de la brouille dans un si charmant souper. Respirant par le nez, il demanda à Joey :

— Et toi, cher neveu, tu n'avais aucun déplacement en vue pour ce long congé des Fêtes ?

— Non, pas assez d'argent ! Les gars aux études se contentent de menus plaisirs à bon compte, pas de voyages pour eux. Pas encore du moins. Ça viendra avec le temps, mon oncle, quand j'enseignerai et que j'aurai un salaire plus que décent.

— Tu as bien raison et, d'ailleurs, les plus agréables moments de la vie sont souvent ceux qui coûtent les moins chers, ceux qu'on partage avec les amis, pas loin, à peu de frais...

— Comme toi et moi, Paul, d'ajouter Manu. Tu as beau faire de l'argent, les sorties ne sont pas fréquentes.

— Tu veux dire avec toi, Manu ! rétorqua Caroline.

Cette fois, Paul la regardant droit dans les yeux répliqua :

— Je te ferai remarquer que Joey conversait avec Manu et moi, pas avec toi, Caroline. Peut-être qu'Émilie apprécierait un petit coup de main avec ses plats ?

Irritée, la benjamine de la famille se leva, se rendit à la cuisine et, faisant mine d'aider sa sœur, lui lança :

— L'as-tu entendu, l'effronté ?

— Oui, j'ai tout entendu d'ici, Caroline, mais avoue que tu l'as cherché. Tu as Renaud avec qui parler, pourquoi toujours tendre l'oreille du côté de Paul pour le provoquer ? Il est l'aîné…

— Aîné mon œil, Émilie ! Un homme de son âge qui court les clubs gais en quête de jeunes, ça ne mérite pas mon respect.

— Bien moi, je lui offre encore le mien. Paul a droit à sa vie, quelle qu'elle soit. Et les jeunes, comme tu dis, n'attendent que des proies comme lui pour se remplir les poches. Ton frère ne viole personne, Caroline, il accepte ou refuse ce qui s'offre.

— En trompant vulgairement le gars avec lequel il vit depuis vingt ans ! C'est un salaud ! Un homme sans conscience, Émilie ! Tu peux le défendre tant que tu voudras, moi, ça fait longtemps qu'il est dans ma poubelle, le grand frère !

Les invités passèrent à table et Renaud leva son verre à la santé de tous, tout en trinquant à ce temps des Fêtes quasi terminé. Après un succulent repas où le rôti de bœuf était à l'honneur, les gens s'installèrent au vivoir où Émilie leur servit le gâteau, mais sans la fève et le pois, par crainte que ce soit Caroline et Paul qui les découvrent. Tradition d'ailleurs futile et démodée, selon Joey, qui ne comprenait guère que son père maintienne encore le souper de cette fête périmée. Manu avait bu un peu de vin blanc, Paul avait levé le coude avec le rouge, ce que remarqua Caroline qui n'osait plus lui parler, elle le craignait lorsqu'il était en était en état d'ébriété. William, seul fumeur de la famille, décida malgré le froid d'aller griller une cigarette à l'extérieur. Le voyant refermer la porte, Paul regarda sa jeune sœur pour lui dire :

— Tiens, la pharmacienne, t'as rien trouvé pour l'arrêter de fumer, ton mari ? Pas même une pilule, une *patch* ou une gomme de nicotine ?

— Paul, je t'en prie !

C'était Émilie qui venait de l'interrompre assez froidement, elle ne tenait pas à ce que la soirée soit perturbée par quelques verres de trop de son « alcoolique périodique » de frère. Manu, craignant le pire, murmura à son amant :

— Chéri, on devrait peut-être s'en aller...

Paul Hériault se tourna vers lui et le semonça vertement en lui disant :

— Toi, ne m'appelle plus jamais ainsi, même dans le creux de l'oreille ! Et ne viens pas me dire quoi faire ! Je partirai quand je voudrai, je veux jouer aux échecs avec Joey qui me bat chaque fois, mais qu'importe... Tu as envie d'une partie, le neveu ?

— Bien sûr, mon oncle, si tu veux me suivre dans le petit salon d'à côté, le jeu d'échecs est installé en permanence sur la table ronde.

Paul se leva, chancela quelque peu, et pressa le pas derrière son filleul. Dès qu'il fut hors de leur vue, Caroline, regardant Émilie, marmonna :

— Maudit ivrogne ! Un autre défaut en plus d'être...

Mais elle n'alla pas plus loin, elle sentit le regard réprobateur de Manu sur elle. Elle aurait aimé poursuivre, le chum de son frère ne l'impressionnait pas, mais le froncement de sourcils de Renaud, son beau-frère, l'incita à se taire. Après dix minutes, sinon plus, William rentra et sa femme lui demanda :

— T'as pas gelé dehors ? Tout ce temps pour une cigarette !

— Non, je l'ai fumée dans la voiture, ça m'a permis de faire rouler le moteur. L'auto sera chaude quand nous partirons.

— Tant mieux ! De toute façon, ce ne sera pas long, je ne vais pas m'éterniser et risquer d'être insultée par qui tu sais.

William, qui était aussi quelque peu dérangé par le vin et les digestifs, lui répondit :

— Qu'il ose et je lui casse la gueule devant tout le monde !

Entendant ces mots, Renaud demanda poliment à sa belle-sœur et son mari de partir avant que la partie d'échecs soit terminée. Il voulait éviter la pagaille et surtout les coups, car William Naud pouvait s'avérer violent, le vin aidant. Écoutant la voix de sa conscience, Caroline se leva, embrassa sa sœur et son beau-frère, fit une étreinte à Mathieu et se rendit au vestibule pour y prendre son manteau et son chapeau. William la suivit, remercia ses hôtes pour le souper et donna la main à Mathieu en lui souhaitant du succès dans ses études. Ils partirent enfin sans avoir salué Joey, de peur d'avoir à saluer Paul. Dans la voiture encore chaude, Caroline sentit quelque chose sous son coussin. Elle y passa la main et retira le portable de William qui l'avait sans doute laissé tomber par erreur. Regardant son mari, elle lui dit :

— Je ne comprends pas, ton appareil est plus chaud que l'auto. As-tu appelé quelqu'un ?

Mal à l'aise, faisant mine de vérifier le son de la radio, il répondit :

— Non, personne, c'est juste que sous un coussin, ça reste au chaud...

— Peut-être, mais ton cellulaire est brûlant de fièvre, lui. Comme si t'avais appelé en Chine ou en Australie.

— Bon, ne parle plus, il faut que je me concentre sur la route, je ne suis pas tout à fait sobre et je ne voudrais pas avoir d'ennuis avec la police.

— Dans ce cas-là, laisse-moi prendre le volant, William !

— Non, tu conduis trop mal, c'est encore plus dangereux qu'un homme qui a pris un verre de trop. Il y a de la glace sous la neige...

— D'accord, mais embraye au moins, on est toujours à la même place. J'ai hâte de me mettre au lit, moi !

William ne répondit rien, mit l'auto en marche et, regardant sa femme de profil, soupira de mécontentement.

Une semaine plus tard, après un bref souper à la maison, alors qu'Émilie et Renaud étaient devant le téléviseur, Mathieu et Joey s'installèrent devant le jeu d'échecs. Et comme d'habitude, c'est le plus jeune des deux qui finit par lancer : « Échec et mat ! » Le lendemain matin, le perdant, s'étirant encore à table pendant qu'il déjeunait avec son père, se fit demander par ce dernier :

— Dis donc, Mathieu, tu auras bientôt une période de relâche, non ?

— Oui, une semaine complète en février, ce qui me reposera.

— Ça te dirait d'emmener ta mère pour un petit voyage ?

— Moi ? Pourquoi pas toi, papa ?

— Je ne peux pas, j'ai trop de rendez-vous, et comme Joey a déjà planifié son congé, j'ai cru que tu pourrais faire ça pour ta mère, elle en fait tant pour nous.

— Heu... oui, mais je n'ai qu'une semaine, papa, je dois aussi étudier...

— J'ai pensé à un bord de mer pas loin, Cuba, Miami, Nassau...

— Non, pas Cuba, c'est bondé parce que c'est pas cher. Miami, ça ne me dit rien. Nassau, c'est plus invitant.

— Ta mère serait si contente d'y aller avec toi. Elle a besoin d'un repos elle aussi, elle en fait trop ici, elle n'arrête pas, et elle ne partira pas sans moi, à moins que ce soit avec l'un de ses fils, tu comprends.

— Bon, ça va, si elle est d'accord, papa. Maman n'aime pas tellement les voyages, elle a peur de l'avion.

Émilie, affairée à la cuisine, n'avait rien saisi de leur conversation. Elle revint à la salle à manger avec un bol de fruits et un café frais coulé. Joey fit enfin irruption, lui, le plus difficile à lever chaque matin parce qu'il se couchait le plus tard possible, pris par ses jeux électroniques et ses amis en ligne.

— Prêt pour le déjeuner, mon grand ? demanda le père. Viens t'asseoir toi aussi, Émilie, on a une bonne nouvelle pour vous.

Regardant son cadet, Renaud avait ensuite lancé d'un trait :

— Ta mère et ton frère partent en vacances à Nassau pour une semaine !

Émilie, surprise, bouche bée, fixa son mari comme pour protester, mais Renaud lui fit si bien comprendre le besoin d'un repos pour elle comme pour Mathieu qu'elle se laissa convaincre. Surtout pour Mathieu qui avait tant étudié et qui se remettait d'une rupture. Joey, content pour eux, leur dit :

— N'hésite pas, maman, Mathieu va prendre soin de toi et, dans l'avion, avec un bon film, tu ne ressentiras aucune turbulence.

Émilie avait souri, sa crainte de l'avion n'était pas encore entrée en cause. Trop heureuse de partir avec son aîné pour une semaine, elle le regarda et lui demanda :

— Ça ne t'embêtera pas d'être avec ta mère devant les gens ?

— Pourquoi ça m'ennuierait, maman ? Tu es si belle, si jeune encore, on risque même de nous prendre pour un couple.

Elle avait souri, Joey avait ri et Renaud, ravi de faire plaisir à sa femme et à son fils, leur annonça :

— J'étais si certain que vous accepteriez que j'ai déjà réservé l'hôtel pour vous. Le plus cher, évidemment !

— Ah, oui ? Et si j'avais choisi Miami ou Cuba ? reprit Mathieu.

— J'aurais annulé, mais te connaissant, mon fils, j'étais assuré que tu pencherais pour Nassau. T'as un petit côté huppé, tu sais ! On ne t'envoie pas n'importe où, toi, tu es loin d'être comme ton frère Joey !

Quelques jours plus tard, alors que Manuel était affairé au ménage du bureau de Paul, ce dernier qui en sortait lui annonça :

— Nino arrive au mois de mars… Je serai donc deux ou trois jours absent.

— Et tu me dis ça sans aucun scrupule, Paul ? Tes aventures d'un soir au centre-ville, je suis capable de les prendre, mais un rendez-vous officiel avec un jeune Italien rencontré à Rome et de passage ici, je l'accepte moins bien !

— Libre à toi, ça ne m'empêchera pas de le rencontrer comme convenu.

— Et dire que j'ai tant fait pour toi...

— Ah oui ? Quoi donc ?

— Tu as la mémoire courte, Paul. Je t'ai sacrifié ma jeunesse, mes plus belles années, alors que j'avais un travail...

— Oui, *waiter*, tu peux encore le reprendre...

— Ne sois pas sarcastique et laisse-moi poursuivre. J'ai toujours été là pour toi, Paul. Dans tes déboires comme dans tes faux pas. Je te ramassais à la petite cuiller chaque fois.

— Comme si je n'étais pas capable de me remettre debout tout seul !

— Non, tu ne le pouvais pas, tu étais déprimé le lendemain de tes cuites suivies d'aventures désastreuses. Rappelle-toi le matin où tu t'es réveillé dans le lit d'un homme que tu ne te souvenais pas d'avoir rencontré la veille. Son énorme chat t'avait fait peur, son logement aussi et tu avais déguerpi en sautant dans un taxi. Tu étais revenu à la maison, encore éméché, pas peigné, la chemise en dehors du pantalon... Tu m'avais supplié de t'aider à t'en sortir et, deux jours plus tard, après avoir cuvé ton vin, tu repartais pour une autre aventure.

— Tu ne vas quand même pas me rappeler...

— Oui, Paul, arrête de m'interrompre et rappelle-toi ! Tu te souviens du petit matin où tu étais rentré sans bague à ton doigt, sans ta chaîne en or à ton cou ? Le soir où tu avais séduit un supposé *bouncer* qui t'avait entraîné dans un motel où tu t'étais endormi sur le lit ? Il avait déguerpi avec tes bijoux et ton argent, Paul, et c'est moi qui avais réglé le taxi. Rappelle-toi aussi ce jeune sur la rue Sainte-Catherine qui t'a vidé les poches en brandissant un couteau parce que tu ne voulais pas coucher avec lui, trop saoul pour le suivre. Tu as eu peur cette fois-là, Paul, et tu m'avais dit en arrivant : « Viens-moi en aide, Manu, je suis en train de perdre la raison ! » Sans parler des soirs où je rentrais à la maison pour voir en ressortir un homme que je ne connaissais pas. Tu les invitais même ici quand je n'étais pas là, pour ensuite me faire croire que c'était un collègue de travail. Tu me prenais pour une cruche, Paul, mais je ne l'étais pas. Je me taisais parce que je t'aimais. Chaque fois, tu étais rempli de remords d'avoir trop bu et je t'ouvrais mes bras. Je te consolais, je te venais en aide parce que je t'aimais, Paul. Beaucoup plus que tu m'aimais, mais j'espérais qu'avec le temps tu ralentirais et que tu ne serais finalement qu'à moi. Peine perdue ! *Qui a bu boira,* dit le dicton, et une semaine plus tard, tu repartais, poussé par tes sens, te jeter dans les bras de n'importe qui en me disant que c'était là une maladie. Tu buvais trop, Paul, tu bois encore trop… J'ai réussi une seule fois à te conduire chez les Alcooliques anonymes après un remords de ta part plus fort que les autres. Un gars, plus vieux cette fois, que tu avais suivi dans un sauna, t'avait mordu trop fort un mamelon dans sa brutalité. Un gars qui t'avait fait peur et que tu regrettais d'avoir rencontré. Tu t'es rendu chez les AA, nous y sommes même allés ensemble parce que cela te gênait, mais laissé à toi, seul avec eux, tu es revenu le soir en me disant que leurs théories n'étaient pas pour toi, que tu t'en sortirais seul. À mon grand désarroi, puisque tu n'as pas réussi et que ta dépendance a empiré avec les ans. J'ai enduré, Paul, j'ai fermé les yeux et j'ai laissé passer toutes les occasions de te rendre la pareille dans ma trentaine, parce que je t'étais fidèle. Et je le suis encore ! Mais là, avec ton Nino, un petit jeune dans la vingtaine qui s'en vient te faire pâmer, ça dépasse les bornes !

— Tu as fini, Manu ? Tu t'es vidé de tout ce que tu avais sur le cœur ? Bien, tant pis pour toi, parce que ce n'est pas ton petit sermon qui va changer ma vie. Je rencontrerai Nino que j'ai connu à Rome et je passerai trois jours avec lui, ne t'en déplaise. Et ce ne sera qu'une reprise puisque nous avons déjà couché ensemble en Italie. Et si ça ne te plaît pas...

Manuel, l'interrompant, le regarda froidement pour lui dire :

— S'il en est ainsi, Paul, si ce jeune Italien vaut plus que moi, vas-y, passe trois jours ou dix avec lui, mais je t'avertis, je ne serai plus là quand tu reviendras ici.

— Tiens ! Du chantage ! Comme si ta petite menace allait me faire peur ! Mais où donc irais-tu ? T'as pas une cenne, pas d'emploi, pas d'endroit où habiter. T'as personne d'autre que moi dans la vie, Manu ! Sans moi, tu serais dans la rue...

— Non, je serais heureux, Paul, ailleurs... Ce que je compte faire quand je t'aurai quitté.

— Et tu crois que ça me fait peur tout ce que tu me dis là ?

— Non, sans doute pas, tu ne m'as jamais aimé.

— Bien oui, autrefois, quand tu avais vingt et un ans...

— Que les jeunes ! Même moi ! J'ai maintenant quarante ans, Paul, mais tu en as soixante ! Qui donc es-tu pour me regarder de haut ? Un sexagénaire qui va payer encore plus cher pour les prostitués qu'il va croiser, en s'imaginant que ces profiteurs le suivent pour lui ! Quel imbécile heureux tu peux être !

— Une autre remarque comme celle-là et c'est aujourd'hui que tu partiras ! Je t'ai fait vivre durant vingt ans, tu n'as manqué de rien avec moi…

— Oui, j'ai manqué d'amour et de tendresse, Paul ! Ce que j'aurais pu trouver avec quelqu'un d'autre tout en travaillant et en payant ma part. Ta sœur Émilie a bien raison…

— Ne la mêle pas à notre histoire, elle a assez de sa famille et de ses tâches quotidiennes. Émilie t'aime bien, c'est certain, mais ce n'est pas elle qui vit avec toi…

— Ni avec toi, Paul ! C'est moi !

Ennuyé d'être ainsi malmené par Manuel qui avait décidé ce jour-là d'avoir le dernier mot, Paul tourna les talons, se dirigea vers le salon et s'étendit sur le divan avec un roman policier entre les mains. Manuel, voyant qu'il n'y avait rien à ajouter, poursuivit ses tâches quotidiennes, convaincu cependant d'avoir secoué son vieil amant.

Entre-temps, chez les Boinard, les valises de Mathieu et de sa mère étaient prêtes et c'est Joey qui, en congé ce jour-là, s'était offert d'aller les reconduire à l'aéroport. Ce n'était pas chaud dehors, mais la voiture garée dans le garage était très confortable. Un pied quasi à fond malgré l'affluence matinale, Joey les mena à bon port et leur souhaita un merveilleux voyage sans toutefois se stationner pour aller manger avec eux. Il y avait tellement de monde à Dorval, tant d'autos… Il rebroussa chemin, et Mathieu et sa mère, avec deux chariots à pousser, se dirigèrent vers l'entrée. Les bagages enregistrés, ils se rendirent au casse-croûte pour un copieux déjeuner qui les soutiendrait jusqu'à destination. Des crêpes avec sirop et fruits et des rôties pour Mathieu, des croissants avec fromage et œufs brouillés pour sa mère, un café pour lui, un thé pour elle, et après avoir causé de tout et de rien, ils franchirent le comptoir d'enregistrement derrière lequel l'avion qu'ils devaient prendre les attendait. Le vol fut assez turbulent et, voyant que sa mère regardait souvent sa montre, Mathieu réussit à la détendre en lui faisant avaler, avec de l'eau fraîche, le petit cachet contre l'anxiété que son médecin lui prescrivait. Puis, sentant qu'elle n'allait pas dormir ni s'assoupir, il se mit en frais de faire des mots croisés avec elle. Ainsi, pendant qu'elle cherchait à déchiffrer les définitions les plus difficiles, elle oubliait qu'une poche d'air venait de se manifester. L'atterrissage se fit en douceur et, enfin au sol, Émilie poussa un soupir de soulagement. Mathieu l'entraîna jusqu'à la sortie où des taxis en file attendaient les voyageurs. Engouffrés dans l'un d'eux, ils se firent conduire au luxueux hôtel que Renaud leur avait réservé. La suite avec une grande chambre pour elle et une plus petite pour lui était magnifique. Ce qui plut à Émilie qui aurait sans doute eu peur de passer la nuit dans une chambre à elle seule, même fermée à clef. Ils se changèrent, revêtirent des tenues plus estivales et se rendirent à la salle à manger où un goûter était servi. Puis, de là, ils remontèrent à la chambre pour aller s'asseoir sur le grand balcon qui donnait vue sur la mer. Mathieu n'avait pas envie de se baigner en arrivant, il préférait garder ce plaisir pour les jours suivants puisqu'on prévoyait du soleil pour un bon bout de temps. Et c'est dans sa chaise longue qu'Émilie s'assoupit enfin, aidée de son petit calmant. La voyant, les paupières closes, se reposer, Mathieu s'empara d'un recueil de poésies de Saint-Denys Garneau, intitulé *Poèmes choisis,* que Joey lui avait refilé la veille du départ. Ce qui allait l'éloigner des livres de médecine qui étaient sa denrée chaque jour aux études. Mathieu le parcourut, s'arrêta sur de courts chapitres comme *Attentes, Accompagnement* et *Voyage au bout du monde,* avant de le déposer, fermer les yeux et penser à Sophie qui, malgré la rupture, habitait encore un coin de son cœur. *Chaque perte a son deuil, l'amour comme la mort,* avait-il lu quelque part. Mais en ce qui le concernait, l'amour était bien mort. L'avait-il seulement aimée ? Les avait-il seulement aimées, Johanne et Sophie ? Il avait l'impression de les avoir plutôt considérées. Ni l'une ni l'autre n'avaient réussi à le garder fougueux dans les moments les plus ardents. Même au lit ! Et quoique Mathieu ne fût pas aussi sensuel que Joey, il n'en était pas moins nanti d'un savoir-faire intime qu'il n'avait guère exploité lors de ses deux précédents engagements. Le soir tomba sur Nassau et, à vingt heures, Émilie Boinard, élégamment vêtue, descendait à la salle à manger au bras de son aîné qui, lui, s'était contenté d'une chemise de coton beige et d'un pantalon brun de qualité. Assis à une table en coin, personne ne remarqua qu'il s'agissait de la mère et du fils. Quelques femmes posèrent plus longuement un regard sur Mathieu, non pour analyser la situation, mais parce qu'il était beau garçon. Il y avait beaucoup d'anglophones, très peu de francophones du Québec qui, selon Renaud, préféraient la Floride aux Bahamas. Ils mangèrent copieusement, se partagèrent un demi-litre de vin blanc, choisirent un dessert à la carte et jasèrent en tête à tête durant une heure. Au moment de déposer la serviette sur la table, ils virent entrer et prendre place, non loin d'eux, une magnifique jeune fille accompagnée d'un homme dans la quarantaine avancée. Émilie ne passa aucune remarque, mais Mathieu, devinant que sa mère se questionnait, lui murmura :

— C'est peut-être son père, maman, elle doit avoir à peine vingt ans.

— Possible, Mathieu… Et pourquoi penser mal, on pourrait en dire autant de nous. Un garçon de vingt-quatre ans avec une femme dans la cinquantaine…

— Voilà ! Et je suis certain que l'homme en face de la jolie fille ne pense pas un instant que je puisse être ton jeune amant.

Émilie éclata d'un rire franc et, en se levant tous deux pour quitter la table, Mathieu se rendit compte que la jeune fille non loin le gratifiait d'un sourire. Il le lui rendit avec un léger signe de tête, timide face à ce visage d'ange qui, soudainement, le troublait. Ils sortirent, marchèrent à pas lents vers leur suite et Émilie en profita pour dire à son fils :

— Je n'en suis pas certaine, mais je crois qu'elle t'a souri, la demoiselle.

— Elle l'a fait, maman, et je lui ai rendu son sourire. Elle a l'air distinguée, elle n'est pas comme les autres croisées depuis notre arrivée. Et l'homme qui l'accompagne est fort bien mis.

— Oui, et de belle apparence en plus ! Tel père, telle fille, si c'est le cas !

Le lendemain, alors que le soleil brillait de tous ses feux, Mathieu descendit à la plage avec sa mère et dénicha une table avec un grand parasol vert, un peu à l'écart des touristes. Un peu plus loin, une autre table semblait occupée par un couple et, stupéfait, Mathieu constata qu'il s'agissait de la jeune beauté avec son compagnon. Elle était vêtue d'un maillot de bain d'une seule pièce dans les tons dégradés de vert et jaune, et tentait de remonter en chignon sa longue chevelure brune. Elle se leva et Mathieu put se rendre compte qu'elle était bien tournée, qu'elle avait de jolis traits, même sans maquillage, et des jambes superbes. Émilie, qui l'avait vue, préféra ne rien laisser paraître et laisser Mathieu profiter de la situation. La jeune fille tourna la tête en leur direction et c'est Mathieu, cette fois, qui lui sourit de ses dents blanches. Étonnée de ne pas l'avoir aperçu plus tôt, elle lui rendit son sourire et marcha lentement jusqu'à la mer où les vagues l'appelaient. Mathieu aurait voulu la suivre, mais il trouvait intimidant d'avoir l'air si vite intéressé, voire entreprenant. Il préféra attendre qu'elle revienne avant d'aller nager à son tour. Ce qui n'empêcha pas la jolie fille de le contempler dans sa totale virilité. Maillot noir genre short, la poitrine un peu velue, les bras juste assez musclés, il avait tout du jeune athlète qu'on rencontre sur les plages. Émilie en profita pour s'approcher du monsieur resté seul et engager la conversation sur le soleil qui scintillait…

— On ne peut rêver de plus belle journée, n'est-ce pas ?

— En effet, madame, et la mer n'en sera que plus chaude. Ma fille adore s'étendre tout près des vagues comme elle le fait présentement. C'est d'ailleurs pour elle que je suis venu ici, ma femme est en Europe avec notre plus jeune.

— Ah bon ! Moi, je suis avec mon fils, mais c'est lui qui m'accompagne. Il veille sur sa mère qui a besoin de repos, selon mon mari. Mais ça lui fera grand bien, il est étudiant en médecine et les sessions sont très lourdes. Un petit répit ne sera pas de trop.

— Il se dirige vers une spécialité ?

— Il voulait être urologue, mais je crois qu'il a changé d'idée et que la cardiologie l'intéresse davantage.

— À titre de chirurgien ?

— Je ne sais trop… Ça pourrait être le cas, mais c'est d'un échelon à la fois qu'il le saura. Votre fille étudie aussi ?

— Non, Geneviève a terminé ses études, elle est enseignante à la maternelle d'une école privée. Premier emploi…

— Enseignante ! Je l'étais lorsque je me suis mariée. Quelle belle profession ! Elle est très jolie, les élèves doivent l'adorer !

— Oui, ils l'aiment beaucoup. Ils sont petits, pas encore en première année, quatre ou cinq ans pour la plupart… En fait, regardez, votre fils et ma fille sont en conversation au bord de la plage, je me demande bien qui des deux a approché l'autre.

— Votre fille est libre ? Pas d'ami sérieux ?

— Elle en avait un avant d'obtenir son diplôme, mais l'amour s'est éteint. Depuis ce jour, Geneviève se contente de sa profession et des petits de son école. Elle habite encore avec nous, d'ailleurs.

— Elle est fille unique ?

— Non, nous avons une autre fille de deux ans plus jeune qu'elle, mais Mélanie est toujours aux études et elle ne s'est pas encore branchée, celle-là ! Indécise sur son avenir, elle a toujours un plan B selon elle… Ah ! ces jeunes !

— Comme c'est étrange, vous avez deux filles qui ont deux ans de différence, et mon mari et moi avons deux fils avec la même différence d'âge. Nous avons sans doute franchi le pas du mariage en même temps ou presque !

— C'est fort possible ! répondit l'homme en souriant, sans pour autant s'être identifié à son interlocutrice et Émilie non plus !

Sur la berge, c'était Mathieu qui avait approché Geneviève étendue sur la plage pour lui demander :

— Pas froid avec les pieds dans l'eau, sans serviette autour du cou ?

— Non, pas du tout ! Allons, nous sommes à Nassau ! Je n'ai même pas froid dans la neige ! répondit-elle en se relevant en riant.

— Vous… Tu es de Montréal ?

— Oui, j'habite le quartier Ahuntsic, chez mes parents. Et toi ?

— J'habite aussi chez mes parents, mais quand j'aurai terminé l'université…

— Tu étudies en quoi ?

— En médecine spécialisée. J'aimerais devenir cardiologue.

— De longues études que celles-là ! Il faut avoir de la patience.

— J'en ai, crois-moi, et toi, tu étudies encore ?

— Non, j'ai obtenu mon diplôme l'an dernier. Je suis éducatrice dans une école privée. J'enseigne aux bouts de chou à la maternelle et j'adore ce que je fais.

— Tiens, tiens, professeur ! Beaucoup de choses à raconter le soir…

— Oui, surtout des anecdotes, mes parents en raffolent. Tiens, je vois mon père qui cause avec…

— Avec ma mère, je l'accompagne, elle avait besoin de repos. Elle était enseignante elle aussi il y a plusieurs années, mais chez les élèves en fin du primaire. Elle a abandonné lorsqu'elle est devenue enceinte de moi. Mon père préférait la voir à la maison, et comme l'enseignement n'était pas une vocation qui lui tenait à cœur…

— Quelle coïncidence ! Sauf que moi, enseigner est toute ma vie. Rien ne m'en ferait déroger. Dis, vous mangez à l'hôtel ce soir, ta mère et toi ?

— Oui, pourquoi ?

— Nous pourrions peut-être choisir la même table. Mon père et moi n'avons plus grand-chose à nous dire, tandis qu'entre nous… Et ta mère pourrait causer avec papa durant nos silences !

Elle éclata d'un rire franc et Mathieu remarqua sa superbe dentition, non sans avoir vu la bouche sensuelle, le nez parfait, les yeux pers presque verts, et le merveilleux visage en entier de la très jolie fille. Attiré par elle, sentant quelque chose remuer en lui, il lui demanda gentiment :

— Je peux savoir ton prénom ? Moi, c'est Mathieu.

— Alors moi, c'est Geneviève.

— Joli prénom… Bon, je retrouve ma mère et je te laisse aux bons soins de ton père. À quelle heure descendez-vous manger habituellement ?

— À Montréal, nous soupons plus tôt, mais ici, comme mon père aime prendre l'apéro à la chambre, nous y allons vers dix-neuf heures trente. Est-ce que ça vous irait ?

— Absolument ! Nous y serons, ma mère et moi. J'espère que ton père sera d'accord avec l'invitation à se joindre à vous ?

— Ne t'en fais pas, il en sera ravi. Il adore parler avec les gens de son âge. Vient un temps où mes conversations l'ennuient.

On les entendit rire de loin et Émilie, tournant la tête vers la berge, ne reconnaissait plus son fils en ce jeune homme agité, voire empressé. Que s'était-il donc passé ?

De retour à la chambre, elle regarda Mathieu qui s'apprêtait à aller sous la douche afin de se défaire du sable qu'il traînait encore, et se recoiffer avec le séchoir même s'il avait les cheveux courts. Des cheveux forts et noirs comme ceux d'un gladiateur, lui disait souvent sa mère, tandis que Joey, plus blond, portait les siens plus longs, parfois trop longs, ce qui faisait soupirer son père. Voyant qu'il était radieux, sa mère osa l'approcher pour lui demander :

— Dis donc, elle t'a fait tout un effet, cette jeune fille.

— Qui donc ? Ah ! tu parles de Geneviève ? Elle est vraiment charmante. D'ailleurs, nous soupons avec elle et son père, ce soir, elle nous invite à nous joindre à eux.

— Vraiment ! Et tu as accepté sans même me consulter ?

— Voyons, maman, ça te fait déjà plaisir, je te connais, va. Toujours en tête à tête avec ton fils... Je t'ai vue parler avec son père, quel est son nom ?

— Sais-tu que je ne le lui ai même pas demandé ? Lui non plus, d'ailleurs ! Nous étions si occupés à parler de nos enfants que nous avons oublié de nous présenter.

— Bien elle, Geneviève, est enseignante. Comme tu l'étais à son âge !

— Ça, je le sais, et elle a une sœur plus jeune qui s'appelle Mélanie, son père me l'a dit. Alors, va pour le souper à quatre, je vais pouvoir arborer ce que j'ai d'un peu plus élégant.

— Pas trop sur ton trente-et-un, maman ! Nous sommes à Nassau, pas dans un hôtel de New York !

— Tu serais surpris de voir comment les gens aiment porter leurs toilettes et leurs bijoux le soir venu. Chacun veut épater l'autre... mais ne t'en fais pas, je suis assez sobre dans mes goûts et un bel ensemble avec un blouson de soie fera l'affaire.

Et il en fut ainsi. Émilie enfila un pantalon bleu marine et le rehaussa d'une blouse beige à motifs rouges avec cordon à la taille. Un veston léger sur le bras, des petits pois d'or aux oreilles et sa montre, rien de plus. Elle se trouvait fort élégante devant le long miroir de sa chambre. Les pieds dans des sandales rouges à talons plats, elle attendait que Mathieu se présente. Et elle fut renversée ! Il avait revêtu un pantalon noir et une chemise beige à rayures noires, mais il avait aussi endossé un veston noir et des mocassins beiges de qualité. Un beau garçon pour une belle soirée, quoi ! Émilie ne trouvant rien à redire sur quoi que ce soit, elle se contenta de sourire. Ils descendirent à la salle à manger où Geneviève et son père les attendaient depuis quelques minutes. Mathieu, se dirigeant vers une table près d'un palmier, avait remarqué que Geneviève avait remonté ses cheveux en chignon et enfilé une robe de soie avec bustier et bretelles fines. Maquillée avec soin, des anneaux ciselés aux lobes d'oreilles, elle portait aussi un bracelet s'y appareillant, et sans montre au poignet. Comme si le temps n'avait pas d'importance pour elle. Le papa, complet de lin gris, chemise bleue à col ouvert, cheveux bouclés avec quelques brins poivre et sel sur les tempes, affichait un très beau sourire. Saluant Mathieu en lui donnant la main, il lui déclara :

— Il est temps que je me présente, Jean-Marc Gicard, directeur d'une firme de transport outre-mer. Avec un ordinateur portatif sans cesse avec moi ou presque, sauf que ce soir, ma fille l'a caché je ne sais où...

Ils rirent de bon cœur et Émilie Boinard se présenta officiellement à son tour, tout en laissant Mathieu lui dire qu'il était étudiant en médecine, ce que monsieur Gicard savait déjà. On les avait assis de façon à ce que Mathieu soit en face de Geneviève, ce qui plut à cette dernière. Ils mangèrent un peu de tout, agréèrent le vin de bon goût, savourèrent les desserts et jasèrent jusqu'à ce que les deux cafetières soient à sec. Geneviève avait demandé poliment à Émilie :

— Vous portez le nom de votre mari, madame Boinard ? Cela m'étonne...

— Pourquoi ? Nous nous sommes mariés il y a plus de trente ans, Renaud et moi, avant même que cette loi ne s'applique. D'ailleurs, mon mari, qui est de souche française, n'aurait jamais accepté que je ne porte pas son nom. Pour ce faire, nous serions même allés nous marier en Europe s'il avait fallu ! De plus, nos enfants ne portent que le nom de leur père. Mon mari est très conservateur et, comme je suis forte sur les traditions, aucun pépin de ce côté. Quelle folie que d'avoir tout chambardé... Il n'y a que chez le médecin que je suis madame Hériault, maintenant ! La fameuse carte-soleil, vous comprenez ?

— J'abonde dans votre sens, attesta le père de Geneviève. J'aurais aimé que mes filles ne portent que mon nom, mais leur mère, féministe à outrance, fidèle à Lise Payette, voulait à tout prix que Geneviève et Mélanie soient des Julien-Gicard.

— Et je déteste porter deux noms ! riposta Geneviève. C'est ridicule ! Certains de mes élèves ont un prénom composé et deux noms de famille en plus. Imaginez ! Jean-François Latendresse-Descôteaux ! Pas mal long à traîner toute sa vie, un nom comme celui-là ! Et si jamais ce petit devient un chanteur ou un acteur, je ne crois pas qu'il sera très connu avec un nom qui prendra trop de place au générique. Même les journaux ne pourraient pas le titrer en première page. Alors, comment voulez-vous que les gens s'en souviennent ? Moi, les petits m'appellent madame Geneviève, ce qui est très sympathique. À l'université, je m'étais inscrite sous le nom de Geneviève Gicard, au grand désespoir de Diane.

— Qui donc est Diane ? demanda Mathieu.

— Ma mère ! Une autre fantaisie de sa part ! Elle tient à ce que nous l'appelions par son prénom. Et ce, depuis que nous sommes petites. Par contre, mon père, c'est papa !

— Oui, nous avions eu de sévères différends, ma femme et moi ! Alors, pour les régler, n'en déplaise à ses amies qui ne m'aiment pas trop, pour les enfants je suis papa et elle, Diane. On n'a qu'un père et une mère dans sa vie, pourquoi les priver de ces si belles appellations qui leur reviennent ?

— Mon mari serait certes d'accord avec vous. Moi aussi d'ailleurs… Nous avons un autre point en commun, Geneviève, un bac en éducation.

— Oui, quelle chance ! Nous pourrons parler ensemble de l'enseignement d'il y a vingt ans et de celui de maintenant.

Cela dit comme si elle s'attendait à la revoir très souvent, ce qui avait ravi Mathieu. Madame Boinard conversa de choses de la vie avec monsieur Gicard, pendant que Geneviève et Mathieu, à voix basse, s'entretenaient de sujets plus courants. La soirée s'écoula et, après un digestif que Jean-Marc Gicard se permit, on avait finalement fait le tour du jardin dans les sujets divers. Geneviève et Mathieu savaient tout l'un de l'autre ou presque. Ils se levèrent et, au moment de se quitter, Mathieu se pencha vers la jeune fille pour lui demander :

— Vais-je te revoir à la plage demain ?

— Probablement, mon père a du travail à faire et je lui laisserai le balcon de l'appartement. Tu y seras ?

— Bien sûr, j'y serai avant toi, sous le même parasol, mais sans ma mère cette fois, elle préfère lire à l'ombre dans le jardin de l'hôtel. Alors, à demain, Geneviève, et merci pour la soirée, monsieur Gicard.

Madame Boinard remercia également l'homme qui avait insisté pour défrayer le coût du repas et, de retour à leur suite, Émilie s'empressa de demander à son fiston :

— Elle te plaît, dis donc ?

— Oui, maman, c'est le coup de foudre ! Je ne pensais pas que, sitôt après avoir rompu, je tomberais en amour avec une autre. Le hasard fait bien les choses, je ne croyais jamais venir ici, moi. Et elle est enseignante, elle me parle des enfants, de cinéma, de musique, bref, de tout sauf de médecine. Quel changement ! Et tu as remarqué son rire enjoué et sa voix douce ?

— Tu comptes donc la revoir à Montréal ?

— Oui, si elle le désire aussi. L'amour n'est pas qu'un aller simple, il lui faut un retour. Nous avons encore trois jours pour y songer, mais quant à moi...

— Tu viens pourtant à peine de rompre avec Sophie. N'avais-tu pas envie d'un peu de liberté, mon grand ?

— Je le pensais, maman, mais avec Geneviève déjà dans mon cœur, c'est différent. Et comme elle est libre elle aussi...

— Tu t'en es informé ?

— Bien entendu ! Si elle avait eu un gars *steady* dans sa vie, je me serais vite éclipsé. Et elle a également voulu savoir ce que, de mon côté... En résumé, on a tout appris l'un de l'autre en quelques conversations. Pas de temps à perdre de sa part ni de la mienne. Et, comme ça va là, je serais surpris de ne pas être son style d'homme.

— Bien, un futur médecin...

— Non, maman, tu fais erreur, ce n'est pas son genre. Elle a sa profession, elle a des parents à l'aise... Non, elle est intéressée par moi, tout simplement. Même si j'avais été un décrocheur scolaire ! Je sens que lorsqu'elle aime, c'est sans condition, sans cérémonie surtout. C'est une fille de sentiments et d'émotions, celle-là, très différente des autres. Le seul fait d'enseigner aux tout-petits prouve à quel point elle peut avoir le cœur à la bonne place.

— Dis donc, c'est vraiment sérieux à ce que je vois ! T'entends-tu parler, Mathieu ? Tu n'as jamais tenu de tels propos pour les deux précédentes. Je vais finir par croire qu'elle t'a subjugué, cette fille-là !

— Crois-le, c'est le cas, rien d'autre ! Et avec elle, ce sera…

— Non, Mathieu, ne projette rien, tu viens à peine de la rencontrer. Tout de même ! Toi, si sérieux d'habitude…

Mathieu, retirant sa chemise pour la ranger dans un placard, se contenta de sourire sans répondre à sa mère. Il n'avait que Geneviève Gicard en tête.

Le lendemain soir, alors que Mathieu était allé manger seul avec Geneviève dans un restaurant non loin de l'hôtel, Émilie en profita pour commander un léger souper à la chambre qu'elle avala d'un trait, pour ensuite téléphoner à Renaud à Montréal. Au bout de quelques secondes, son mari répondit :

— Oui, j'écoute ?

— Renaud ! C'est moi ! Comme tu sembles loin, la ligne est mauvaise.

— Ça va, je t'entends bien, oublie la friture, ça ne nous empêchera pas de nous parler. Comment se déroule ce gentil voyage ?

— Absolument bien, le temps est superbe, l'eau de la mer est bénéfique et je me repose beaucoup plus que prévu, mais je m'ennuie de toi, chéri, je me sens si seule…

— Comment, seule… Mathieu n'est pas sans cesse auprès de toi ?

— Si on veut, et rempli d'attentions pour sa mère, mais un petit miracle est arrivé, ton fils est tombé en amour en deux temps, trois mouvements.

— En amour ? Lui ? Il vient à peine de rompre…

— Oui, je sais, et j'en ai été la première stupéfaite, mais il a fait la connaissance d'une jeune institutrice qui l'a chaviré d'un seul regard. Une très belle fille, Renaud ! Et très intelligente à part ça ! Elle est ici avec son père, sa mère est en Europe avec leur autre fille. C'est le hasard qui l'a voulu, mais Mathieu n'a jamais été épris de la sorte. Ils sont libres tous les deux, elle a un an de moins que lui, elle enseigne dans une école privée. Ils sont du quartier Ahuntsic, sur la rue Laverdure, je crois. Une bonne famille… Puis j'arrête là, je les connais à peine. Mais en ce moment, Mathieu est en tête à tête dans un restaurant avec Geneviève, sa nouvelle conquête.

— Il n'a pas l'habitude de faire les premiers pas. Lui, un conquérant ? C'est sans doute elle…

— Non, Renaud. C'est lui qui a eu le coup de foudre, elle semble en être entichée aussi, mais je te jure qui c'est lui qui s'en est épris le premier. Deux jours à la plage, un souper à quatre et il était amoureux.

— Que veux-tu dire par un souper à quatre ? Tu vas me rendre jaloux, tu sais…

Émilie éclata de rire et lui répondit :

— Tu n'as rien à craindre, je suis la femme la plus fidèle qui soit. D'ailleurs, monsieur Gicard, Jean-Marc de son prénom, est un homme d'affaires qui passe ses jours et ses nuits avec son ordinateur quand son épouse n'est pas avec lui. Il est charmant, mais très respectueux, et il semble encourager sa fille à fréquenter notre garçon. Tu nous as payé ce voyage, mon mari, pour que je puisse trouver la paix et c'est notre fils qui a trouvé l'amour. L'amour de sa vie, cette fois, si j'en juge par ses élans.

— Eh bien ! On aura tout vu avec lui ! D'une à l'autre… Assez bizarre, tu ne penses pas ?

— Non, parce que les deux autres, c'étaient elles qui s'étaient accrochées à lui, tandis que cette fois, c'est lui qui s'est jeté sur elle. Dans le bon sens du terme, on s'entend.

— Bien, je suis très heureux que Mathieu, tout comme toi, y trouve son compte. Finalement, j'aurai été son entremetteur sans l'avoir cherché.

Émilie rit de bon cœur et reprit d'un ton plus calme :

— Mais j'ai hâte de revenir, je m'ennuie de tes bras, de ta voix, de ma routine de tous les jours et de Joey aussi. Il est là ?

— Non, il est chez un ami, mais sache que tu me manques beaucoup, Émilie. J'ai hâte que tu reviennes aussi, mais prends un peu de soleil, reviens bronzée, c'est de santé, mais pas trop cependant…

— Ça ne risque pas de m'arriver, je suis toujours à l'ombre, j'essaie de me détendre en lisant un roman de Balzac que je n'aime pas. Je préfère nos auteurs…

— Encore quelques jours et tu seras dans mes bras, ma chérie.

— J'en ai envie, Renaud. Dis, personne n'a téléphoné ?

— Non, personne à part ton frère qui s'inquiétait de toi. Il avait l'air joyeux le fameux Paul ! On n'a pas à se demander pourquoi !

— Rien ne le changera celui-là, mais que veux-tu, il a ses coups de foudre lui aussi.

— Oui, sauf qu'ils le foudroient chaque fin de semaine !

Émilie éclata encore de rire et quitta son mari après l'avoir embrassé d'un grand souffle au bout du fil. Renaud raccrocha, satisfait de la tournure des événements et, vingt minutes plus tard, alors qu'il s'apprêtait à regarder le bulletin de nouvelles, Joey rentrait en se frottant les mains gelées par le froid.

— Si seulement tu portais des gants ou des mitaines ! Ah ! les jeunes d'aujourd'hui ! En jeans et en espadrilles dans la neige ! Comme si nous étions en juillet ! Pas surprenant qu'il m'en arrive plusieurs au bureau avec des maux de bras et de dos causés par des engelures jusqu'aux os. Des patients que nous dirigeons vers leurs médecins. Quand donc vas-tu apprendre ?

Sans répondre, entrant dans le salon sur ses bas, Joey lui demanda :

— Pas de nouvelles de maman ?

— Oui, justement. Ta mère m'a appelé tantôt. Elle a hâte de rentrer, elle s'ennuie de la maison et de son autre petit garçon.

Joey esquissa un sourire et répliqua :

— Mathieu ne trouve pas trop le temps long avec les deux pieds dans le sable ? Il doit avoir hâte de revenir, comme je le connais.

— Pas tant que ça et tu le connais mal, ton frère est tombé en amour aux Bahamas.

— Comment ça... en amour ? Il vient à peine d'arriver...

— Selon ta mère, il a rencontré une jeune et jolie enseignante et il s'en est épris. Il en est follement amoureux, paraît-il. En ce moment, il est dans un chic restaurant avec elle. Et c'est lui qui l'a courtisée, pas elle. Le coup de foudre, semble-t-il. Sa nouvelle flamme s'appelle Geneviève ! Et ça devrait se poursuivre...

— Pas une autre blonde après Johanne et Sophie ? Tu me racontes des blagues, papa ?

— Non je suis très sérieux, je n'en croyais pas mes oreilles, moi non plus.

— Ah ben, *shit* ! Encore une autre pour me l'enlever ! Moi qui voulais le déniaiser, voyager un peu avec lui. C'est crissant !

— Oh ! ton langage, mon fils, surveille-le un peu ! Tu peux utiliser ces mots avec tes amis, mais pas avec ton père. Quel vocabulaire !

— Excuse, papa, mais il a le don de me mettre en maudit, le frère ! Une autre blonde ! Un autre paquet de troubles ! *Shit* de… Excuse, désolé, je m'arrête là, mais pas encore une autre pour se mettre entre lui et moi ! On n'est que deux frères dans cette maison, pas cinq ! Y aurait pu m'consacrer un peu d'temps, non ? Merde !

Chapitre 3

L'avion venait de se poser au sol et Mathieu, heureux de prendre le bagage à main de sa mère, la précéda pour passer les douanes et ensuite retrouver dans le vaste hall de l'aérogare nul autre que son père venu les accueillir. Les effusions, les sourires, les valises, et tout ce beau monde étaient en route pour la maison. La veille du départ, Mathieu avait passé la soirée avec Geneviève et leur séparation s'était avérée triste, ils étaient déjà attachés l'un à l'autre. Ils se promirent de se revoir au retour, ils s'étaient échangés leurs numéros de téléphone.

Les Boinard arrivèrent à Outremont alors qu'il faisait passablement froid en ces derniers jours de janvier. Mathieu, habitué au soleil des Bahamas, frissonnait dans le petit coupe-vent que son père lui avait apporté. Sa mère en faisait tout autant dans le manteau d'hiver trois quarts que son mari lui avait remis avant de sortir pour se rendre à la voiture. À l'aise et au chaud à la maison, Renaud avait dit à sa femme :

— Je fais couler un bon café, voilà qui vous fera du bien.

— Ce ne sera pas de refus, papa. J'ai encore les mains gelées malgré les gants que tu m'as apportés… Ah ! sales froids d'hiver !

— Ne t'en plains pas trop, fiston, pense un peu à Joey et moi qui n'avons pas eu la chance d'aller nous faire rôtir la couenne au soleil !

— Oui, je sais, mais si j'étais resté ici, j'aurais chialé chaque jour. Je déteste l'hiver, c'est une saison à me glacer les tripes.

— Parce que tu ne pratiques aucun sport, mon garçon.

— Le ski, peut-être ? Pour me retrouver ensuite dans ton bureau avec un genou fêlé ou une courbature au bas du dos ? Non, merci ! Je la laisse à qui ça plaît, cette saison malsaine.

— Tu dois pourtant avoir le cœur au chaud avec la belle rencontre que tu as effectuée aux Bahamas…

— Tiens ! Maman a déjà vidé son sac ?

— Mathieu ! Ce n'était pas un secret ! J'en ai même parlé à ton père au bout du fil à Freeport avant de partir. Ce n'est pas qu'une passade ? Tu es amoureux ou pas de Geneviève ?

Intimidé, le jeune homme regarda son père pour lui avouer :

— Oui, c'est vrai, je suis en amour, papa. Le coup de foudre, quoi ! Mais c'était mutuel, Geneviève avait ressenti la même chose que moi lors de notre première rencontre.

Émilie avait souri, mais n'avait osé répliquer. Parce qu'elle savait que c'était Mathieu et non Geneviève qui avait fait les premiers pas sur le plan sentimental. Avaient-ils échangé un baiser avant de partir ? Ça, elle ne le savait pas, mais son fils aurait pu lui dire qu'il l'avait embrassée à plusieurs reprises, si elle le lui avait demandé.

Réchauffé par le café, Mathieu défit ses bagages dans sa chambre alors que sa mère en faisant autant dans la sienne.

— Comme ça, ma femme, tu as rencontré un bel homme, toi aussi ? De ton âge ?

— Grand jaloux, va ! C'est le père de Geneviève et tu n'as pas à t'inquiéter, il est marié et ne vit que pour son portable en dehors de chez lui. Il a travaillé tout le temps qu'il était là ! Mais c'est vrai qu'il a belle apparence, Renaud. Il peut encore faire tourner des têtes.

— Plus que moi ?

— Heu… ça ne se compare pas, voyons, toi tu as ton charme, et lui…

— Il est plus beau que moi, c'est ce que tu veux dire, non ?

— Pas exactement, et puis cesse de me taquiner, je ne suis pas du genre à m'arrêter sur les autres hommes, tu le sais !

Renaud laissa entrevoir un sourire. Il se doutait bien que monsieur Gicard avait meilleure apparence que lui. Renaud Boinard, grand, assez athlétique, presque chauve, avait les traits plus ou moins réguliers, les jambes quelque peu arquées… Il n'était pas mal de sa personne, mais pas du genre à faire pâmer les femmes devant lui. Même à titre de chiropraticien. Mais pour Émilie, c'était quand même le plus bel homme de la terre. De son côté, passablement jolie, les cheveux blonds entretenus par la teinture, pas tout à fait mince, mais pas trop d'embonpoint pour son âge, elle était ravissante, mais pas au point d'en intéresser d'autres, à moins de la connaître en profondeur et de s'éprendre de ses qualités intellectuelles. Peu maquillée, même les soirs de sortie, peu portée sur les bijoux, même si elle en possédait beaucoup, elle mettait chaque matin ses alliances à son annulaire et ses pois d'or à ses oreilles. Toujours les mêmes ou presque ! Élégante, mais sobre dans ses choix, elle avait tout de la mère de famille distinguée en portant parfois les vêtements chics de sa mère qu'elle avait conservés après le décès de cette dernière.

La journée s'écoula et, vers cinq heures, alors que la noirceur était déjà au rendez-vous, Joey rentra de son cours à l'université et, apercevant son frère, s'écria :

— Enfin ! Te voilà ! Et pas mal bronzé à part ça ! On commençait à s'ennuyer sans toi. T'as aimé ton voyage ?

— Et moi, tu ne m'embrasses pas ? lui reprocha sa mère.

— Bien sûr, maman, tu m'as manqué aussi, lui dit-il en la serrant dans ses bras.

Puis, revenant à Mathieu il s'empressa de lui demander :

— Tu es en amour, paraît-il ? Une autre t'est tombée dans l'œil ?

— Puisque tu le sais, autant te dire que c'est vrai. J'ai rencontré Geneviève tout à fait par hasard. C'est mon ange gardien qui l'a placée sur ma route.

— Ouais... ange gardien... tu as dû lui faire un grand sourire...

— Oui, en échange du sien, Joey. D'autres questions ?

— Non, sauf que je te trouve pas mal idiot de t'embarquer avec une autre fille alors que tu viens d'en *dumper* une !

— Je n'ai pas *dumpé* Sophie, pour employer ton terme. Nous avons rompu, c'était fini, tu en étais même content.

— Oui, bien sûr, et autant te le dire, je ne l'aimais pas. Mais de là à t'embarquer avec une autre un mois plus tard…

— Pour reprendre ton expression, je ne m'embarque pas, Joey, je suis tombé en amour. Geneviève est fantastique ! Différente des deux autres ! Une fille avec de la classe, distinguée et belle comme un cœur. Attends de la voir ! Et enseignante en plus ! Très proche des enfants…

— Tiens ! La future petite femme de maison parfaite ! Avec des p'tits accrochés à ses jupes ! lança Joey d'un ton moqueur.

— Joey ! C'est ce que j'ai été pour vous deux ! lança Émilie. Comment oses-tu qualifier ainsi celles qui se sacrifient pour leurs enfants ? Vous avez pris le meilleur de ma vie ! Serais-tu ingrat, mon grand ?

— Ben non, je plaisantais, je ne disais pas ça pour toi, maman, je parlais en général… Et puis, à quoi bon ? T'as une nouvelle blonde, Mathieu, tant mieux ou tant pis pour toi. Et de quoi j'me mêle ? Ça va durer le temps d'une rose comme avec les autres…

— Ne sois pas pessimiste en ce qui concerne ton frère, lui lança Renaud. Tu n'es pas dans sa tête ni dans son cœur, Joey ! Mathieu n'est pas comme toi, tu n'en feras jamais un gars de gang ! Et laisse-le respirer un peu ! Arrête d'être accroché à lui comme une sangsue ! Ça fait nigaud d'aimer son frère ainsi !

Insulté, prêt à monter sur ses grands chevaux, Joey se retint et répondit à son père :

— Voyons, papa ! De l'affection fraternelle, c'est beau, non ?

— Ce n'est plus de l'affection, c'est de l'envahissement, Joey ! Soyez unis, j'en serai ravi, mais vis ta vie et laisse-le vivre la sienne. Il est d'ailleurs plus vieux que toi…

— Bon, si c'est comme ça, je déguerpis, les gars m'attendent au cinéma.

— Tu n'as rien mangé ! de lui crier sa mère.

— Pas nécessaire, des chips pis du pop-corn et un Pepsi, ça va suffire. Un film d'action avec Brad Pitt, ça coupe l'appétit. Salut !

Joey était sorti en refermant la porte assez fermement pour qu'on se rende compte qu'il n'était pas de bonne humeur. Mathieu, qui n'avait rien dit tout au long des arguments de Joey avec son père, se contenta d'esquisser un sourire. Bien sûr que son jeune frère était envahissant et bien sûr qu'il ne se mêlait pas de ses affaires, mais l'aîné, orgueilleux et comblé, ne détestait pas le voir à ses pieds.

Le mois de mars se leva et, lors des premiers jours, un samedi soir, Mathieu invita Geneviève à la maison. Il alla même la chercher en voiture à Ahuntsic pour la présenter à son père et à Joey qui, en jeans comme d'habitude, n'avait changé que de t-shirt pour recevoir la blonde de son frère. Geneviève et Mathieu arrivèrent chez les Boinard vers vingt heures et, souriante, la jeune fille avait étreint madame Boinard qui l'accueillait chaleureusement. Puis, passant au salon avec sa bien-aimée qui lui tenait la main, Mathieu la présenta à son père qui s'emballa de Geneviève à la seconde, puis à Joey qui se leva, lui sourit et lui dit simplement : « Salut ! » Comme on le fait à un vieux chum, ce qui avait intérieurement enragé son père. Émilie sortit les verres à vin du vaisselier, mais Geneviève l'arrêta, lui disant qu'à cette heure, elle préférait un thé seulement. Mathieu ne la quittait pas des yeux. Elle était si belle, si magnifique dans sa robe noire ajustée avec, par-dessus, un boléro court à franges dorées. Les cheveux défaits qui lui retombaient un peu sur les épaules, des anneaux d'or aux oreilles, un bracelet en filigrane d'or au poignet, elle avait au doigt une bague sertie de sa pierre de naissance. Une opale, pour la native du 15 octobre qu'elle était. Une Balance en plus ! Équilibrée ! Joey la trouva certes ravissante, mais il était incommodé par les égards que Mathieu déployait envers elle. Lorsqu'elle partit avec lui en fin de soirée, il regardait son aîné, empressé, lui ouvrir la porte, lui tenir le bras et amoureusement la protéger. Et dans sa tête, sans que rien ne trahisse sa pensée, il murmura : « Ça fait chier ! »

Le lendemain soir, c'était au tour de Mathieu de se rendre chez Geneviève afin d'y rencontrer sa mère et sa jeune sœur qui revenaient le jour même d'un week-end de ski à Saint-Sauveur. Le futur médecin s'y présenta vers vingt heures, tout comme l'avait fait Geneviève chez lui, et fut accueilli par Jean-Marc Gicard qui le reçut chaleureusement. Invité à passer au salon, il remarqua une assez jolie femme, mince et assez grande, portant le pantalon et un chandail à col roulé, appuyée sur le foyer. Le genre Jamie Lee Curtis dans une allure sportive. Cheveux bruns très courts, un peu de rouge à lèvres, aucun bijou sauf un jonc uni à l'annulaire, elle se présenta à Mathieu comme Diane Julien, au grand désespoir de Geneviève. Mélanie, se levant de son divan préféré, était la réplique de sa mère, pas aussi jolie que Geneviève toutefois. Cheveux raides, assez grande elle aussi, le jeans et le pull, les jambes entrouvertes comme un garçon en se rassoyant, elle n'aurait certes pas plu à Joey, ce que Mathieu espérait avant de la rencontrer. Caser son frère avec une fille était l'ambition de l'aîné, mais le «p'tit frère» n'était pas du genre à se laisser faire. Indépendant, il voulait s'appartenir et n'enviait rien à Mathieu, si ce n'était que sa future profession au-dessus de la sienne, plus payante de surcroît.

— Vous étudiez en médecine ? lui demanda la mère en toisant Mathieu d'un regard curieux.

— Oui, mais j'ai un bon bout de chemin à faire, j'ai un stage en vue et ensuite la médecine interne... Ce sont de longues études.

— Si tu le permets, je vais te tutoyer, Mathieu, tu es si jeune.

— À votre guise, madame Gicard.

— Non, pas madame Gicard ! Diane ! Et le «tu» peut être réciproque...

— Maman ! N'influence pas Mathieu, intervint Geneviève, il a été élevé autrement, lui ! Ça ne se passe pas comme ça dans sa famille. Un peu de retenue pour ceux qui pensent différemment, pour ceux qui ont toujours des valeurs.

— Tu veux dire que je n'en ai pas ? T'entends-tu, Geneviève ? On dirait que c'est ton père qui parle !

Monsieur Gicard, fort embarrassé de la scène, dit à sa femme :

— S'il te plaît, un peu de décence devant notre invité, Diane. Mathieu n'est pas ici pour arbitrer un règlement de compte...

— Je le sais, mais c'est ta fille qui me provoque…

— Ma fille est aussi la tienne, Diane. Dis, Mathieu, je peux t'offrir un verre ? Vin rouge, digestif ou autre ?

— Non, merci, je sors à peine de table. Juste un verre d'eau me plairait, monsieur Gicard.

Comme il insistait sur les formules de politesse, Diane Julien-Gicard le perçut comme pédant et, futur médecin ou pas, l'amoureux de sa fille ne lui plaisait pas. Mathieu, le constatant, s'adressa à Mélanie en la questionnant sur ses études et elle lui répondit :

— Moi, je traîne mes savates à l'université… J'y vais, mais je ne suis inscrite en rien. Je penche plus vers les arts, j'aimerais devenir comédienne.

— Ou politicienne ! clama la mère. Je te verrais très bien au parlement, ma fille ! Il n'y a pas que l'enseignement ou les arts…

— Bon, ça suffit, interrompit Geneviève. Les présentations sont faites ? Viens, Mathieu, je te fais faire le tour du propriétaire. Ce n'est pas aussi grand et luxueux que chez toi, mais c'est ici que j'ai été élevée. Je vais te montrer mes CD au sous-sol, j'en ai au moins deux cent cinquante ! Sans parler de mes DVD !

Restée au salon avec Mélanie et son mari, Diane Julien leur lança :

— À l'écouter parler, on dirait qu'ils sont millionnaires chez les Boinard ! Le père a beau être chiropraticien, ça ne fait pas de lui un homme fortuné. Et les grandes maisons de pierres d'Outremont ne sont pas toutes payées…

— Pas si fort ! Il peut t'entendre ! Qu'est-ce qui te prend ce soir, Diane ? Tu es mal lunée ? Pourquoi ces sorties contre ta fille et moi devant notre invité ? Ça te fatigue de voir Geneviève heureuse ? Ça t'ennuie de constater qu'elle me ressemble ? Je ne dis pas ça pour toi, Mélanie, tu n'y es pour rien, tu es sous l'influence de ta mère.

— Ce qui est mieux que d'être sous la tienne avec le peu de succès que tu as obtenu dans la vie jusqu'ici, continua sa femme. Au moins, elle…

Jean-Marc avait quitté la pièce sans lui répondre et Mélanie, restée seule avec sa mère, comptant sur la musique venant d'en bas pour enterrer ses propos, répliqua :

— T'as pas à être méchante avec papa, c'est un très bon père pour Geneviève et moi. Et puis, tu t'es mal conduite avec Mathieu, c'est un gars distingué et de bonne famille. Tu n'avais pas à…

— Assez ! l'interrompit sa mère. Vas-tu commencer à te ranger du côté de ton père et à te liguer contre moi, toi aussi ?

— Chut ! Baisse le ton… Je ne suis rangée ni d'un côté ni de l'autre, maman, mais je suis assez vieille pour me rendre compte que dans votre couple, c'est toi qui as tous les torts. Compte-toi chanceuse que papa soit encore là…

— Quant à moi, il peut prendre le bord si ça lui chante…

— Tu vois ? C'est ça, un mariage désuni, et c'est sûrement pas de cette façon que ça se passe dans la famille Boinard. Tu n'aurais jamais dû te marier et avoir des enfants, tu es…

— Je suis quoi ? Tu hésites ?

— Non, je ne me retiens pas, tu es une vilaine épouse et une mauvaise mère !

— Quoi ? Je viens de t'emmener en Europe ! Comment oses-tu ?

Mélanie ferma la porte pour riposter:

— Ce n'est pas de tes voyages que j'ai besoin, maman, mais de ton affection. Geneviève gagne au change, elle, en ne voyageant pas avec toi. Elle n'a pas à subir tout ce que tu exiges de moi. Aller visiter des lieux historiques de Paris alors que j'avais envie d'aller au cinéma. M'emmener rencontrer des féministes, t'écouter parler avec elles contre les dirigeants de leurs pays et ceux d'ici… Et aussi bien que tu le saches avant que la saison se termine pour certains sports, je ne raffole pas du ski. J'y vais pour toi, mais tu sais depuis longtemps que je préfère le tennis ou le badminton. Je suis une fille, maman, pas un gars ! Arrête de tenter de vouloir me changer de tous les côtés ! Je veux prendre ma vie en main, je veux faire mes choix, j'en ai assez d'être à ta merci pour presque tout !

— Ah ! ça, par exemple ! Et tu me reproches tout ça ce soir seulement ? Pourquoi pas avant ?

— Parce que je n'en ai pas eu la chance ! Mais de voir comment tu as tenté de diminuer papa et d'humilier Geneviève m'a fait comprendre que c'était le bon moment. Je ne serai jamais comme ma sœur, je ne ressemblerai jamais à mon père, mais que Dieu me protège, je ne veux en rien être comme toi !

De retour chez lui, Mathieu était fortement déçu de la mère de celle qu'il aimait, elle était si différente de la sienne, si hautaine, si odieuse avec son mari, un si brave homme. Il avait eu peu de temps pour juger la sœurette, mais il était clair et net qu'elle n'arrivait pas à la cheville de son aînée. Sans avoir été témoin toutefois de l'emportement de Mélanie envers sa mère, il avait menti à son père en lui disant qu'ils étaient des gens charmants, alors qu'il pressentait dans un prochain tournant la séparation de Diane et de Jean-Marc Gicard, C'était une femme détestable ! Avec une voix exécrable ! Il souhaitait ne jamais la revoir, mais comment cela allait-il être possible en fréquentant Geneviève ? Il ne s'en fit pas outre mesure, il était si amoureux de la fille qu'il ferma les yeux sur la mère. Jean-Marc était un homme adorable, et sa sœur, quoique peu féminine, était fort charmante. Il n'y avait que la mère, Diane… Mais comme on ne pouvait pas tout avoir, il fit contre mauvaise fortune bon cœur.

Mars courait sur ses jours froids, mais il semblait prometteur pour Mathieu et Joey sur le plan des études. Ce troisième mois de l'année s'était aussi manifesté pour Paul Hériault qui attendait avec anxiété l'arrivée de Nino à Montréal en cette deuxième fin de semaine assez froide. Manuel, face cette fois à l'infidélité programmée de Paul, n'avait pas dérogé à ses menaces. Voyant le temps venir, sachant que le jeune Italien serait bientôt à Montréal, il avait dit à son amant, un soir précédant les fameuses retrouvailles :

— Je t'avertis et je te le répète, Paul ! Si tu vas coucher avec ton serin italien, tu ne me trouveras plus ici à ton retour !

Constatant qu'il semblait de plus en plus sérieux, Paul répliqua :

— Veux-tu bien me dire ce qui te prend, Manu ? C'est quand même pas la première fois que j'aurai une aventure avec un autre, je suis accro au sexe, tu le sais pourtant ?

— Pas juste au sexe, Paul, aux jeunes !

— Et c'est ce qui te dérange ? Tu devrais passer outre dans ce cas, puisque je n'ai qu'un seul homme de ton âge dans ma vie, toi !

— Que de grands mots pour ne rien dire ! Me prends-tu pour un imbécile ? Je suis arrivé ici à vingt ans, alors que j'étais serveur dans un restaurant. Tu m'en as sorti pour me garder juste à toi. Parce que j'avais vingt ans, Paul ! L'âge de tes fantasmes ! T'as jamais aimé les hommes de trente ans et plus ! Que les p'tits jeunes !

— Cesse de t'emporter, ça ne me fera pas changer d'idée. J'ai un rendez-vous avec Nino et je le tiendrai. Je passe la fin de semaine qui s'en vient avec lui, que ça te plaise ou pas. Et si tu me quittes durant mon absence, c'est toi qui seras perdant...

— Tu crois ? Tu me sous-estimes, mon chéri ! J'ai tout prévu !

— Ne m'appelle pas « mon chéri », ça m'horripile !

— Ah oui ? Ce n'était pourtant pas le cas quand je suis arrivé ici. J'étais ton « petit amour » à tour de bras ! Tu étais « mon chéri ». Toutes les appellations tendres, tu les aimais. Et tu étais sur moi chaque soir...

— Oui, c'était autrefois, nous avons mûri, Manu !

— Non, tu t'es tanné, Paul ! Vite à part ça ! Et c'est là que tu as commencé à boire encore plus et à traîner dans les bars de l'est jusqu'au matin. C'est quand tu as cessé de m'aimer que tu es devenu un monstre avec moi ! Lorsque j'ai vieilli un peu, vers mes trente ans, tu ne m'approchais plus ou presque ! Alors, imagine maintenant ! Quand donc m'as-tu fait passer dans ton lit, Paul ? À part la fois, il n'y a pas si longtemps, pour te pratiquer avant que Nino arrive. J'suis pas un cave, tu sais, j'sors pas beaucoup, mais on en voit chaque jour des gars comme toi sur Internet. Un accro des p'tits jeunes, pas des hommes comme tu le prétends ! Ceux d'à peine dix-huit ans, Paul ! Parce que t'as peur d'avoir des ennuis avec un mineur ! Sans la loi, vicieux comme tu l'es, tu les prendrais à partir de seize ans !

— As-tu fini ? Je te le redis Manu, ne m'attends pas vendredi, ni samedi ni dimanche. J'espère ça depuis trop longtemps pour que tu viennes t'y opposer. Et de quel droit ?

— Du droit que nous sommes ensemble depuis vingt ans ! Du droit que nous sommes des amants et que nous formons un couple ! Et du respect que tu me dois, Paul !

— Bah ! au diable le respect ! Avec un scotch derrière la cravate, le respect des autres, moi…

— Je me le tiens pour dit ! Alors, vas-y, Paul ! Rends-toi à ton rendez-vous, grimpe dans son lit et fais ce que tu pourras encore faire… Parce que ton Nino, frais comme une pêche, va vite s'apercevoir que le vieux de soixante ans à côté de lui n'est plus frais comme une rose, lui !

Nonobstant les obstacles et les menaces qui s'érigeaient sur sa route, Paul sauta dans un taxi le vendredi et se rendit au Ritz-Carlton où il avait loué une très belle suite à prix élevé pour la fin de semaine. Habillé comme un homme d'affaires, il était parti vers l'hôtel sous le regard haineux, quoique chagriné de son amant depuis vingt ans. Arrivé, dans le hall d'entrée, il faisait les cent pas depuis une quinzaine de minutes lorsque le superbe Nino surgit avec un sac à dos et une valise entre les mains. Joli sourire, mais vêtu d'un jeans et d'espadrilles, il fit reculer Paul qui lui dit, en anglais, tout bas :

— Nous sommes dans un chic hôtel, ici. Ta tenue…

— Ne t'en fais pas, j'ai de beaux vêtements dans mon sac, mais pour l'avion j'ai préféré être plus confortable.

Paul fit mine de comprendre et se dirigea avec lui vers l'ascenseur afin de vite regagner sa suite dans les hauteurs. Sur les lieux, fort impressionné par la chambre et la salle de bains, le petit salon, les tapis et les meubles, Nino s'exclamait de joie en italien. Paul, heureux de le sentir émerveillé, déboucha une bouteille de Valpolicella pour accueillir ce bel éphèbe qui semblait prêt à lui être agréable. Ils burent un premier verre de vin, puis un autre, et déjà Paul était dans les vapeurs. Il portait mal l'alcool, les effets étaient rapides, les concupiscences aussi. Posant sa main sur le genou de Nino, ce dernier se leva et lui demanda d'attendre un peu, de le laisser ranger ses vêtements, de lui permettre de prendre une douche après ce long voyage.

Paul acquiesça, réalisant soudainement qu'il allait l'avoir pour trois jours. À quoi bon l'empressement ? Nino, après avoir vidé son sac à dos et sa valise et tout rangé ses vêtements sur des cintres et dans les tiroirs de la commode, se déshabilla sans gêne aucune devant Paul qui salivait juste à le voir retirer son jeans et son t-shirt rouge. Il avait la poitrine bronzée, les dents blanches, les yeux marron, les cheveux noirs… Il était magnifique ! Du moins pour Paul qui avait un penchant maladif pour les corps sans la moindre ride. Et ce, sans se soucier pour autant du sien qui, hélas… Nino, nu comme un ver, se dirigea vers la salle de bains en laissant Paul dans une terrible convoitise sur le fauteuil du petit salon. Ce dernier, affamé comme tous les accros de son genre, vida le reste de la bouteille de vin pendant que le jeune homme s'en donnait à cœur joie sous la douche. Trente minutes ou même plus à se détendre, à se laver, à profiter de l'eau chaude, tiède et froide de la douche, il ferma enfin le robinet pour sortir, s'assécher et revenir au salon reprendre son verre, enroulé dans une large serviette de l'hôtel. Paul, plus enflammé encore, se risqua à lui prendre la main et sentit les doigts de Nino se resserrer sur les siens. Emballé, il entraîna l'Italien jusqu'au lit où, attisé par l'odeur de la peau du jeune homme, il s'en saisit sans plus attendre. Sans même se dévêtir ou presque. Il ne voulait rien recevoir ce jour-là, il voulait être le donneur. Et il le fut durant une heure...

Au moment du souper, revêtu de sa chemise et de sa cravate, Paul avait enjoint Nino à porter un pantalon de gabardine qu'il avait emporté avec une chemise de soie verte et un veston noir de marque italienne. Nino n'avait pas de cravate, ce qui n'était pas nécessaire selon le vieil amant. Ils descendirent à la salle à manger et se firent conduire à la table réservée. Et, ce soir-là, Nino, jeune racoleur venu de loin, bénéficia d'un repas comme il n'en avait guère mangé. Il avait choisi ce qu'il y avait de plus cher au menu, y allant aussi d'un apéro et de deux digestifs, après le vin de qualité commandé par Paul. Puis, sachant qu'il allait devoir rembourser ce festin d'une manière coutumière, il remonta à la chambre, se dévêtit, prit place sur le bord du lit et attendit que le vieux vienne le rejoindre. Ce que Paul fit en titubant passablement. Au petit matin, Paul Hériault se réveilla aux sons d'une chanson italienne que fredonnait Nino sous la douche. Avec un affreux mal de tête, ne se souvenant aucunement de quoi que ce soit, à part s'être couché et puis, plus rien. Il s'était endormi dans son ébriété, ce qui avait permis au jeune homme de n'avoir pas à rembourser son fastueux souper. Du moins, cette nuit-là.

Paul avait réussi tant bien que mal à retrouver ses esprits et, en début de soirée, après avoir commandé un dîner et un souper à la chambre, il s'approcha de Nino qui, sur le divan, regardait une émission de télévision américaine. S'emparant de la télécommande, il ferma l'appareil en disant à son jeune amant :

— Je ne t'ai pas fait venir ici pour ça, Nino. La télévision, on regarde ça chez soi, pas dans un chic hôtel avec un client.

— Alors, tu n'es qu'un client pour moi, pas plus ? lui répondit le jeune homme en lui massant légèrement le cou.

Amadoué et subjugué par le geste, Paul en fit autant et, s'approchant du visage de Nino, il l'embrassa longuement. Une première audace qui les conduisit rapidement sur le lit des ébats. Une heure ou plus à faire l'amour aussi bestialement que possible, et Nino se releva en lui disant qu'il allait prendre une autre douche avant de parler sérieusement. Tout ça dit en anglais, naturellement. Parler sérieusement ? Que voulait-il dire ? Aussi beau pouvait-il être, Paul n'avait aucune envie de s'engager avec lui. Nino se lava, se rendit à la chambre, enfila un jeans noir avec un pull jaune et revint s'asseoir, pieds nus, à côté de Paul qui avait regagné le salon. Puis, d'un trait, il lui débita :

— J'aurais besoin de cinq mille dollars, pourrais-tu me les prêter, Paul ?

— Me prends-tu pour un millionnaire, mon petit gars ? Je gagne ma vie tout simplement et ce que je dépense ici dépasse de beaucoup mes capacités. Alors, de là à te prêter de l'argent…

— Tu pourrais sûrement en emprunter et, de retour en Italie, je te rembourserais rapidement.

— Pourquoi ne pas l'obtenir de la tante que tu vas rejoindre à Ottawa ?

— Parce qu'elle n'a pas d'argent, elle va m'héberger pour quelques jours, pas plus. Tu m'avais dit, en Italie, que je valais un million…

— Oui, en plaisantant, parce que je te trouvais beau, Nino, mais il ne faut pas prendre à la lettre ce qu'un client te dit, surtout quand il est saoul. Tu vaux cher, évidemment, tu vaux ce que je dépense pour toi en ce moment.

— Je veux bien le croire, mais tu vas me payer en plus, n'est-ce pas ? Je n'ai pas fait un saut jusqu'ici pour des soupers et une douche moderne. Je sais ce que je vaux…

— Ah oui ? Combien ?

— Au moins deux mille dollars pour deux nuits et ce que tu peux faire l'après-midi. Et si la première nuit n'a pas été payante pour toi, tant pis, tu bois trop, tu t'endors… C'est pas de ma faute, ça !

Paul, assez économe tout de même, se souvenait qu'il avait déboursé chaque fois la valeur de cinquante dollars pour le jeune homme en Italie. Peu enclin à lui prêter de l'argent ni à lui payer deux mille dollars pour ses services, il trama vite un plan dans sa tête qu'il allait mettre en marche le lendemain. Voyant que Nino attendait la repartie, il lui répondit calmement :

— Bien sûr, Nino, c'est raisonnable, mais ça peut attendre à demain, n'est-ce pas ? On a encore un bon souper à prendre ainsi qu'une autre nuit à passer ensemble avant ton départ. Il n'y a rien qui presse, non ?

— Tu as raison, et maintenant que tu as accepté mes conditions, allons manger, je commence à avoir faim, moi ! Tu m'as fait beaucoup travailler ! ajouta-t-il en riant.

Au souper de l'hôtel, à la même table que la veille, Paul se retint de trop boire. Juste un peu de vin, car il voulait garder ses esprits pour assouvir toute la nuit celui qu'il avait à portée de la main. Jeune comme il les aimait, beau comme un dieu, celui-là, digne des statues de Michel-Ange, et doux et gentil tout en étant surprenant entre les draps. Et porté sur l'argent, si on en jugeait par ses démarches... en signe de piastres ! Nino ne but que du vin, pas de digestif, et parla longuement à Paul des cinq mille dollars qu'il désirait lui emprunter. Il insista même et Paul, voulant se tirer d'embarras, lui promit qu'il verrait demain ce qu'il pouvait faire en ce sens. Peut-être qu'avec le prêt d'un ami... Nino, jeune et candide, goba ce que Paul lui avançait, en se disant qu'au Canada, c'était sans doute différent dans ce genre de transaction. Un montant qu'il n'aurait jamais réussi à obtenir en Italie, à moins de devenir le protégé d'un multimillionnaire, mais ils étaient légion à ces postes et le bel Italien, aussi séduisant fût-il, n'avait pas encore réussi à décrocher un richissime amant. De retour à la chambre, sobre cette fois, Paul s'empara du jeune homme dès qu'il fut installé sur le divan. Fermant le téléviseur une fois de plus, ouvrant la radio à une station de musique classique, il dévêtit lentement Nino duquel il voulait profiter largement.

Se reprendre pour la nuit manquée, en somme. Large sourire, se laissant faire, passif même, Nino se livra à toutes les bassesses de ce client «particulier» qu'il n'aimait pas «particulièrement». Quelque chose en Paul ne lui revenait pas... Peut-être ses traits durs ? Son tempérament ? Mais contrairement à d'autres avant lui, il ne ressentait rien pour ce fonctionnaire sans manières qui s'emparait de son corps comme un chien le fait d'un morceau de viande. Sans délicatesse, sans amour, sans scénario. Comme un bourreau ! Mais, face à ses promesses, Nino ferma vite les yeux sur ses répulsions pour les rouvrir sur ce que Paul lui promettait pour le lendemain. Un prêt et une large gratification ! Nino avait dormi sur la poitrine de Paul, mais au réveil du sexagénaire, il était déjà sous la douche. Paul, mécontent, aurait souhaité quelques autres insanités, mais le jeune Italien, qui devait partir en début d'après-midi pour Ottawa, semblait anxieux de faire sa valise et de quitter ce prétendu «mentor» obsédé que par son corps. Après, ce fut au tour de Paul d'aller sous la douche et, commandant un dernier déjeuner à la chambre, le jeune homme entêté revint à la charge :

— Tu es certain de ne pas pouvoir me prêter personnellement les cinq mille dollars, Paul ?

— Mais je n'ai pas cette somme ! Et mes amis contactés par courriel ne l'ont pas non plus. Désolé, mais il te faudra trouver ailleurs, Nino.

— Trois mille dollars, dans ce cas ?

— Pas plus ! Aie ! pour qui me prends-tu ? Tu me demandes en plus deux mille dollars pour tes services. T'as du culot, toi ! Tu étais beaucoup plus raisonnable en Italie.

— D'accord, oublie le prêt et donne-moi juste ce que tu me dois.

— Nous n'avions discuté d'aucun tarif avant que tu arrives ici…

— Non, mais c'est mon prix quand je me déplace à l'étranger. Les billets d'avion, les repas…

— Voyons donc ! À d'autres ! Tu t'en vas chez ta tante qui a payé ton voyage et qui va te nourrir. Et depuis que tu es ici, c'est moi qui le fais dans un chic hôtel ! Je vais te les donner, tes deux mille dollars, mais il me faudra me rendre au guichet d'une banque. Je n'ai pas cette somme sur moi… Voici ce qu'on va faire, je dépose mes quelques effets à la consigne, je me rends à la banque et je reviens avec le montant que tu demandes. Toi, tu m'attends ici à la chambre, ils tolèrent les clients jusqu'en début d'après-midi. Et quand je reviendrai, je te déposerai à la gare d'autobus d'où tu pourras prendre celui qui convient pour aller à Ottawa. Ils ont un bus qui part toutes les heures.

Nino, peu habitué aux us et coutumes d'ici, acquiesça et se permit d'ouvrir enfin le téléviseur jusqu'au retour de Paul. Ce dernier, débarrassé du bel Italien, sortit de l'aventure en se disant: *Au suivant!* Parce que Paul Hériault, accro et entiché des jeunes, se sentait rassasié de ce compagnon d'occasion dont il avait abusé. D'habitude, c'était une fois avec chacun, parfois deux, jamais plus. Et là, après l'Italie et les trois nuits ici, inutile de dire que Nino n'avait plus rien de « neuf » à lui offrir. Paul, peu enclin à rentrer chez lui avant la fin de la journée, se rendit dans un cinéma de répertoire afin d'y voir le film *The Perfect Storm* avec Mark Wahlberg qu'il trouvait allumant. Durant ce temps, Nino, arpentant la suite, commençait à désespérer en voyant le temps passer. Une heure, deux, les femmes de chambre étaient déjà non loin de sa porte lorsqu'il songea à descendre avec son sac et sa valise pour attendre Paul dans le hall de l'hôtel. Il fit une dernière fois le tour de la suite, prit une photo de chacune des pièces pour les montrer à des amis une fois de retour au pays et, en poussant l'oreiller pour le replacer, il fit tomber une enveloppe par terre. Se penchant, l'ouvrant, il y découvrit cent dollars et une petite note rédigée en anglais: *Ne m'attends pas, Nino, je ne reviendrai pas. Et ce que je te laisse dans cette enveloppe, c'est ce que tu vaux.* Aucune signature, aucun mot d'amour, rien d'autre que deux billets de cinquante dollars pliés l'un sur l'autre. Forcé à descendre et à ne plus attendre le supposé mécène, le bel éphèbe, comme l'appelait Paul, héla un taxi pour se rendre à la gare d'autobus de la rue Berri. Puis, assis à l'arrière du bus avec ses bagages à côté de lui, il ouvrit la lettre une fois de plus et relisant, *c'est ce que tu vaux*, il la froissa fermement en marmonnant entre ses dents: *Le salaud!*

En fin de journée, alors que la noirceur était déjà de rigueur, Paul se décida à quitter le centre-ville pour regagner son condo après avoir pris un café en chemin. Il se demandait bien comment Nino avait réagi en découvrant l'enveloppe et les cent dollars inclus. À moins qu'il ne l'ait pas trouvée, ce qui lui permettrait de récupérer l'argent que l'hôtel allait certes lui retourner. *Bah*, songeait-il, *il ne sort pas perdant, il a eu un bon week-end et de l'agrément. Rien de forçant pour lui, il est homosexuel. Et s'il a trouvé l'enveloppe assez en vue, il ne repartira pas les mains vides.* Mais c'en était fini de l'envie terrible qu'il avait eue de lui. Fini l'éphèbe auquel il pensait si souvent lorsqu'il était seul. Fini la dépendance excessive envers ce gamin de vingt-quatre ans alors qu'il y en avait des douzaines comme lui dans le petit ghetto en bas de la côte. *Au suivant!* Rien d'autre pour ce maladif du sexe qui n'avait d'yeux que pour l'entrejambe des hommes, jamais pour leur cœur. Rien à faire, Paul ne désirait pas consulter. Il voulait vivre pleinement son addiction sexuelle et mourir en regrettant d'en être au dernier prostitué. Non, rien à faire et personne à consulter pour ce sexagénaire égoïste et sans-cœur, en plus d'être un « alcoolique périodique ». Sa fin de semaine lui avait coûté passablement cher, mais il en avait eu pour son argent, Nino ne l'avait pas déçu. *Au suivant!* se répétait-il dans sa tête dérangée.

Au suivant et plusieurs autres suivants par la suite ! Le plus de jeunes possible et les moins chers possible ! Arrivé dans son quartier, Paul descendit du taxi et, voyant de la lumière à l'intérieur du condo, il sonna discrètement, attendant qu'on lui ouvre. Ce qui ne se fit pas. Interloqué, il sortit sa clef et se mit en frais de déverrouiller et de rentrer en appelant : « Manu, tu es là ? » Sûr et certain que son amant lui sauterait dans les bras ! Il avait totalement oublié la menace, il n'y songeait même plus. Constatant que Manu n'était pas là, il présuma qu'il devait être à l'épicerie pour un oubli en vertu du souper. Curieusement, il n'y avait rien sur la cuisinière et il n'y avait aucun couvert sur la table. Le silence total, quoi ! Intrigué, il se dirigea vers la chambre et se rendit compte que tous les vêtements de Manu avaient été décrochés et emportés. Et c'est à ce moment que Paul réalisa que son amant l'avait quitté, qu'il avait tenu parole, qu'il avait agi comme il l'avait laissé savoir... *Allons donc, c'est un coup de tête ! Il va rentrer sous peu !* se disait Paul en ouvrant le téléviseur pour son bulletin de nouvelles. Mais, à dix heures, voyant qu'il ne revenait pas, qu'il était parti avec toutes ses affaires, ses articles de toilette et ses bibelots inclus, il devint légèrement soucieux. Puis, à onze heures, inquiet et n'en pouvant plus, il téléphona à Émilie qui, presque couchée à cette heure-là, répondit à la troisième sonnerie :

— Oui, allô ?

— Émilie, c'est moi.

— Paul ! Qu'y a-t-il ? Tu n'es pas malade au moins !

— Non, ne t'inquiète pas, tout va bien.

— Alors, qu'est-ce qu'il y a pour que tu m'appelles aussi tard ?

— Dis-moi, as-tu reçu un appel de Manu en fin de semaine ?

— Non, pourquoi ?

Chapitre 4

Émilie n'avait pas insisté. Paul lui avait dit: «Laisse faire, ça va, retourne te coucher.» Intriguée, elle aurait aimé en savoir plus, mais elle avait raccroché en espérant que son frère la rappelle le lendemain. Or, vers neuf heures, alors qu'elle prenait son café matinal après le départ de Renaud et de Joey, le téléphone sonna et, regardant l'afficheur, Émilie put y lire «Appel privé». Elle décrocha et répondit évasivement:

— Oui, j'écoute.

— Émilie, c'est Manu. Je m'excuse de te déranger si tôt, mais il fallait absolument que je te parle.

— Mon Dieu, Manu! Que se passe-t-il? Paul m'a téléphoné hier soir pour savoir si tu étais entré en contact avec moi en fin de semaine. Qu'y a-t-il donc et d'où m'appelles-tu?

— Je suis à Québec, Émilie, mais il faut que ça reste entre nous. J'ai quitté Paul et j'habite temporairement chez une cousine.

— Tu as quitté Paul? Vraiment?

— Oui, j'en ai eu assez de ses infidélités et là, un week-end avec son Nino qui arrivait d'Italie, c'en était trop. Je l'avais prévenu que je partirais s'il allait rejoindre ce jeune à l'hôtel, mais il l'a fait quand même en se foutant éperdument de mes menaces. En ne le voyant pas rentrer vendredi soir, j'ai fait mes bagages le lendemain et je me suis rendu à la Gare Centrale d'où j'ai pris le train pour Québec. Entre-temps, j'avais demandé à ma cousine de m'héberger, ce qu'elle a accepté avec joie. Ton frère est un monstre, je n'ai pas besoin de te le dire, je crois. Vingt ans de mon existence et voilà ce que j'en récolte. Il n'éprouve plus rien pour moi depuis longtemps... Moi, je l'aimais encore, mais là, il est temps que je retombe sur mes pieds et que je tente de me refaire une nouvelle vie.

— Mais que vas-tu faire, Manu ? Tu as besoin d'argent ?

— Non, ne t'en fais pas, ma cousine s'occupe de moi et j'avais quelques économies à la caisse que je ferai transférer cette semaine. Et je n'aurai pas de misère à me trouver un emploi comme serveur, les hôtels et les grands restaurants en demandent. De plus, je pourrais aller à Rouyn-Noranda en Abitibi, ma cousine a un ami restaurateur qui est prêt à m'héberger et à me prendre sous son aile. Il vit seul, son commerce va bien...

— Paul va sûrement se douter que tu m'as parlé. Que vais-je lui dire ?

— Rien ! Dis-lui que tu ne sais rien...

— Bien, voyons donc, complices comme nous le sommes...

— Alors, dis-lui que je t'ai téléphoné et que je t'ai annoncé l'avoir quitté pour de bon, que je ne reviendrai jamais, qu'il n'aura plus de mes nouvelles et que je t'en donnerai très peu à toi aussi.

— Ce n'est pas ce que tu comptes faire, j'espère !

— Heu... non, mais moins fréquemment, Émilie. D'ailleurs, je ne te laisse aucun numéro de téléphone où me joindre et mon courriel est déjà changé. Il me faut faire le deuil et ce n'est pas en t'appelant souvent pour savoir ce que Paul devient que je parviendrai à mettre mon passé derrière moi. Je t'aime beaucoup, Émilie, tu as été très bonne pour moi, mais tu as ta famille et...

— Je t'avais aussi, Manu ! Je vais me sentir bien seule sans avoir de tes nouvelles.

— Alors, je t'en donnerai, je t'écrirai sans adresse de retour, mais je te promets que, lorsque j'aurai repris ma vie en main, je te contacterai pour te dire où j'en suis. Ne crains rien, je ne t'oublierai pas.

— Remarque que je suis triste de ce qui t'arrive, tu faisais partie de notre famille, mais je comprends, Manuel. Tu ne pouvais poursuivre une relation qui était en train de te détruire, mon frère est un ingrat ! Un malade en plus ! Un Nino par-ci, un Jérémie par-là... Pauvre lui, il ne songe même pas à la vieillesse qui vient, il profite du moment et se fout de son avenir et de tous ceux qui l'entourent du même coup. Que son penchant, son alcool, ses orgies...

— Ne va pas plus loin, Émilie, ne tourne pas le fer dans la plaie, j'ai vécu tout ça avec lui. Et là, c'est fini ! Je crois que je vais l'oublier aussi rapidement que je l'ai aimé jadis. Sur ces mots, je te laisse, j'ai beaucoup à faire, je ne suis pas installé, ma cousine s'affaire...

— Tu as tout emporté, Manu ? Rien à te faire suivre ?

— Non, j'ai pris tout ce qui m'appartenait et j'avais peu, tout était à lui. Mais j'ai ramassé tout ce qui était à moi, mes vêtements... et même ma brosse à dents !

En fin de journée, après son travail, voyant que Manu n'était pas revenu, Paul s'empressa de téléphoner à sa sœur pour lui demander si elle avait eu de ses nouvelles. Sans hésiter, elle lui avait répondu :

— Oui, Paul, et ne le cherche pas, je ne sais pas d'où il m'appelait, l'afficheur n'indiquait qu'un numéro privé.

— Donc, il est parti définitivement ?

— Et comment ! Tu ne le reverras plus, Paul, il va tenter de reprendre sa vie en main et d'être heureux ailleurs. Et tu n'auras pas de ses nouvelles, n'en attends pas, il avait l'air décidé cette fois.

— L'ingrat ! Je l'ai fait vivre durant vingt ans !

— Non, Paul, tu l'as blessé durant vingt ans ! À petit feu ! En le trompant régulièrement, en buvant, en l'injuriant... Il a été plus que patient. Et là, avec ton Italien, le vase a débordé. Il t'avait pourtant prévenu, tu n'as rien voulu entendre et il est parti. Tu n'en trouveras jamais un autre comme lui, Paul. Plus dévoué, plus aimant... Mais à quoi bon te dire tout cela quand je sais que, demain, tu vas repartir à la chasse dans un bar sans le moindre remords.

— Oui, parce que je n'en ai pas ! Il est parti ? Tant pis pour lui ! Je vais maintenant vivre ma vie sans avoir à m'expliquer chaque fois. C'est presque un soulagement, Émilie. Qu'il aille au diable !

Et le lendemain soir, comme sa sœur l'avait prédit, Paul Hériault, après un souper solitaire arrosé de vin dans un restaurant de son quartier, se dirigea vers le ghetto en quête d'une proie plutôt jeune... et moins chère que Nino !

L'année en cours s'écoula sans trop d'incidents, sauf que, comme tout le monde, la famille entière avait été alarmée par les événements du 11 septembre qui avaient fait dire à Caroline :

— Tu vois, Émilie ? C'est ça qui arrive à force d'accueillir tous les immigrants de la planète. On hérite aussi des barbares qui viennent nous tuer sur notre propre territoire. Qu'on arrête d'accepter n'importe qui, qu'on ferme les frontières, ça n'a pas de bon sens d'arriver ici avec leurs coutumes débiles. Moi, les voilées, pus capable ! Elles ne te regardent même pas dans la rue ! Elles viennent à la pharmacie, mais refusent de se faire servir par Gérard lorsqu'il nous remplace à l'heure du lunch. Qu'elles aillent ailleurs ! Je suis assez bête avec elles qu'elles ne reviendront plus à ma pharmacie ! Pour ce qu'elles achètent...

— Ne t'emporte pas, Caroline, le mal est fait, trois mille personnes ont perdu la vie avec ces actes terroristes. Pense aux familles des victimes ; à ces pauvres mamans, à ces pauvres enfants... C'est épouvantable ce qui s'est produit. Et ça peut arriver aussi ici, tu sais.

— Bien sûr que je le sais ! Et c'est pourquoi je crie très fort qu'il faudrait les refuser, les virer de bord à l'aéroport ! Trop accueillants, les gouvernements !

Ça pouvait brasser terriblement dans le monde que ça n'empêchait pas Mathieu et Geneviève de s'aimer éperdument. Follement épris, ils avaient même passé une semaine ensemble en Gaspésie au mois d'août. Ils projetaient, bien sûr, mais, comme tout bon futur médecin, Mathieu préférait attendre d'être interne dans un hôpital avant de faire le saut. Ils allaient veiller chez l'un, chez l'autre, mais plus souvent chez les Boinard. Malgré sa bonne volonté, il ne pouvait souffrir Diane Julien, sa future belle-mère féministe qui le recevait sans le moindre sourire lorsqu'il se présentait. La mère de Geneviève n'aimait pas Mathieu, elle détestait en lui le cardiologue qu'il allait devenir. Encore un homme ! Ce qui la dérangeait ! Elle aurait souhaité que les femmes s'emparent davantage de cette branche de la médecine. Jean-Marc, pour sa part, était toujours très accueillant et Mélanie fort aimable avec lui. C'était chez les Boinard que le jeune couple était à l'aise. Émilie était si douce, si gentille, et Renaud si invitant. Quant à Joey, c'était passable ! Courtois, poli, mais pas plus empressé qu'il ne l'avait été avec les précédentes. Joey avait horreur de voir son frère dans les filets d'une fille. Parce que, selon lui, comme il l'avait fait remarquer à sa mère, Geneviève menait Mathieu par le bout du nez. Ce qui n'était pourtant pas le cas, elle était si effacée. Or, avec sa fascination désespérée pour l'aîné, Joey en avait déduit que Geneviève était la cochère du couple. Ce qui revenait à dire que Mathieu était… le cheval !

De son côté, même s'il était toujours à l'université, ça n'allait pas, ses notes dégringolaient. Comme si les cours, soudainement, n'avaient plus d'importance pour lui. Pas plus que la carrière de professeur d'histoire. Il se cherchait encore et c'était Mathieu qui, chaque fois qu'il était près de dérailler, le remettait sur les rails. En lui disant que dans peu de temps il aurait son bac et qu'il pourrait changer de voie s'il le désirait. Or, Joey, entraîné par un mauvais groupe, levait le coude, fumait et s'adonnait à quelques drogues douces. Ce que Mathieu ne savait pas, mais ce dont sa mère se doutait. Sans en parler toutefois à Renaud qui n'aurait pas toléré une seconde de plus un tel écart de conduite. Joey se rendait parfois chez Paul avec qui il buvait, et quand ce dernier voulait l'entraîner avec lui dans les bars du bas de la côte, le neveu répliquait :

— Voyons, mon oncle, j'suis pas aux hommes !

Et Paul, éméché, titubant, ripostait, quasi fâché :

— T'es à quoi, d'abord ?

Depuis le départ de Manu, personne ne s'était préoccupé de ce qu'il advenait de lui, sauf Émilie qui, pensant souvent à l'ex-conjoint et ami, espérait que la vie soit bonne pour lui. Paul, quant à lui, l'avait vite chassé de sa mémoire en invitant de jeunes racoleurs chez lui les fins de semaine. Jérémie plus souvent que d'autres, parce qu'il était bon amant, qu'il ne coûtait rien, qu'il se contentait de cigarettes et de bière. Un gars de vingt-huit ans, celui-là. Ce qui voulait dire que, peu à peu, en vertu de son âge, Paul grimpait dans l'échelon de la vingtaine de ses conquêtes. Il avait même réussi à attirer des Asiatiques chez lui pour une nuit. Des Chinois, de préférence. Fait assez rare puisque les Asiatiques préféraient les rencontres entre eux. Mais en manque d'argent... De plus, pour ne pas avoir à s'en faire avec son condo entretenu d'habitude par Manu, il avait engagé une femme de ménage qui venait tous les lundis, après les fins de semaine turbulentes de Paul... pour mettre de l'ordre dans sa chambre ! Pour la lessive, le nouveau « célibataire » se débrouillait avec la chute à linge pas loin de son appartement. Il faisait maintenant lui-même ses emplettes pour les victuailles et, peu à peu, il en vint à se demander pourquoi Manu n'était pas parti avant. Caroline, qui avait eu vent de la désertion de Manu, avait dit à sa sœur, un soir :

— Tant mieux pour lui, le serviteur ! Il ne perd pas grand-chose, il laisse un ivrogne libidineux derrière lui. À quarante ans, il va refaire sa vie, lui, ce qui ne sera pas le cas du grand frère qui vieillit et qui semble encore plus vieux que son âge. Avec ce qu'il lui reste de charme, il ne s'enverra pas en l'air très longtemps. Du moins, pas gratuitement, ça va lui coûter une beurrée pour assouvir ses dégoûtants penchants.

— Bon, oublie-le, Caroline, et dis-moi, ta pharmacie fonctionne bien ? Ta partenaire est satisfaite ? Les clients affluent ?

— Ça marche comme sur des roulettes, Émilie ! On se partage les jours de la semaine elle et moi, et le soir nous avons le pharmacien quasi retraité qui vient nous donner un *break* en prenant la relève. Et ce n'est pas la clientèle qui manque, on est juste à proximité d'appartements pour personnes âgées autonomes. La population vieillit, tu sais, ce qui est bon pour la vente de médicaments, les ordonnances des médecins affluent.

— À part ça, tout va ? Aucun petit voyage en vue ?

— Non, on a tout mis de côté, William et moi. Du moins, jusqu'en janvier ou février prochain. Le travail d'abord, le plaisir ensuite.

— Il se porte toujours bien, ton mari ?

— Oui, il rajeunit, Émilie. Je pense qu'il craint les années qui passent. La semaine dernière, j'étais en furie contre lui, j'aurais pu l'étrangler !

— Mais pourquoi donc ?

— Figure-toi qu'il est arrivé à la maison avec un tatouage au biceps. Bien en évidence, à part ça ! Un serpent à sonnettes ou quelque chose du genre. Tu sais comment je déteste les tatouages et les piercings, Émilie ? On ne joue pas ainsi avec son corps ! On le garde intact comme nos parents nous l'ont donné. Il a l'air d'un bum avec ça ! Je ne sais pas ce qui lui a pris, mais j'avais presque envie de lui gratter le bras avec une lame de rasoir !

— Voyons, à ce point-là ?

— Écoute, ils n'ont pas de tête, les tatoués ! Ils se permettent de garnir leurs biceps, leurs mollets, leurs torses ou même leurs fesses, de marques diverses. Les femmes aussi, j'en vois à la pharmacie ! Et ils ne pensent pas un seul instant que ces tatouages, quand ils auront soixante-dix ans et plus, avec la peau décharnée qui va pendre, vont ressembler à des cancers de peau. Ça va être écœurant à voir ! Là, jeune ou encore fier de son corps, on s'imagine que ça va faire tourner des têtes... Pauvres imbéciles qui ne voient pas plus loin que le bout de leur nez ! Imagine, Émilie, la fille avec une rose tatouée sur son sein, de quoi ça va avoir l'air à soixante-quinze ans, cette rose-là ? Fanée en maudit !

— Tu as sans doute raison, mais ne t'emporte pas autant, William le regrette peut-être déjà. Mais je suis d'accord avec ta vision de l'avenir pour ces signes...

— Même chose pour les piercings qui vont laisser des points noirs ou des marques quand ils vont les enlever et que ça va reboucher plus tard.

— Quelle mode ! Quelle folie ! Et moi qui croyais qu'après notre génération la prochaine allait progresser...

C'est loin d'être le cas, ils n'ont même plus d'orgueil ! Ce n'est pas dans notre jeune temps, Caroline, et encore moins dans le temps de maman, que tu aurais vu des filles avec de grosses savates dans les pieds et des jeans délavés et sales comme maintenant. Voilà pourquoi je suis éblouie quand je vois une fille comme Geneviève, vêtue avec doigté, toujours bien mise…

— Oui, Mathieu est bien chanceux, parce que la plupart… Et je ne blâme pas Joey de ne pas chercher de blonde, elles ont toutes l'air du *yable* de nos jours, elles se foutent même de leur ligne…

— Faut dire que Joey n'est pas des plus élégants, lui non plus. Le blue-jeans, les espadrilles, le t-shirt, un bracelet de cuir usé au poignet…

— Mais c'est un gars, lui ! Propre, à part ça ! Et avec le physique qu'il a, ça fait sexy de porter le jeans et le t-shirt… Il est si beau, ton Joey !

— Ce n'est pas ce que pense Renaud, Caroline. Il le regarde sans cesse en hochant la tête. Il voudrait tellement qu'il soit comme Mathieu.

— Ton Mathieu est plus précieux, plus du genre « à son miroir », je te le concède, mais moi, si j'avais vingt ans, je pencherais plus pour un gars comme Joey. Il est plus invitant pour une femme…

— Caroline ! Vicieuse ! On dirait que c'est Paul qui parle !

— Émilie ! Pour l'amour ! Ne me compare pas à ce désaxé, ce maniaque de la couchette ! Je plaisante, moi ! N'empêche que si j'aime le style de Joey, il ne faudrait pas qu'il arrive avec un tatouage…

— T'en fais pas, son père sauterait au plafond bien avant toi !

Elles avaient fini par raccrocher et Renaud, déposant son journal, avait demandé à sa femme :

— Qu'est-ce qu'elle a encore, la Caroline ? Tu t'exclamais, tu parlais de moi…

— Elle est négative comme ce n'est pas possible ! Elle s'emporte contre l'humanité entière ! Remarque qu'elle a raison sur bien des points, mais tu devrais entendre le ton, Renaud, elle est à bout de souffle après ses phrases. Ses cris, parfois…

— Elle sera toujours une personne nerveuse et impulsive, on ne la changera pas, celle-là !

— Comme personne ne changera Paul ! Belle famille, n'est-ce pas ?

— Ne t'en fais pas, ma chérie, l'important c'est que tu n'aies rien en commun avec eux. J'ai hérité de la pierre précieuse de votre arbre généalogique.

— N'exagère pas, j'ai aussi mes défauts et mon caractère…

— Oh ! Si peu, comparé aux leurs ! Tiens… ça te dirait d'aller au cinéma demain soir ? Ça fait longtemps qu'on n'a pas fait une sortie ensemble et il y a un film avec Jeanne Moreau et Michel Bouquet qu'on présente au cinéma de répertoire que j'aimerais voir. *Le Manuscrit du Prince,* je crois. Ça t'intéresserait ?

— Avec plaisir, à la condition que nous soupions aussi au restaurant. Joey pourra s'arranger seul pour une fois. Le réfrigérateur est plein de ce qu'il aime. Des pizzas congelées à profusion, du poulet à la king à réchauffer… Et qui nous dit qu'il viendra souper ? Il sort souvent avec ses amis ces temps-ci.

— Oui, un peu trop à mon goût ! J'ai l'impression qu'il néglige ses études, il va falloir que je lui parle. On ne joue pas avec son avenir de cette façon quand on est à la veille de terminer ses cours.

— Il est à prendre avec des pincettes, il est soupe au lait, tu le sais...

— Ah oui ? Laisse-le-moi juste vingt minutes et tu vas voir qu'il va avoir le caquet bas quand j'en aurai fini avec lui. Si ça s'impose, bien entendu...

2002 se leva, puis 2003 avec ses tempêtes hivernales. Rien ne s'était imposé pour Joey, il avait obtenu son bac en histoire, mais avec des notes plus faibles qu'anticipées. Toutefois, les emplois se faisaient rares dans sa spécialité et, contraint de faire quelque chose de sa vie, selon son père, le jeune homme accepta l'offre de son oncle Paul de le faire entrer au gouvernement dans un domaine culturel où il ferait bonne figure. Avec ses relations privilégiées, Paul obtint vite que son neveu passe l'entrevue d'embauche avec un collègue et Joey fut rapidement retenu pour le poste. Avec un salaire aussi décent que celui dans l'enseignement. À bientôt vingt-cinq ans en juin de la même année, il avait changé sa façon d'être. Débarrassé de sa manie de fumer un joint par-ci, par-là, il avait considérablement diminué sa consommation de bière, se contentant de vin à l'occasion. Plus raisonnable, plus adulte, il était quand même content d'avoir décroché un emploi qui lui permettait de se présenter en jeans au travail. Avec espadrilles... Mais avec une chemise sport et non un t-shirt comme il l'avait prévu, la consigne voulait qu'il ne soit pas perçu comme un livreur de courrier à l'intérieur de l'immeuble.

Encore à la maison sous les bons soins de sa mère, il s'était quelque peu détaché de son frère aîné qui, lui, fréquentait toujours Geneviève, non sans avoir loué récemment un petit appartement pour se sentir plus libre. S'en allant sur ses vingt-sept ans, Mathieu pratiquait maintenant comme interne en médecine familiale dans un hôpital. Ce qui lui avait permis de s'éloigner d'Outremont et de trouver un trois-pièces meublé dans le nord de la métropole. Geneviève, toujours enseignante au même endroit, patiente, espérait que son amoureux lui passe la bague au doigt. Du moins, celle des fiançailles ! Quitte à attendre le temps qu'il faudrait pour le mariage. Ses parents avaient divorcé et comme son père avait gardé la maison, Geneviève et Mélanie étaient restées avec lui. Diane Julien était donc partie vivre en condo, seule, ce qui lui permettrait de recevoir, sans être épiée, ses amies féministes qui se liguaient contre tout. Ces femmes qui, lorsqu'un édit d'« un » ministre sortait, en cherchaient… les poux ! Avec les pancartes prêtes à être lettrées et clouées sur un piquet en vue d'une manifestation.

Paul avait célébré ses soixante-deux ans en compagnie de jeunes gens rencontrés dans les bars, Émilie avançait en âge, Renaud aussi, et Caroline allait célébrer ses cinquante-trois ans en avril sous le signe du Bélier. Émilie avait eu quelques nouvelles de Manu, mais seulement au bout du fil et d'un numéro confidentiel qui ne s'affichait pas lors de ses appels. Ce qu'elle savait toutefois, c'est qu'il avait refusé l'Abitibi et qu'il était rendu au Nouveau-Brunswick où il travaillait dans un *Bed and breakfast* avec le proprio, un dénommé Maurice dont la femme était décédée. Mais, ce que Manu n'avait pas encore osé avouer à Émilie, c'est que Maurice et lui formaient un couple. Un nouvel amant qui, marié depuis de nombreuses années, avait changé son tir devenu veuf, sans en parler ouvertement à ses trois enfants qui habitaient ailleurs et partout à la fois, au Canada, avec leurs familles. Maurice, à soixante-dix ans, avait enfin rencontré « celui » qui allait combler le reste de son existence. Et le fait que Manu avait l'expérience de vie à deux avec quelqu'un de plus âgé rassura entièrement le septuagénaire, heureux d'être tombé sur une si bonne personne et… un très bel homme !

Habitué aux tâches domestiques, Manu se chargeait de garder le petit gîte propre comme un sou neuf, jour après jour. Il cuisinait très bien en plus, ce qui arrangeait Maurice qui, lui, ne savait qu'administrer le commerce, sa défunte femme ayant vaqué toutes ces années aux autres occupations de l'endroit. Ni vu ni connu de personne, Manuel se sentait à l'abri des regards indiscrets de l'entourage, d'autant plus que personne n'aurait pu se douter que Maurice, marié durant plus de quarante ans, ait pu avoir un penchant pour un homme. Or, c'est discrètement, sans s'ouvrir à personne, que les deux amants accueillaient gentiment les clients, tout en s'aimant passionnément le soir venu. Comme Manu avait souhaité l'être depuis ses jeunes années. Le calme après la tempête, la joie après la tristesse. Ce que méritait bien cet homme dépareillé.

Septembre, octobre, les feuilles tombent des arbres et Caroline, par un matin pluvieux, téléphonait à Émilie pour lui demander nerveusement :

— Tu serais libre pour un café quelque part ? Il faut que je te parle !

— Oui, mais que t'arrive-t-il ? William n'est pas malade au moins ?

— Oh ! que non !

Les deux sœurs avaient convenu de se rencontrer le lendemain dans un centre commercial où elles choisirent une petite table en retrait dans un Tim Hortons pour un café en plus d'un beigne pour Émilie. Assise, buvant une première gorgée, Émilie s'informa :

— Et puis ? Quelle est donc la raison de cette rencontre ? Tu fronces les sourcils, tu sembles bouleversée…

— Il y a de quoi, Émilie, je crois que William me trompe !

Stupéfaite, l'aînée demanda à sa cadette :

— Com… Comment ça ? William t'aime, il n'a que toi…

— C'est ce que je pensais aussi, Émilie, mais là, tu m'écoutes et tu ne m'interromps pas. Après, tu me diras si j'ai raison de douter ou non.

Et Caroline de prendre un air attristé pour lui dire :

— J'ai trouvé un bout de papier par terre dans la chambre à côté de son pantalon. Il a dû glisser par erreur. Or, le ramassant, j'ai pu lire : *Appelle-moi après dix-huit heures*, c'était signé Norma avec son numéro de téléphone. Que veux-tu que j'en déduise ? Mon mari a une maîtresse, c'est certain ! J'ai caché le petit billet, je ne sais trop s'il l'a cherché, mais il n'en a rien laissé paraître. Qu'en penses-tu, Émilie, j'ai tort ou quoi ?

— Bien, écoute, un numéro de téléphone… Si une personne le lui a remis, c'est qu'il ne le connaissait pas. Quand on a une maîtresse, on a ses coordonnées, tu ne crois pas ?

— Oui, mais il peut s'agir d'une fille d'occasion… Il me trompe peut-être avec plusieurs. Ah ! le salaud ! Si c'est le cas…

— Tu n'as pas tenté de le questionner, lui montrer le bout de papier ?

— Non, je surveillais ses réactions, je voulais voir s'il chercherait ce numéro, s'il semblait inquiet, mais il n'a rien laissé paraître.

— C'est peut-être une cliente pour une rénovation de sa maison. Ton mari en fait beaucoup dans ses temps libres.

— Non, ça me surprendrait ! En plus, elle le tutoie ! Une cliente ne tutoie pas un électricien engagé pour un travail d'occasion. Je suis sûr qu'il a une blonde ! Tu me connais ? J'ai composé le numéro, mais je suis tombé dans une boîte vocale d'une femme qui disait : « Je suis absente, laissez-moi un message, merci. » Que ça, rien d'autre ! Une voix assez jeune, une fille articulée… J'ai tenté de trouver sur Internet l'adresse de cette personne avec l'aide de ce numéro, mais aucun résultat. C'est peut-être un téléphone cellulaire, l'échange est dans les 514-265 et non un numéro listé d'abonnés. Qu'importe, je n'ai pas cherché plus loin, c'est lui que je surveille, je fouille ses pantalons, ses chemises, même ses bottes de travail !

— Voyons, Caroline, ça ne te ressemble pas tout ça ! Tu as l'habitude d'aller droit au but ! Pourquoi tous ces détours ?

Essuyant une larme tombée de sa paupière, Caroline répondit :

— C'est peut-être parce que je ne tiens pas à savoir si c'est vrai. Je ne m'imagine pas sans lui, Émilie. On dirait que j'ai peur d'affronter la vérité... D'un autre côté, je suis en furie !

— Est-il distant avec toi depuis un certain temps ?

— Heu... non, c'est moi qui le deviens et il s'endort tout simplement. Je ne veux pas le perdre, mais je n'aime pas le voir m'approcher. J'ai peur qu'il soit contaminé...

— Caroline ! Voyons donc ! Questionne-le ! Ne te fais pas souffrir comme ça ! Rappelle chez cette femme, tu finiras bien par apprendre qui elle est... Je ne te reconnais plus !

— D'après toi, je devrais affronter William ? Et si c'est vrai, s'il a une maîtresse... Tu me connais, non ? J'ai de ces impulsions !

— Ce qui est mieux que d'avoir des angoisses à en être cernée jusqu'au menton, Caroline ! Sois plus directe...

— Ça ne te surprendrait pas qu'il ait une blonde passagère ou une autre femme en vue ? Tu ne le défends même pas...

— Tu sais, de nos jours, nous sommes toutes vulnérables à l'infidélité. Les hommes le sont aussi. Ce que tu me dis pourrait m'arriver, Renaud reçoit des tas de clientes, mais je lui fais confiance. Je crois être la seule femme de sa vie, mais on ne sait jamais, Caroline... Cesse de t'inquiéter de la sorte et parle à William dès ce soir, tu en auras le cœur net ! Est-ce possible de se meurtrir ainsi quand une simple question...

— Arrête, ne va pas plus loin, je me sens idiote de n'avoir encore rien fait. Il n'est pas dans ma nature de rester dans le doute. Tu as raison, dès qu'il rentre du travail, je le questionne et je t'appelle demain. Et, si tel est le cas, je t'assure qu'il n'est pas sorti du bois avec moi, lui ! Tu vas retrouver ta sœur telle que tu la connais, s'il a fait ça !

— Écoute, ne prends pas le mors aux dents et ne lance pas les hauts cris si ce n'est qu'un simple écart de sa part. Sois bonne avocate…

— Oui ! de la poursuite, pas de la défense, Émilie ! Si William a osé coucher avec une autre femme, ne serait-ce qu'une seule fois, je ne réponds pas de moi ! Ah ! le… Je me retiens !

Il était dix-neuf heures lorsque William Naud rentra de son boulot. S'assoyant à table, espérant y trouver son couvert et un repas sur la cuisinière, il fut surpris de ne rien apercevoir et d'entendre sa femme qui toussait dans le salon. La rejoignant, il la regarda et, constatant qu'elle n'avait pas l'air de bonne humeur, il questionna :

— Qu'est-ce qu'il y a, Caroline ? Es-tu malade ?

— Non, je me porte très bien, William. Et toi ?

— En voilà une question ! Je pensais avoir mon souper…

— Si tu as faim, il y a plein de restes au frigo, tu n'as qu'à fouiller. Tu as aussi le micro-ondes à ta portée…

— Bon, ça suffit, je te connais… Qu'est-ce que j'ai fait encore ?

Sans le regarder, fixant le téléviseur dont le son était en sourdine, elle lui demanda d'une voix forte :

— Qui est Norma ?

Il recula d'un pas, devint livide et répondit :

— Qui ?

— Ne joue pas au plus fin avec moi, William, j'ai trouvé ce nom et un numéro de téléphone sur un billet tombé de ton pantalon. Je répète : qui est Norma ?

— Je ne sais pas de qui tu parles, je ne connais personne de ce nom.

— C'est curieux, elle semble te connaître, elle ! Tu devais la rappeler... J'ai tenté de le faire à ta place, mais je n'obtiens que son répondeur et, sur notre afficheur, son nom n'apparaît pas.

— Je te répète que je ne la connais pas ! Voudrais-tu insinuer par tes questions que je te trompe, Caroline ?

— Oui, William, parce que je sens que tu le fais ! Peut-être pas depuis toujours, mais dernièrement... Et si cette Norma n'est pas ta maîtresse encore, c'est sans doute parce que tu en as une autre ou que tu préfères coucher avec des filles d'un soir rencontrées durant la journée ! Facile pour toi, tu as toutes les occasions sur les toitures des maisons ! Un sourire par-ci, un autre par-là, et le cinq à sept se passe dans la chambre de la dame de la maison. Je me trompe, William ? Norma et les autres, tu ne les connais pas ?

William, se grattant la tête, prit place sur une chaise rembourrée en face d'elle et, la regardant, lui avoua :

— Oui, je les connais, Caroline. Il y en a eu une, une autre ensuite et une autre de plus. Puis, encore une autre... Avec Norma, ça semble vouloir devenir sérieux. Le papier que tu as trouvé dans mon vieux pantalon date d'un mois ou plus. Depuis qu'elle m'a laissé son numéro, je l'ai revue plusieurs fois.

Caroline avait blêmi, elle avait espéré qu'il n'en soit rien, que cette femme ne soit qu'une simple cliente et qu'il se jetterait dans ses bras, repentant... Là, avec un tel aveu de sa part, elle comptait bien le semoncer pour ensuite prendre une décision, mais à sa grande stupéfaction, c'est lui qui sans détour lui annonça :

— Nous allons divorcer, Caroline, je veux m'en aller, refaire ma vie ailleurs. J'ai envie d'être heureux…

Prise au piège, la voix tremblante, elle lui cria :

— Quoi ? Tu veux me quitter pour une garce ? Après toutes ces années ? Comment oses-tu me dire une telle chose en pleine face ?

— Parce que je n'ai pas l'intention de jouer dans ton dos plus longtemps. Nous n'avons pas d'enfants, le contrat se termine, Caroline. Nous allons nous séparer convenablement, nous partager les biens et tu n'auras pas à me remettre tout de suite l'argent que je t'ai prêté pour ta pharmacie. On va signer des papiers…

Elle n'en revenait pas ! Il lui parlait de partage de biens, il lui parlait d'argent, alors qu'elle ne savait même pas de quoi elle était coupable pour qu'il parte si brusquement :

— Tu n'as plus d'amour pour moi ? Pas même un sentiment, toi qui disais tant m'aimer ?

— C'était il y a longtemps tout ça… Non, je ne ressens plus rien et je n'ai pas l'intention de vieillir avec toi. Tu as un caractère épouvantable, tu chiales tout le temps, tu t'en prends à tout le monde, tu bosses tous ceux que tu rencontres… Non, c'est assez pour moi. J'ai besoin d'une aimable compagne à mes côtés. Une femme avec de la tendresse et des émotions, pas une meneuse d'hommes. Pharmacienne de surcroît !

— Qu'est-ce que tu veux dire ?

— Que tu es dure, que tu n'as même pas de compassion pour tes vieilles patientes malades qui t'encouragent.

Tu les descends toutes dès que tu rentres le soir, tu n'es jamais contente de tes journées, tu as le visage long, la lèvre amère... Fort heureusement, ta partenaire est charmante, elle. Plus sympathique que toi...

— Continue de me démolir si ça peut te faire plaisir ! Envoye ! Électrocute-moi s'il le faut, mets-moi le doigt dans la prise électrique avec les pieds dans l'eau, ça fait partie de ton métier ! As-tu autre chose à dire ?

— Non, je veux juste partir ! Juste m'en aller, Caroline. Et j'aimerais que ça se fasse en douceur et non avec des hurlements et des menaces.

— En douceur ? Pour un bel écœurant comme toi ? Un menteur qui me disait tantôt ne pas connaître une certaine Norma ? Un salaud de la pire espèce qui me laisse comme on se débarrasse d'une vieille chaussette ? T'as du culot, toi ! En douceur ! Avec un peu de crème fouettée sur ta trahison ? C'est bon, va-t'en, prends ton stock le plus vite possible et déguerpis. Faire ça à une femme, sa femme !

— Non, pas à une femme ni à ma femme, Caroline, mais à celle qui me garde sur un stress depuis trop d'années. À celle qui gesticule sans cesse, qui hurle pour un rien, qui se prend pour le nombril du monde, qui, qui... Une chipie !

Le reste de la soirée s'écoula sans mot dire. William avait pris le lit pliant de la chambre d'invité, pendant que Caroline ruminait sur le sien. Encore sous le choc, elle n'osait penser à ce que serait sa vie sans lui, sans cet homme qu'elle avait mis à sa main et qu'elle semblait tenir en laisse. Sans lui qui faisait ses quatre volontés. Elle tentait de peser le pour et le contre, mais elle n'y parvenait pas. Trop insultée d'être celle qu'on quittait et non celle qui l'aurait jeté à la porte. Humiliée, surtout, de ne pas remporter la victoire... de son divorce ! Oubliant qu'elle l'avait jadis forcé à la marier ! Elle l'avait presque tiré jusqu'à l'église voyant qu'il hésitait. Et jamais elle n'aurait cru qu'une autre femme, ou plusieurs allaient lui ravir le Taureau dont le Bélier avait le dessus ! Il en avait toujours été ainsi ! Perdante, déboutée, ne sachant plus quoi penser, Caroline s'endormit au petit matin alors que lui, sous la douche, libéré de ses angoisses, fredonnait presque sa délivrance. Elle attendit qu'il parte et, après un bain rapide et un café, elle téléphona à Émilie qui, encore au lit, laissa l'appel s'en aller sur le répondeur. Devant le fait, Caroline se contenta de la boîte vocale pour lui dire : « Émilie, je pars bientôt pour le travail. » Une courte pause et elle enchaîna : « Mieux vaut que tu le saches, c'est fini entre William et moi. Il me trompe, il a même une maîtresse, la Norma dont je te parlais... Suite à son aveu et malgré ses protestations, je l'ai mis dehors hier soir. Avec ce qu'il avait sur le dos, le reste suivra. Je demande le divorce, je le lui ai dit ! Il était en peine, mais c'est définitif, c'est la rupture. On ne trompe pas impunément une Caroline Hériault ! »

Lorsqu'elle se leva quinze minutes plus tard, Émilie fut renversée par le message de sa sœur lui annonçant sa fracassante rupture. Elle ne pouvait comprendre pourquoi elle avait été si radicale, elle, quand même dépendante de William sur bien des plans.

Attendant l'heure du dîner, elle prit enfin l'appareil pour l'appeler à la pharmacie durant son heure de lunch. Caroline vint au bout du fil et lui lança avant qu'elle prononce un seul mot :

— Oui, tu as bien entendu, Émilie, c'est fini, il est parti et il reviendra chercher ses guenilles ! Qu'il aille coucher chez sa pute rencontrée je ne sais où, mais jamais plus dans mon lit !

— Voyons ! On ne détruit pas un mariage de tant d'années pour une simple aventure ! Tu es certaine de ce que tu avances ? Cette femme serait sa maîtresse ?

— Oui, sans compter les autres avant elle avec qui il m'a aussi trompée. Je lui ai fait tout avouer !

— Il devait être embarrassé ?

— Ce n'est pas le mot, il rampait, Émilie ! Il implorait mon pardon ! Il me disait qu'il n'allait jamais plus…

— Je t'arrête, je devine la fin, et tu l'as mis dehors quand même ?

— Qu'est-ce que tu penses ? Après une telle trahison ! Une bassesse, une déloyauté sans pareille ! Tu aurais enduré cela, toi ?

— Peut-être pas, mais je tenterais de dialoguer, je chercherais à savoir pourquoi… L'as-tu fait au moins ?

— Heu… oui, mais il ne répondait pas ou presque, il était mal pris, tu comprends ? Comme un rat dans une trappe ! Il avait sans doute besoin de plus qu'une seule femme… Les hommes, tu sais !

— Tu ne le privais pourtant pas… Tout allait bien de ce côté, Caroline ?

— Oui, comme toujours, la constance, quoi ! Comme ton mari et toi ! Vient un âge où les prouesses sont moins vives, mais est-ce une raison d'aller chercher ailleurs ?

— Est-elle plus jeune, la Norma ? Bien souvent, c'est par une plus jeune que les quinquagénaires sont attirés.

— Je n'en sais rien et qui sait, elle a peut-être une fleur tatouée sur une fesse ! J'y pense ! C'était sans doute pour elle le serpent sur son biceps ! Ah ! le monstre ! Mais je ne lui ai pas demandé l'âge de sa truie, je l'ai sacré à la porte malgré ses supplications. Tu sais, ce n'est que la fin d'un contrat, le mariage ! Surtout quand on n'a pas d'enfants ! Alors, le certificat déchiré, je lui ai craché mon mépris en pleine face !

— Pour ça, je n'en doute pas ! Impulsive comme tu l'es !

— Bon, attends un peu, le commis me demande quelque chose... *Quoi ? Qu'est-ce qu'il y a ? Bien... donne-les-lui !*

— Me revoilà, Émilie, c'était une cliente, une vieille radine qui prétend qu'il manque trois comprimés dans sa prescription reçue ce matin. Elle en veut trois de plus, tu comprends bien.

— L'erreur peut se produire. Ça m'est déjà arrivé chez mon pharmacien...

— Bah ! c'est une vieille fatigante, elle est pleine aux as et elle achète, à part ses pilules, que le papier de toilette à rabais de la circulaire, en plus de fouiller dans le panier des soldes. Moi, des clientes comme ça... Bon, je ne te retiens pas plus, mon heure achève et la petite est mal prise sans moi en avant. Pas une cent watts, celle-là ! Écoute, je te donnerai d'autres nouvelles, mais ne fais pas un drame de ma séparation, ça n'implique que lui et moi. Et si des veuves peuvent survivre sans leur mari, je parviendrai bien à vivre sans le mien ! Un goujat en plus !

Le soir venu, Émilie faisait part à son époux et à ses fils de la rupture de leur tante, et Renaud, peu surpris, murmura :

— Quelque chose à quoi il fallait s'attendre avec le temps... Ta sœur n'est pas facile à vivre, tu sais.

— Oui, et l'oncle William, qui est encore bel homme, a peut-être déniché une pitoune de calendrier ! d'ajouter Joey.

— Arrête de niaiser ! lui lança Mathieu qui était de passage chez ses parents. C'est triste d'en arriver là après tant d'années, mais à quoi bon juger ? C'est leur histoire, pas la nôtre. Et comme le temps est un grand maître...

— Tiens ! Le philosophe de poche ! Jamais moyen de faire une farce avec toi ! Tu deviens Socrate en deux secondes ! C'est la médecine qui te rend comme ça ? Pourquoi ne pas te diriger en psychiatrie ?

— Les garçons, s'il vous plaît ! intervint la mère. Vous n'êtes plus des gamins pour vous chamailler de la sorte. Votre tante passe un mauvais moment, ce n'est pas le temps d'en faire une plaisanterie ni un drame.

— Ah non ? s'écria Joey. Attends que l'oncle Paul soit au courant, maman ! Ça me surprendrait qu'il soit compatissant.

Quelques jours s'écoulèrent sans qu'on entende parler de Caroline chez les Boinard. Émilie osait à peine s'immiscer dans l'histoire de sa sœur, par crainte d'avoir à subir les foudres coutumières de cette dernière. Mais, dans les faits, tout s'était assez bien déroulé. William était venu prendre ses effets personnels peu à peu pendant que sa femme était au travail. Le dernier soir, toutefois, alors qu'elle était revenue plus tôt, il lui avait dit :

— J'ai consulté un avocat pour le divorce, tu n'auras pas à le faire.

— Ni à le payer, puisque c'est toi qui le demandes !

William ne répondit pas de peur d'extraire le venin de celle qui semblait vouloir le lui cracher au visage. Après avoir rangé dans son camion tout ce qui lui appartenait, il lui remit sa clef en lui disant ne plus en avoir besoin, qu'il ne reviendrait pas, qu'il avait tout emporté... Le regardant de haut, dédaigneuse, elle se permit une dernière tirade avant qu'il soit hors de sa vue :

— Goujat ! Salopard ! Mufle ! Traître ! Cochon ! Chien sale !

Tous les synonymes s'étaient enchaînés pour atteindre William qui les entendait résonner... sauf le dernier ! Il avait refermé la porte au nez de sa femme déchaînée.

Une autre année s'était levée et Mathieu, diplômé depuis quelques mois, pratiquait à l'urgence d'un hôpital de la métropole. Toujours épris de Geneviève, il ne l'avait toutefois pas invitée à partager son appartement. Il se sentait bien dans sa solitude, ce grand garçon de vingt-huit ans qui faisait tourner déjà les têtes des jeunes infirmières de son poste de travail. Il prévoyait même verser un dépôt sur un condo qu'il habiterait à l'automne, si son père acceptait de le dépanner pour le paiement initial. Ce que Renaud ne refusa pas à son fils préféré. Émilie était fière de lui, mais elle ne négligeait pas pour autant leur Joey qui, à vingt-six ans, était toujours en poste au gouvernement dans un département qui lui convenait. À défaut d'enseigner l'histoire, il la côtoyait à longueur de journée par le biais des achats qu'il effectuait pour les bibliothèques qui dépendaient de lui. Plus calme, mais avec des vices cachés comme la cigarette et l'abus de vin, il avait délaissé les stupéfiants de bas étage sur les conseils de son oncle Paul qui semblait veiller sur lui.

Ce dernier, toujours seul dans son appartement, n'avait pas remeublé sa vie avec un autre depuis le départ de son compagnon de tant d'années. Manu ne lui manquait pas et il n'avait pas l'intention de se retrouver dans un autre bourbier avec un gars qui deviendrait son coloc et son amant. Il préférait de beaucoup les escapades en ville, les blondinets d'un soir ou un Asiatique quand il pouvait en trouver un. Parce qu'ils étaient discrets. Efficaces dans leur métier, ils parlaient peu, donnaient beaucoup et partaient en saluant respectueusement celui qui venait d'abuser d'eux. Il s'était éloigné de Jérémie après deux ou trois fois, et en avait fait autant avec Sylvain après seulement une reprise. Pourtant, il l'avait longuement désiré celui-là. Sylvain faisait partie du département où il travaillait. À quelque dix portes plus loin. Il l'avait croisé à la pause-café de l'étage et, depuis, il en avait rêvé… Et le jeune homme, un peu plus vieux que la moyenne de ses proies, avait fini par flancher et se retrouver dans les bras du séduisant sexagénaire. Misant peut-être sur ce que Paul ne voulait pas… Du long terme ! Or, ce dernier, toujours en quête de jeunes loups malgré sa santé un peu plus précaire, n'avait pas mis pour autant l'alcool de côté. Il écrivait toujours des mots à Émilie pour ne pas perdre sa passion de la plume et celle-ci s'en amusait. Recevoir une lettre de Paul dans laquelle il lui disait :

Chère Émilie,

Juste quelques mots pour te dire que tu es la seule femme de ma vie !

Ce qui la faisait rire, bien sûr, sachant qu'elle était en effet la seule femme dans le cœur de son frère. Elle souriait aussi du fait qu'il lui envoie ce mot par la poste dans une enveloppe bleue, avec un timbre de la reine d'Angleterre qu'il vénérait. Ce qui aurait pu se faire d'un coup de doigt… sur le clavier de son ordinateur ! Mais les courriels pour ce vieux conservateur n'étaient bons que pour les affaires, pas pour l'échange de sentiments. Et à quoi lui servirait donc son tampon avec l'effigie de la main tenant la plume s'il ne pouvait écrire à personne ? Tant de délicatesse d'une part et de maladresses de l'autre. Il quittait subrepticement ses jeunes amants après une ou deux nuits indécentes, alors que l'un d'entre eux aurait pu meubler sa vie pour un bout de temps. Mais rien n'allait le changer, Émilie s'en doutait bien. Et Caroline qui en était plus que certaine avait affirmé à sa sœur : « Qui a bu boira ! Et, qui est porc, le restera jusqu'à sa mort ! »

Geneviève Gicard, toujours heureuse avec son père et sa sœur Mélanie, ne visitait sa mère qu'une fois par mois. Avec un coup de fil de temps à autre, rien de plus. Elles n'avaient guère de choses à se dire. Mélanie, plus près de sa mère, sortait parfois avec elle, mais ayant trouvé sa voie en ingénierie, elle se consacrait entièrement à ses études. Solitaire, peu d'amies, le cinéma de temps en temps, quelquefois le restaurant avec son père, elle s'était un peu détachée de Geneviève dont les moments libres étaient réservés à Mathieu. Mais ce dernier, heureux dans sa pratique et attitré à la cardiologie de l'urgence, se vouait corps et âme pour ceux et celles qui arrivaient en ambulance, essoufflés ou avec les artères bloquées. Remettre les gens sur pied était le leitmotiv de sa profession devenue vocation. Travaillant le jour, parfois le soir, étudiant encore jusqu'à tard dans la nuit, il lui arrivait parfois d'oublier de passer un coup de fil à Geneviève qui s'impatientait. Toujours enseignante au même endroit auprès des tout-petits qu'elle adorait, elle avait un jour dit à Mathieu qu'après le travail, tout le monde avait une vie personnelle, qu'il n'avait pas à étudier sans cesse alors qu'il aurait pu s'amuser, aller au cinéma de temps en temps et profiter d'une fin de semaine de congé pour se rendre dans une auberge, en couple... Mais Mathieu ne l'écoutait que d'une oreille. Lorsque septembre arriva et qu'ils se retrouvèrent dans un restaurant ensemble, elle lui demanda :

— Tu sais que je vais avoir vingt-sept ans le mois prochain ?

— Bien sûr, qu'est-ce que ça change ? J'ai un an de plus que toi...

— Ce que je veux dire Mathieu, c'est qu'après tout ce temps à se fréquenter, il serait peut-être normal de songer à s'engager plus sérieusement.

— Vivre ensemble ? Je t'ai dit que je n'étais pas intéressé. Pas encore, mon condo n'est pas acheté et...

— Non, ce n'est pas ce que je voulais dire.

— Alors, quoi ?

— Se fiancer, peut-être ?

— Allons, Geneviève, c'est démodé ! On ne fait plus ça de nos jours, on se marie quand vient le temps… Les fiançailles, c'était pour ma mère…

— J'ai le culte des traditions, tu le sais, ça me ferait tellement plaisir… Je me sentirais davantage liée à toi. Est-ce si difficile de faire comme ton père et ta mère ? Rien d'extravagant comme réception…

— Non, Geneviève, je ne veux pas de fiançailles à Noël avec les deux familles autour de la table. Coutume ou pas, je ne suis plus de cette école, moi. Ne m'en reparle plus, veux-tu ?

Le sentant incommodé par le sujet, mais étonnée de sa vive réaction, Geneviève se contenta de lui dire tout bas :

— Ça va, n'en parlons plus, il n'en sera jamais plus question.

Et pour toute réplique, Mathieu, regardant sa montre, ajouta :

— Tu achèves avec ton café ? J'aimerais bien rentrer, j'ai quelques notes à réviser avant de me coucher. Et je t'avoue être fatigué. Les heures ont été longues, cette semaine. Du temps supplémentaire à deux reprises et des patients plus amochés que d'habitude.

Il se leva et, contrainte d'en faire autant, Geneviève s'empara de son imperméable qu'elle garda sur un bras, son sac à main de l'autre, et le suivit jusqu'à sa voiture. Il la ramena chez elle sans trop parler, sauf du repas mal apprêté qu'il venait d'avaler et d'une patiente qui l'avait engueulé la veille parce qu'elle en avait assez d'être à l'urgence. Sans même un mot sur leur couple, sur leur vie à deux, sur leur avenir... Un baiser furtif, un *Appelle-moi demain, mais pas avant deux heures, j'ai des choses à faire en avant-midi.* Geneviève avait sourcillé. Le lendemain était un dimanche, ce qui voulait dire que Mathieu n'avait aucune intention de sortir, pas même d'aller au cinéma. Elle allait donc passer la journée seule chez elle à attendre qu'il daigne lui faire signe... Elle soupirait, elle se questionnait, mais elle parvint à s'endormir avec un petit cachet que son père utilisait pour contrer l'insomnie.

Le 15 octobre, Geneviève fêtait son année de plus avec son père et sa jeune sœur dans une salle à manger d'un hôtel, Mathieu étant de garde ce soir-là. Puis, un autre souper le lendemain en tête-à-tête avec lui cette fois, où il lui remit, avec une carte remplie de mots imprimés et seulement signée de son prénom, un bracelet en argent avec quelques pierres multicolores sur le dessus. Joli certes, mais rien de songé, rien de thématique. Un bijou comme on en voyait partout sur les présentoirs des magasins de grande surface. Elle aurait préféré une gerbe de fleurs et un sourire... D'autant plus que la carte n'était pas celle d'un amoureux à sa bien-aimée, mais un souhait de *Bonne Fête* bien ordinaire qu'on envoie aussi bien à une voisine qu'à une collègue de travail. Rien d'intime, rien de sentimental, rien de rien... Seule dans sa chambre le soir venu, se remémorant la soirée, Geneviève eut soudainement peur... Terriblement peur de le perdre ! Car depuis quelque temps, elle le sentait, Mathieu s'éloignait peu à peu d'elle.

Le travail. Que le travail pour cet acharné de médecine. Au point que les infirmières qui le talonnaient de près se mirent à regarder ailleurs. Ce beau garçon, aussi poli fût-il, n'avait rien pour chavirer un cœur de femme. La plus jolie d'entre elles ne parvenait même pas à lui faire détourner la tête. Et comme on le savait en relation avec une autre… Le docteur Boinard, à ce compte, était exclu des rêves les plus fous de quelques-unes. Affable, voire gentil, il gardait à distance ses collègues féminines, médecins ou techniciennes en radiologie, et s'attardait beaucoup plus avec celles qui, mariées, lui parlaient de leurs enfants, de leur mari ou de leur simple emploi du temps… Parmi ses confrères, aucun ami, aucun camarade avec qui aller dîner. Il s'y rendait seul avec une brochure à lire sur les derniers progrès en cardiologie. Un sandwich, un bol de soupe, une salade de fruits, un café… et il était de retour au poste. Le soir venu, il discutait volontiers de ses journées avec sa mère au bout du fil, mais sans trop élaborer. Il aurait les clés de son appartement dans quelques jours, il avait hâte d'y emménager, d'avoir enfin un chez-lui de pair avec sa profession. Quelque chose digne d'un médecin ! Et, entre ses visites à ses parents et au condo qu'il meublait et décorait déjà, il n'avait guère de temps pour celle qui l'aimait. Au point où Geneviève, dans son coin, se morfondait à l'attendre ou à espérer entendre sa voix au téléphone. Rien ou presque. Si peu qu'on aurait dit jamais. C'était si bref, si entrecoupé qu'elle sentait qu'elle le dérangeait. Et pas de projets ou si peu… *L'un reste, l'autre part*… le dernier film de Daniel Auteuil, peut-être ? Il l'avait suggéré, elle avait acquiescé, mais quand ? Il avait fait des heures supplémentaires toute la fin de semaine. Et le cinéma avait été relégué aux oubliettes. Avec un certain soupir de Geneviève, cette fois, le titre du film était dérangeant, elle croyait même qu'il l'avait choisi comme pour passer un message… Anxieuse une fois de plus, sentant qu'il se dérobait doucement de sa vie, elle en vint à l'affronter un soir de décembre. Elle lui avait demandé de la recevoir chez lui, ce qu'il n'avait toujours pas fait depuis son « ascension » dans ce condo du seizième étage. Il refusa, prétextant que la décoration n'était pas terminée, que des peintres s'affairaient encore, et insista pour que le rendez-vous soit plutôt dans un restaurant discret du boulevard Gouin, à la table éloignée des autres, là où ils avaient échangé tant de promesses au cours des ans. Ils s'y rendirent un vendredi soir alors que c'était peu achalandé et, après avoir commandé le repas, elle lui demanda nerveusement :

— M'aimes-tu encore, Mathieu ?

— Pourquoi cette question ? Ne suis-je pas toujours là ?

— Réponds, je veux l'entendre de vive voix, et sois sincère. M'aimes-tu encore, oui ou non ?

— Je t'aime bien, tu le sais…

— Non, tu ne m'aimes plus, ta réponse se défile, le « bien » était de trop et tu le sais…

— Tu m'as demandé d'être franc, Geneviève…

— Alors, c'est donc ça… Tu n'éprouves plus rien pour moi.

— Non, j'ai encore des sentiments, tu es une fille agréable, tu es plaisante, tu as un caractère facile…

— Plaisante ? Agréable et gentille ? Rien de plus à tes yeux ?

— Geneviève ! J'ai la tête pleine de dossiers actuellement ! Je n'ai pas l'esprit à…

Surprise, mais ne craignant plus ses réactions, elle l'interrompit pour lui débiter d'un trait :

— Peut-être songes-tu à rompre, Mathieu ? Ce qui te rendrait libre de te consacrer à ta profession…

Il baissa les yeux, les releva, soupira, mais ne trouva pas la force de répondre. Constatant qu'elle avait visé juste, elle ajouta :

— Tu n'as pas à être mal à l'aise, ça fait longtemps que j'ai compris que c'était fini entre nous. Tes absences, ton désintéressement… Je ne t'en tiendrai pas rigueur, mais aie au moins le courage de m'avouer que la rupture te conviendrait.

La regardant maladroitement, petit dans ses souliers, Mathieu releva la tête pour lui répondre :

— Je crois qu'il en serait mieux ainsi, Geneviève. Je n'ai pas le temps, ma carrière m'accapare jour et nuit, je préférerais être libre, je l'admets.

Sans ajouter un mot sur leur amour terni, sur ses promesses, sur son coup de foudre, sur ses attentions des premiers jours… Geneviève se leva, prit son sac à main et lui demanda :

— Ramène-moi, Mathieu, ou j'appelle un taxi.

— Nous n'avons pas encore mangé, voyons ! Un bris n'empêche pas le repas, le vin…

— Pour lever nos verres à notre rupture ? Ne me fais rien rajouter, Mathieu, tu pourrais en souffrir. Reconduis-moi tout simplement à la maison. Dis au serveur que je ne me sens pas bien, règle l'apéro, je t'attends dans l'entrée.

Mathieu paya, enfila son cardigan et son imperméable et la suivit jusqu'à la voiture. Durant le trajet, pas un mot. Rendus devant sa porte, il osa:

— Tu pourrais au moins dire quelque chose, on pourrait rester bons amis...

— Des amis, j'en ai, Mathieu. On ne fait pas d'un amoureux un ami quand on se quitte. Bonsoir, adieu, et sois heureux.

Elle avait refermé la portière de la voiture et Mathieu, la bouche ouverte, se demandait s'il allait rentrer chez lui ou se rendre chez sa mère. Comme il n'avait pas mangé, ressentant un creux, il s'arrêta dans un St-Hubert Express où il commanda une poitrine qu'il avala assis à une table en coin. Alors que Geneviève, rentrée chez elle, se dirigea directement vers sa chambre de peur de croiser sa sœur ou son père, et se jeta sur son lit pour pleurer abondamment.

Son prince charmant, celui qu'elle aimait tant, venait de la quitter sans le moindre regret, elle le sentait. Débarrassé d'elle ! Libre de vivre comme il l'entendait, oubliant vite qu'elle avait été à ses côtés pour le soutenir dans ses examens, ses angoisses, ses nuits blanches... Il l'avait quittée comme on le fait d'un appartement. Sans même le regarder... Comme il venait de le faire avec elle. Sans même se retourner une dernière fois. Geneviève pleurait, pleurait encore et, avalant un cachet pour contrer l'insomnie, elle biffa de ses rêves le mariage qu'elle entrevoyait, les enfants qu'ils auraient... Elle effaça tout de sa mémoire comme on le fait sur un tableau avec une craie... En soupirant et en songeant que, désormais, sa vie serait auprès des enfants qu'elle rendait si heureux à la maternelle. Ceux des autres.

Chapitre 5

Émilie Boinard planifiait ses emplettes des Fêtes. Seule à la maison, un vendredi soir avec Mathieu qui était en congé, elle se tourna vers lui pour lui demander :

— Est-ce que Geneviève aime toujours la laitue romaine ? Je m'apprête à faire ma liste d'épicerie et je veux que chacun y trouve son compte.

— Bien, ne te fie pas sur Geneviève pour ton souper des Fêtes, maman, elle ne sera pas des nôtres.

— Ah ! pourquoi donc ?

— Parce que nous avons rompu, elle et moi. C'est fini entre nous.

Stupéfaite, la mère s'écria :

— Mathieu ! Qu'as-tu fait là ? C'est une fille si charmante !

— Pourquoi, moi ? C'est peut-être elle…

— Non, arrête, je te connais, tu l'as fait avec deux autres auparavant. C'est toujours toi qui mets un terme à tes fréquentations !

— Oui, aussi bien l'avouer, c'est moi qui ai rompu.

— Mais pourquoi ? Vous étiez faits l'un pour l'autre, vous sembliez avoir des plans… Elle, du moins !

— Effectivement, et c'est ce qui m'a fait reculer, maman. Je ne suis pas prêt à envisager le mariage pas plus qu'une vie à deux. Je suis en plein essor de ma profession et je veux y consacrer tout mon temps. Et être libre de le faire !

— Geneviève n'était sûrement pas un empêchement, elle est si compréhensive…

— À certains moments elle l'était moins et ça me freinait de plus en plus.

— Tu l'aimais comme un fou, Mathieu ! C'était la femme de ta vie ! Souviens-toi de votre rencontre ! J'étais présente, tu l'as pourchassée de tes avances, tu n'en voyais pas clair, tu l'aimais comme tu n'avais jamais aimé, disais-tu !

— Oui, je te le concède, mais avec le temps, le feu s'est peu à peu éteint. Elle me plaisait encore, mais je me questionnais. Étais-je amoureux comme aux premiers jours ? Pour enfin me rendre compte que la flamme était à peine visible. Or, avant de lui faire trop de mal, j'ai rompu. Avant qu'elle s'imagine à mon bras, sortant de l'église… C'était presque le cas, elle voulait que je la fiance le plus tôt possible. J'ai donc reculé davantage et, finalement, quand elle m'a mis au pied du mur, j'ai été franc, je lui ai dit que mon cœur ne battait plus…

— Mathieu ! C'est ce que tu as dit à Johanne et à Sophie avant elle ! D'où vient cette vilaine manie de séduire pour ensuite abandonner celle que tu as conquise ? Est-ce une tocade chez toi ? Tu fais peur…

— Maman, n'exagère pas, je ne suis pas prêt à m'engager ! Pas quand je n'aime plus assez pour le faire. Je crois qu'il est plus honnête de tuer l'amour dans l'œuf que de le laisser se faire couver d'un seul côté. Nous en étions là, Geneviève me tenait pour acquis, elle s'imaginait déjà... Et puis, arrêtons là, c'est ma façon d'être et personne ne va la changer. J'aime tomber amoureux, mais après le coup de foudre, je ne sais pas pourquoi, ça s'estompe graduellement.

— Serait-ce la peur de t'engager qui te pousse à reculer ainsi ?

— Non, je ne crois pas... Quand je serai prêt, peut-être...

— Mais Geneviève ne t'attendra pas, Mathieu. Tu auras perdu celle qui aurait pu te rendre heureux.

— Possible, mais je préfère en courir le risque plutôt que de me voir enchaîné avec une femme que j'aime bien, mais que je n'aime pas éperdument.

— Pauvre elle, comme elle doit être malheureuse, comme elle doit pleurer...

— Je n'en sais rien, je ne l'ai pas revue. Geneviève a de la fierté, elle est indépendante, elle ne va pas insister... De toute façon, maintenant que tu es renseignée, peut-on clore le sujet ? J'ai la médecine pour faire de moi un homme heureux. N'est-ce pas suffisant pour toi, maman ?

— Bien sûr, Mathieu ! Te savoir comblée par l'énorme charge qui t'attend réjouit un cœur de mère. Et comme tu as vingt-huit ans, je ne vais pas insister davantage, ta vie t'appartient, tes amours aussi.

Au même moment, Renaud Boinard se pointa après de longues heures de travail. Content de retrouver son fils, de discuter avec lui de médecine et de patients, ils mangèrent en faisant le décompte de leur journée, mais ne pouvant garder cette nouvelle pour elle plus longtemps, Émilie, s'adressant à son mari, lui annonça :

— Aussi bien t'en aviser, Renaud, Mathieu a rompu avec Geneviève.

Le père, sidéré, regardant son fils en fronçant les sourcils, lui demanda :

— Tu l'as quittée, Mathieu, ou est-ce elle...

— Non, c'est moi, papa. Je veux me consacrer à ma profession, je ne suis pas prêt pour le mariage et pour tout ce qu'elle entrevoyait. Ça me stressait de la voir espérer, de l'entendre soupirer, tu comprends ? Alors, j'ai fait en sorte de reprendre ma liberté avant d'étouffer dans une relation qui ne menait nulle part. Selon moi, on s'entend... Elle a compris, elle a versé quelques larmes et elle est partie. Je suis certain que Geneviève fera sa vie avec un autre gars dans peu de temps. C'est une fille exemplaire, une future excellente mère.

— Ce qu'elle aurait pu être pour toi, mon fils. N'as-tu pas été trop radical ? Moi, je l'aimais bien, Geneviève, je la considérais déjà comme ma belle-fille.

— Ce qui ne sera pas le cas, papa. Et je ne répéterai pas tout ce que j'ai dit à maman, elle te racontera après mon départ, si tu veux bien. Bon, je dois filer maintenant, je suis de garde à l'urgence demain.

— Ça va, Mathieu, vaque à tes occupations. À ton âge, tu sais ce que tu dois faire, je ne vais pas m'interposer dans tes décisions, je respecte ton choix.

Mais Renaud était triste, il aimait énormément Geneviève ; il avait espéré que Mathieu en fasse son épouse. Il reconnaissait en elle les qualités de sa chère Émilie. Il se disait que, beaux comme ils l'étaient tous deux, ils feraient de superbes enfants… Mais comment insister quand l'amour n'est plus là ? Mathieu s'apprêtait à franchir la porte lorsque Joey surgit dans le portique, content de croiser son frère quelques minutes.

— Est-ce moi qui te fais fuir ? Pas même le temps de causer un peu tous les deux ?

— Désolé, Joey, mais je me lève tôt demain matin et, avant que papa ou maman te l'apprenne, je t'annonce que c'est fini entre Geneviève et moi.

— Quoi ? Vous avez rompu ? Tu… tu l'as quittée ?

— Oui, c'est fait. Maman te fournira les détails. À un de ces jours !

Mathieu sortit et Joey à peine entré, regardant ses parents, échappa :

— Ben, ça parle au diable ! Une autre de *flushée* ! La troisième en quelques années ! Bizarre, mon frère ! Et pour une fois que j'avais fini par aimer sa blonde ! Elle était fine, Geneviève ! Mais, bon, si quelque chose le dérangeait…

— Ils ne s'aimaient plus… Non, je me reprends, il ne l'aimait plus. Et quand l'amour s'affaiblit…

— Ben oui ! Comme si les filles étaient des chandelles qu'on allume et qu'on éteint ! Je ne lui reproche rien, je constate, mais laisse-moi te dire qu'il n'est pas qu'imprévisible, le frère, il est bizarre en maudit ! Moi, j'aime mieux ne pas avoir de blonde que d'en fréquenter pour ensuite les *dropper* comme ça ! Trois de suite, maman ! Comme des briquets jetables !

Quelques jours s'écoulèrent et, comme elle s'y attendait, madame Boinard reçut un appel de Geneviève un matin, alors qu'elle finissait de déjeuner. Décrochant le récepteur après avoir reconnu le numéro sur l'afficheur, elle répondit :

— Oui, j'écoute...

— Madame Boinard, c'est Geneviève. Je ne vous dérange pas au moins ? Pas trop tôt pour vous appeler ?

— Bien sûr que non, j'ai terminé mon déjeuner, je suis toujours debout à cette heure. Et je me doute bien de la raison de ton appel, Geneviève, j'en ai été chavirée.

— Oui, Mathieu m'a laissée, je ne suis pas encore remise du choc... Vous en a-t-il donné au moins les motifs ?

— Si on veut, à sa façon, il n'a rien précisé, il a seulement avoué vouloir continuer sa pratique en toute liberté.

— Je n'étais pourtant pas un obstacle à sa profession, je me faisais discrète, je n'ai jamais fait allusion à rien...

— Sauf à des fiançailles, Geneviève, et c'est ce qui l'a fait reculer, nous a-t-il dit. Remarque que ta demande était concevable, votre fréquentation était sérieuse, mais je pense que Mathieu l'a perçue comme un engagement trop exigeant...

— Je lui avais même dit que nous pourrions attendre, j'avais clos le sujet, je n'insistais pas...

— Je te crois, n'en doute pas, tu es une fille intelligente et au grand cœur, mais que veux-tu, Renaud et moi ne pouvions nous immiscer davantage dans sa décision. Il a vingt-huit ans, il ne l'aurait pas accepté... Nous avons tenté de vanter tes qualités, mon mari et moi, il les a reconnues, mais il a ajouté que la flamme...

— Oui, je sais, la flamme était éteinte selon lui, quoique de mon côté, je ressentais encore le même amour pour lui. Et je n'ai jamais douté de mes sentiments. Vous vous souvenez comme il m'aimait, madame Boinard ? Quand il m'a rencontrée, il était à genoux devant moi pour que je le fréquente. Et tout ce temps passé ensemble... J'ai peine à croire que tout s'arrête brusquement.

Constatant que Geneviève avait des trémolos dans la voix, Émilie se retenait pour ne pas la faire pleurer. Elle voulait bien l'encourager, ne pas trop prendre le parti de son fils, l'assurer que l'avenir allait certes lui permettre de faire la connaissance de quelqu'un d'autre, mais comment dire cela à une fille qui ne se remet pas facilement d'une rupture, surtout d'un rejet ? Retrouvant son calme, même si l'émotion intérieure l'étranglait, madame Boinard réussit à articuler :

— La vie a souvent de ces surprises, la joie comme la peine surgissent quand on s'y attend le moins. Il suffit de trouver la force pour accepter, Geneviève, de tourner la page et d'aller au-devant de ce qui se cache encore et qui t'attend.

— Facile à dire pour vous, madame Boinard, vous n'avez jamais eu à vivre une séparation. Je ne vous le reproche pas, mais il est difficile de se mettre dans la peau des autres...

— Tu sais, Caroline a été quittée par son mari après vingt-quatre ans de mariage, juste avant leurs noces d'argent. Subitement, sans même se douter qu'un jour... Et pour une autre femme en plus !

— Elle a au moins connu des années de bonheur avec William, ce qui n'est pas mon cas.

— Il est peut-être préférable d'être quittée avant qu'après un si long parcours, tu ne trouves pas ?

— Vu comme ça, oui... Mais Caroline et son mari ne faisaient pas bon ménage, je crois. Ils ne s'entendaient pas sur tout...

— Ce qui aurait pu également survenir dans ta situation, Geneviève, tout comme entre Renaud et moi.

Voyant que madame Boinard entrait toute la famille dans sa rupture en guise de comparaison, Geneviève comprit que la mère de son amoureux semblait pencher du côté de son fils. Non pas qu'elle l'approuvât entièrement, mais elle était solidaire de son état actuel. Et elle n'entrevoyait pour lui que le bonheur qu'il anticipait. Seul ou en couple. Et comme Mathieu avait un penchant pour la liberté totale…

— Bon, je vous laisse sur ces mots, madame Boinard, j'ai des travaux d'élèves à réviser. Avant de raccrocher cependant, j'aimerais que vous sachiez que je garderai toujours un très bon souvenir de vous.

L'interrompant avant qu'elle en ajoute trop, Émilie lui répondit :

— Nous aussi, Geneviève, et salue ton père de notre part.

La conversation était close. Sans même une invitation de madame Boinard à la visiter ou à prendre un café avec elle quelque part. Sans lui parler de la réaction de Joey… Ce qui avait attristé Geneviève qui croyait qu'elle pouvait garder un certain lien avec la famille. Décidément, c'était une double rupture. Après le rejet du fils, c'était au tour de la mère de fermer doucement les volets sans trop la plaindre, ne serait-ce qu'un moment. Chagrinée, relevant la tête, elle se regarda toutefois dans le miroir et, altière, jura en son for intérieur : *Une chose est vraie de la part de madame Boinard, quelque chose d'autre se cache et t'attend ! À toi de le trouver !*

Chez elle cependant, il en était autrement. Son père, Jean-Marc Gicard, regrettait amèrement que Mathieu ait ainsi laissé sa fille sans aucune considération pour ce qu'elle lui avait apporté durant ses durs moments d'études. Il blâmait ce dernier de l'avoir fait pleurer, de l'avoir remuée au point de lui faire manquer deux jours d'enseignement. Mais il avait consolé Geneviève en lui disant :

— Ne t'en fais pas, ma chérie, un autre viendra avec qui tu seras plus heureuse. Je partage ta déception, ça va de soi, mais tu as tant de qualités, tant à offrir à un homme. Ne pleure pas celui qui t'a ainsi trahie. Honore ton orgueil et garde ta fierté, la vie se chargera de t'en récompenser.

Mélanie, de son côté, lui avait dit :

— Ça me fait de la peine, parce qu'il était gentil, Mathieu, mais comme il a été vilain en agissant de la sorte, j'ai changé d'opinion sur lui. C'est égoïste et ingrat ce qu'il a fait !

Sa mère, Diane Julien, qui avait eu vent de la nouvelle lui avait dit au bout du fil : « Tu vois ? Ce n'est pas pour rien que je ne l'aimais pas, ce garçon-là ! Médecin ou pas, il était un condescendant ! Il s'est toujours pris pour un autre, il se croyait au-dessus de tous ceux et celles qui n'étaient pas rattachés à la médecine ! »

— Mais voyons, maman, il avait laissé tomber une fille qui se dirigeait en médecine ! Ce n'est pas logique ce que tu dis !

— De toute façon, je ne l'aimais pas ! Tu trouveras quelqu'un de mieux, tu verras. Un homme simple et avec de bonnes intentions. Un homme que tu pourras diriger…

Et comme la conversation bifurquait vers le féminisme à outrance, Geneviève préféra couper court et répondre à sa mère :

— Laisse ! Je vais m'arranger avec ma vie, maman ! Je suis en âge de savoir ce que j'ai à faire ! Bonne nuit et à un de ces jours !

2006 et 2007 se pointèrent tour à tour et, en juillet, le 18 plus précisément, Mathieu Boinard fêtait ses trente ans entouré de ses parents, de son frère, de son oncle Paul et de sa tante Caroline. Ces deux derniers se tenaient loin l'un de l'autre pour éviter toute discorde entre eux. Levant son verre de vin, Caroline prit la parole pour dire :

— Je veux porter un toast au très brillant docteur Boinard ! Quelqu'un d'autre m'appuie ?

Tous le firent, ils n'avaient pas le choix, et Mathieu, faisant mine d'en être gêné même s'il en était comblé, lui dit :

— Ce n'était pas nécessaire, Caroline... Ce n'est qu'un an de plus.

Sans lui avouer toutefois, dans sa fausse modestie, que le « brillant » était peut-être de trop. Mathieu, assez imbu de lui-même, tant par sa profession que par la beauté qui se dégageait de son visage, ne baignait pas dans la simplicité. Il avait convenu, à la demande de tante Caroline, de ne l'appeler que par son prénom, car le mot « tante », à son âge, faisait enfantin. Il en avait fait de même avec l'oncle Paul qui ne trouva rien à redire, même si Renaud Boinard était en désaccord avec ces familiarités. Joey, plus réservé sur le sujet, continuait avec les « oncle » et « tante » jusqu'à ce que Paul lui dise à table, ce soir-là :

— Joey, oublie donc le « mon oncle » et appelle-moi Paul comme le fait ton frère. Comme c'est l'idée de Caroline et qu'elle a toujours raison...

— Comment, toujours raison ? Ce n'est que logique ! À leur âge !

Avant qu'un différend s'engage, Émilie avait cru bon de trancher le gâteau et de le servir avec un digestif, ce que Paul apprécia grandement. On parla de choses et d'autres ; Mathieu, de sa pratique évidemment, Caroline, de ses clientes maussades à la pharmacie, Joey, très peu de son emploi, et Paul, de rien… se contentant de reprendre un autre verre de Cointreau que son beau-frère lui offrait. Vers dix heures, tout était terminé. On avait pris un dernier café sur le patio pour profiter un peu de l'été, et chacun était retourné dans son nid douillet. Paul était parti, non sans avoir embrassé Émilie, serré la main de Renaud et celle de Joey, mais il avait évité d'en faire autant avec Mathieu qu'il trouvait pédant et encore moins avec sa sœur qu'il ne pouvait pas supporter.

De retour chez lui, un garçon faisait les cent pas devant son immeuble. Ravi de le voir, l'ayant oublié durant la soirée, le pria d'entrer. Une consolation parmi tant d'autres… À coups de billets de cinquante dollars, quand ce n'était pas plus selon le « spécimen » ! Car venait un âge, dans ce milieu, où il fallait payer pour assouvir ses sens, alors qu'autrefois, pour lui, c'était l'échange pur et simple de deux gars du même âge. C'était bien avant Manu…

Parlant de ce dernier, Manuel dit Manu avait téléphoné à Émilie le dernier jour de juillet :

— Allô ! Ça va ? C'est moi… Je suis un sans-cœur, n'est-ce pas ?

— Manu ! Enfin toi ! Sans-cœur n'est pas le mot, tu es même un ingrat ! Toutes ces années et l'éloignement presque total…

— Pardonne-moi, Émilie, j'ai si souvent pensé à toi, mais pour oublier Paul, il m'a fallu faire le vide, plonger dans ma nouvelle vie, ne pas ressasser le passé.

— Bon, ça va, je t'excuse, mais que deviens-tu ?

— Je suis de retour chez ma cousine à Québec. Le temps de me trouver un emploi ici ou ailleurs…

— Qu'arrive-t-il de… Je ne me souviens plus de son nom…

— Maurice ? Il… il est mort, Émilie. Un infarctus inattendu. Je l'ai perdu en deux jours seulement… Ses enfants se sont occupés de tout. Ils n'ont jamais rien su pour lui et moi, je me suis retenu de pleurer lors des funérailles pour ne rien laisser paraître. Puis, ils ont vendu le *Bed and breakfast* que je ne voulais pas garder seul. Ils m'ont remis une large part des profits de la vente et je suis parti avec mes bagages. Je n'avais pas d'amis là-bas, que lui, Émilie. Ses enfants m'aimaient bien, mais de loin, je les rencontrais rarement. J'ai donc emballé tout ce que j'avais et je suis revenu chez ma cousine qui avait toujours sa chambre d'amis pour moi.

— Tu comptes te trouver un travail à Québec ?

— Je vais essayer. Dans l'hôtellerie si possible, vu mon expérience. Mais tu sais, à quarante-huit ans, ça va m'être moins facile…

— Voyons, Manu, c'est si jeune encore…

— Tu penses ça, toi ! On est au Québec, ici, pas aux États-Unis. À cinquante ans, tu tombes parmi les vieux, on ne t'engage plus ou presque. On te met aux oubliettes !

On veut des jeunes, du sang neuf, du long terme, pas des hommes et des femmes au bord de la retraite. Ça se passe ainsi partout.

— Mais tu n'as pas cinquante ans, tu es toujours jeune et alerte, et tu n'es pas au bord d'une pension, tu n'en recevras pas.

— Dans ce cas, je vais faire partie du *cheap labour* ! On va m'engager, mais à prix modique, comme si on me faisait une faveur. Ce sera à prendre ou à laisser ! J'en ai tellement vu, Émilie…

— Ne sois pas défaitiste. Tu verras, tu trouveras… Dis, tu ne me demandes pas des nouvelles de Paul ?

— Non, je n'en veux pas. J'ai tiré un trait depuis longtemps sur ma vie avec lui ; je n'y retourne plus, même en pensée. J'ai aimé Maurice, le Ciel me l'a enlevé, c'est maintenant lui, le souvenir de mon passé. Nous avons été si heureux ensemble.

— Bon, je comprends, mais je vais juste te dire qu'il va bien et que sa vie est toujours la même. Rien de plus.

— Grand bien lui fasse ! Et comment vont tes deux fils, ton mari, ta sœur ?

Émilie lui raconta tout ce qui était survenu au sein de sa famille sans ramener Paul dans la conversation. À la toute fin, espérant le suivre un peu plus à la trace, elle lui demanda :

— Maintenant Manu, vas-tu me laisser un numéro de téléphone pour te rejoindre ?

— Oui, celui de ma cousine ! Tant que je serai ici, tu pourras me téléphoner. Je ne te donne pas mon courriel cependant, j'ai trop peur qu'il tombe par erreur dans la boîte de réception de ton frère. Un jour viendra où je le ferai, mais d'ici là nous pourrons nous parler quand bon te semblera. Faut maintenant que je te quitte, je dois appeler un type pour un emploi justement. Je te ferai part de ce qui m'arrive quand j'aurai trouvé. Et t'en fais pas pour moi, je suis confortable côté argent et ma cousine ne m'hébergera pas pour rien cette fois. Je vais la rémunérer, même si elle s'y oppose.

— Alors, bonne chance, Manu, prends garde à toi.

— Merci, Émilie. Salue Renaud et embrasse tes garçons pour moi, et un petit bonjour à Caroline en passant.

Manu avait mentionné le nom de Caroline et, curieusement, le soir même, alors que Mathieu téléphonait à sa mère, il lui dit:

— J'ai vu Caroline ce midi à la cafétéria de l'hôpital, elle mangeait avec un homme, elle a trouvé quelqu'un, celle-là?

— Ça me surprendrait, elle ne cherche pas, elle est si hargneuse.

— Bien, ce gars semblait assez près d'elle, il lui a même pris la main qu'elle n'a pas retirée de la sienne.

— Quoi? Caroline? Est-ce un médecin ou quelqu'un de l'hôpital?

— Absolument pas, ils étaient en civil tous les deux, sans sarrau pour lui ni pour elle. Elle était peut-être là pour un examen et il est venu la rejoindre. Si c'est le cas, tant mieux pour elle, ça va lui redonner le sourire. Remarque qu'elle ne m'a pas vu, elle était dos à moi lorsque j'ai payé mon lunch à la caisse et je me suis ensuite réfugié derrière une colonne au bout de la salle à manger. Je les ai vus partir ensemble et elle semblait très heureuse de sa présence. Un bel homme, maman, plus jeune qu'elle cependant... Début de la quarantaine...

— Alors, là, impossible ! Caroline ne fréquenterait jamais quelqu'un plus jeune qu'elle, elle a trop de pudeur pour ça ! Ça la diminuerait...

— Attention, l'amour est aveugle... Et quelques années de moins, ce n'est pas toujours désagréable. Regarde Paul, ajouta-t-il en riant.

— Mathieu ! Comment peux-tu comparer Caroline à Paul ? Lui, c'est le sexe, rien d'autre. Elle, si c'est le cas, c'est sûrement le cœur...

— Qui vivra verra, maman, mais ne t'empresse pas de lui dire que je l'ai aperçue en compagnie d'un homme. De ma part, ce ne serait pas convenable...

— Ne va pas plus loin, je lui dirai que c'est une amie à moi qui l'a vue, ne t'en fais pas, tu ne seras pas impliqué, mais il me tarde de savoir. Grand Dieu ! Caroline en amour ? Ce serait inespéré !

Émilie attendit trois jours avant d'appeler sa jeune sœur pour lui demander tout bonnement :

— Es-tu allée passer des examens à l'hôpital cette semaine ?

— En effet, comment le sais-tu ?

— Une amie à moi t'a aperçue, je ne te la nommerai pas, tu ne la connais pas, mais elle t'a déjà vue alors que nous magasinions ensemble. Et il paraît qu'un très beau monsieur était avec toi. Qui donc est-il ?

— Décidément, on ne peut rien te cacher ! C'est un représentant de produits pharmaceutiques qui m'a accompagnée, ce qui m'a évité de prendre ma voiture.

— Et tu leur tiens les mains aux représentants, Caroline ?

— Émilie ! Que d'indiscrétions de ta part ! Il n'est pas dans tes habitudes…

— Allons, la petite sœur, si tu as un ami, partage-le au moins avec moi. Ce n'est pas si secret et ce serait tout à fait normal.

— Eh bien oui, j'ai quelqu'un dans ma vie, nous nous fréquentons depuis peu. Je ne voulais rien te dire avant que ce soit sérieux, ce qui devient le cas peu à peu, mais je n'ai pas couru après, c'est lui qui a fait les premiers pas. J'hésitais parce que, vois-tu, il est plus jeune que moi.

— De beaucoup ?

— Bien… il a quarante et un ans… Tu comprends pourquoi j'ai hésité ?

— Donc, avec tes cinquante-six ans, ça lui fait quinze ans de moins que toi. Ça ne t'embarrasse pas un peu ?

— Oui, je l'admets, mais pas lui. Je suis la femme de sa vie, paraît-il. Il prétend que j'ai l'air aussi jeune que lui. Je ne le crois pas, mais il est si charmant, je m'entends si bien avec lui.

— Il a déjà été marié ?

— Non, il a failli l'être à vingt-huit ans, mais ça ne fonctionnait plus. Un peu comme Mathieu avec sa Geneviève… Ils ont rompu et il est resté célibataire depuis. Remarque qu'il n'est pas question de mariage entre nous…

— Mais de cohabitation éventuelle, comme je te connais. Et ce sera chez toi pour l'avoir à ta main ! De quel signe astrologique est-il ?

— Tu pourrais me demander son nom avant de me réclamer son signe ! Luc, de son prénom, est Bélier comme moi.

— Ah ! mon Dieu ! Ça va rugir dans le couple ! Deux Béliers, deux « bosseux » !

— Tu exagères... On s'entend très bien, Luc et moi... On est sur la même longueur d'onde. Et nous ne sommes qu'au commencement de notre relation, laisse-nous au moins le temps de nous apprivoiser. Il est très beau à part ça !

— Oui, je sais, mon amie me l'a dit ! Donc, bel homme, jeune et célibataire ! Tu as remporté le gros lot, ma chère !

— Presque... Loin de William en tout cas. Plus tendre, plus élégant et sans doute plus fidèle. J'ai peur de notre différence d'âge, mais comme ce n'est qu'une fréquentation... N'en parle à personne encore, surtout pas à Paul !

— Non, il serait trop content de dire qu'il n'est pas le seul à chercher des p'tits jeunes !

— Émilie ! Cesse tes plaisanteries ! C'est de mauvais goût ! Permets-moi d'être amoureuse...

— Bien oui, ma petite sœur, je blague et je souhaite de tout mon cœur que Luc te rende heureuse. Et que ce soit mutuel...

— Ne t'en fais pas, il n'aura pas à souffrir de moi, j'ai l'intention de ne pas le perdre celui-là. Et dire que je m'étais juré...

— Tu vois ? Il ne faut jurer de rien, Caroline ! Chaque être humain a son destin. Aucune nouvelle de William depuis le temps ?

— Non, quand un couple se quitte sans enfants, plus rien ne le rattache par la suite. Je ne sais pas ce qu'il est devenu et il n'a pas cherché à savoir ce qui m'arrivait. Les alliances enlevées, c'est le vide total après, et c'est mieux ainsi, plutôt que d'avoir à se côtoyer jusqu'à la fin de nos jours à cause des enfants. Dieu merci, j'ai été épargnée de ce supplice, et lui aussi ! Quel châtiment que d'avoir à revoir jusqu'à la fin de sa vie celui ou celle qui te rappelle que de mauvais souvenirs ! Dieu merci, encore !

En novembre, alors que Paul magasinait au centre commercial Place Versailles où il se rendait souvent, il sentit une main se poser sur son épaule. Se retournant, il aperçut son ex-beau-frère, William, en compagnie d'une femme au sourire contagieux. William, qui n'avait jamais aimé Paul, s'efforça de lui demander :

— Comment ça va ? Tu as bonne mine ! Tu travailles encore fort ?

— Oui, pas mal, la routine, quoi ! Mais toi…

Comme Paul dévisageait la dame qui accompagnait William, ce dernier s'empressa de la présenter :

— Voici Norma, celle qui partage maintenant ma vie. Norma, mon beau-frère Paul dont je t'ai souvent parlé…

— Sans doute en mal, madame… William et ma sœur…

— Non, c'est fini tout ça, Paul, c'est elle qui me tenait éloignée et qui me pompait… C'est du passé tout ça ! Je suis présentement très heureux avec Norma. Nous comptons même nous marier.

— Ah oui ? Félicitations ! C'est pour quand ?

— Nous n'avons encore rien fixé, répondit la dame.

Paul se rendit compte qu'elle avait une voix suave, qu'elle était très belle, très féminine, habillée avec goût, les cheveux noirs tirés en chignon, un sourire engageant…

— Vous êtes d'origine anglaise ?

— Italienne plutôt, et ma mère adorait le prénom Norma, elle était férue d'opéras, ce que j'aime aussi…

— L'opéra ? Mon Dieu ! Ce n'est pas William qui va s'y intéresser !

— Tu serais surpris, Paul, tout se développe dans la vie. Norma m'en a beaucoup appris déjà. J'ai même assisté avec elle à *La… La…*

Paul éclata de rire devant son trou de mémoire et c'est Norma qui le tira d'affaire :

— *La Traviata*, Willie ! *La Traviata* de Verdi. Et il a aimé ça ! Peu à peu, à mesure qu'il comprend le livret, la musique le passionne.

— Bien, tant mieux, l'important c'est d'assimiler et d'apprécier.

— Bon, on te laisse continuer tes achats, Paul, nous, on s'en va prendre un café en bas. Écoute, dis bonjour à Émilie et Renaud de ma part et aux enfants… Aux grands enfants, maintenant !

— Oui, Mathieu a été reçu médecin, Joey a son bac en histoire…

— Bien, tant mieux pour eux. Content de t'avoir vu.

— Moi de même, William. Au revoir, madame, à un de ces jours peut-être.

— Je vous en prie, appelez-moi Norma, Paul ! Ce sera plus sympathique.

Le soir venu, Paul s'empressa de téléphoner à Émilie pour lui faire part de sa rencontre, espérant qu'elle la colporterait à Caroline :

— Tu ne croiras jamais qui j'ai rencontré à Place Versailles !

— Qui donc ? Tu sembles énervé…

— C'est bien assez ! C'est par hasard, mais j'ai croisé William avec sa blonde !

— Pas sérieux ! Il habite ce coin-là ?

— Je n'en sais rien, mais il magasinait avec elle.

— Et puis, comment est-elle ?

— Très belle, Émilie ! Magnifique, même ! Avec des yeux noirs, un sourire charmant, vêtue comme une reine. Une grande dame !

— Grande dame ? Que fait-elle avec William dans ce cas ?

— Bien, elle est en train de le transformer, il a meilleure allure, il s'habille mieux qu'avant et elle l'a initié à l'opéra.

— Quoi ? Lui ? Voyons donc ! Il n'écoutait que du country ! Surtout les disques de Dolly Parton, sa préférée !

— Bien là, elle l'a changé, il est allé voir *La Traviata* avec elle ! Une belle femme que je te dis, une Italienne d'origine, une femme avec de la classe…

— Qu'est-ce qu'elle fait dans la vie ?

— Écoute, je n'ai pas eu le temps de lui faire déployer son curriculum, on était debout dans une allée ! Mais plus jolie que ça…

— Elle doit sûrement l'être si tu t'exclames de la sorte, toi qui n'aimes pas les femmes…

— Attention ! Je suis homosexuel, mais je vois clair ! Une femme de sa trempe attire toujours mon regard ! Tu te souviens comment j'aimais Sophia Loren ? J'avais même ses *posters* au sous-sol. Bien, la blonde à William, c'est à peu près son genre. De plus, tu ne le croiras pas, mais ils vont se marier ! Je n'ai pas obtenu la date, mais ce sera sûrement au printemps ! Si Caroline savait ça...

— Ça ne la dérangerait peut-être pas, car ta sœur a elle aussi un homme dans sa vie. Elle est amoureuse d'un représentant en produits pharmaceutiques plus jeune qu'elle. À propos, quel âge a la blonde de William ?

— Quarante-trois, quarante-cinq... Je ne sais pas...

— Ta sœur a le dessus sur son ex-mari, son chum vient d'avoir quarante et un ans seulement. Quinze ans de différence !

— Ah bien ! La garce ! La chipie ! Elle qui me blâmait sans cesse de jeter mon dévolu sur des plus jeunes que moi ! Attends que je l'apostrophe...

— Toi, ce n'est que pour coucher, Paul, ce n'est que physique...

— Et elle ? Tu penses que c'est de l'amour ? Voyons donc ! Des nuits chaudes avec un plus jeune ! Émilie, la p'tite sœur, c'est pas Maria Goretti ! Elle doit les ouvrir ses draps ! Pis en maudit à part ça ! Mais attends que le représentant se rende compte de son fichu caractère. Attends qu'elle commence à le *runner* par le bout du nez comme elle le faisait avec Willie !

— Willie ? Depuis quand ? Tu l'appelais William, non ?

— Bien oui, mais sa belle señora l'appelle Willie ! Et elle lui serrait la main comme une femme amoureuse de son mâle. Elle, ça semblait vrai, mais la Caroline, sois patiente... Tu vas voir qu'il va *flyer,* son nouveau chum, quand il va voir sa face de « beu » furieuse s'il lui parle avant qu'elle soit sortie du lit. Tu te rappelles comment maman la secouait quand elle se levait avec sa face en grimace ? Elle lui disait : « Envoye, réveille, pis souris, y fait beau aujourd'hui ! »

Après l'appel de Paul, Émilie s'était rendu compte que ce dernier voulait qu'elle téléphone à Caroline pour lui annoncer que son chien était bien mort, que son mari était avec une beauté italienne, mais elle n'en fit rien. Paul avait sans doute exagéré... Et lui, de son côté, était déçu d'apprendre que sa petite sœur avait trouvé un homme plus jeune qu'elle pour partager sa vie. Tenant ses doigts croisés, l'aîné de la famille espérait de tout son cœur que la relation de sa sœur foire et que Caroline se retrouve une fois de plus toute seule, vieille et laide devant son grand miroir.

Le souper du temps des Fêtes eut lieu chez Émilie comme de coutume et les invités s'amenèrent en fin d'après-midi. Paul avait apporté du vin et des desserts. Caroline, venue avec son ami, avait déposé des poinsettias sur la table et Mathieu avait offert des présents à son père et à sa mère, ce que fit à son tour Joey, lorsqu'il arriva au salon bien habillé, les jeans de côté pour la journée. Émilie, véritable cordon-bleu, avait passé outre à la dinde pour servir, cette fois, un faisan bien apprêté dans une sauce au vin. Caroline avait présenté son ami Luc à tout le monde, et ce dernier, quelque peu timide, s'était entretenu avec Renaud qui lui semblait le plus accueillant.

On parla de tout et de rien, du temps qui s'écoulait rapidement, de la nouvelle année qui allait se lever avec ses joies et ses peines. Paul buvait trop, comme d'habitude, un verre n'attendait pas l'autre et sa langue se déliait. Se doutant bien qu'Émilie n'avait pas parlé de sa rencontre avec William, il se permit, une fois au dessert, d'annoncer à sa jeune sœur :

— J'ai vu ton ex, dernièrement. À la Place Versailles ! Il était en compagnie de Norma, qu'il m'a présentée...

Caroline, courroucée par l'aveu, l'interrompit pour lui dire :

— Ce n'est ni l'endroit ni le moment, Paul ! On a d'autres sujets à discuter !

— Correct, je me tais... Une chose cependant, ils vont se marier !

On aurait pu entendre une mouche voler. Émilie, consciente de l'embarras de Caroline, s'empressa de lui demander ainsi qu'à son ami :

— Vous optez pour le cognac, le Cointreau, la crème de menthe ?

— Oui, répondit Caroline, verte de préférence.

Et Paul n'était pas allé plus loin devant le regard réprobateur de Renaud qui n'avait pas apprécié l'indélicatesse. À table, par-dessus le marché ! Mais, qu'à cela ne tienne, le grand frère qui commençait à ressentir des vapeurs, avait regardé Luc, le chum de sa sœur pour lui dire :

— C'est drôle, mais il me semble que je t'ai rencontré quelque part, qu'on se connaît, nous deux.

L'invité, mal à l'aise, lui répondit :

— C'est sans doute au ministère pour lequel vous travaillez, il m'arrive souvent de me rendre dans les bureaux du gouvernement...

— Pour y faire quoi ?

— Bien, des papiers à remettre, d'autres à signer.

— Coudon, es-tu huissier ou représentant en produits pharmaceutiques ?

Luc, de plus en plus mal à l'aise, regarda Caroline qui intervint :

— Bon, ça va, Paul ! Dépose la bouteille de vin et parle comme du monde ! Tu cherches noise je ne sais à qui, mais ça ne marchera pas si c'est à Luc ou à moi.

— Je ne cherche rien de ce genre... Je cherche juste à savoir où je l'ai vu, ton chum ! Ça se pose comme question, non ?

— Oui, mais comme ça ne semble pas le cas, tu peux changer de sujet ?

— J'en ai pas d'autres, je vais laisser la place à Mathieu qui doit en avoir long à nous dire sur ses patients, mais juste avant, j'suis certain de l'avoir vu quelque part, ton Luc... Si seulement j'pouvais me souvenir de l'endroit... ajouta-t-il, en se grattant le fond de la tête.

Les invités partirent tour à tour, Paul le dernier, évidemment, et passant enfin la porte après avoir embrassé Émilie et serré la main de Renaud, il murmura à Joey :

— Je l'ai déjà vu ! J'suis pas fou ! Pis j'vais finir par trouver où !

Chapitre 6

2008, une année qu'on voulait prometteuse. Comme chaque fois qu'un Nouvel An se levait ; comme si celui qui s'éteignait avait été horrible ! Pourtant, dans bien des cas, le précédent avait été souple et confortable, mais comme la mentalité veut qu'il faille sans cesse espérer mieux, l'élan d'optimisme était dans tous les cœurs : ceux des Boinard autant que ceux de leurs voisins, de Caroline et de son amant, sans oublier celui de Paul et de ses jeunes… indécents ! Ce dernier, toutefois, avait eu la peur de sa vie quand il avait été attaqué, le premier samedi de janvier, non loin du sauna où il était allé à la chasse. Pris en filature par un voyou drogué dont il avait refusé les avances plus tôt dans la soirée, le jeune homme l'avait appuyé contre un mur et, avec un couteau sur la gorge, il l'avait sommé de lui donner son argent. Paul, quelque peu éméché, n'avait pas hésité à sortir une liasse de sa poche de pantalon afin de remettre quelques billets au voleur lorsque ce dernier, s'emparant vivement de tout le pognon, déguerpit en direction d'une ruelle de la rue Champlain. Paul, secoué, mais rassuré par un chauffeur de taxi qui avait vu la scène, avait refusé qu'il appelle le 911, lui précisant que sa fonction lui interdisait de le faire. Sa réputation aurait pu en prendre un coup et il ne voulait pas risquer de la perdre. Pas plus que sa vie qu'il venait de sauver pour deux cents dollars tout au plus. Priant le chauffeur de le ramener chez lui, il le fit attendre à l'extérieur, rentra ramasser un peu d'argent pour le payer et revint s'enfermer dans sa chambre, la tête entre les mains, le cœur battant très fort. Regardant le crucifix accroché au-dessus de sa porte, il le fixa et murmura : *Merci, mon Dieu ! Pardonnez-moi, mais aidez-moi ! Faites-moi sortir de cet enfer du vice ! Arrêtez-moi de boire, j'ai l'âge d'être sage et pénitent maintenant…* Mais le lendemain, après une journée de travail, la prière de la veille oubliée dans un papier mouchoir, il prit une douche, repassa son pantalon, enfila son manteau d'hiver noir et descendit la côte du Plateau jusqu'à la rue Sainte-Catherine dans le but d'y croiser, non pas le drogué qui avait failli le tuer, mais un jeune prostitué en quête de trente ou quarante piastres et d'une chambrette chaude dans un sauna par ce froid glacial. Ce que le sexagénaire trouva sans trop s'efforcer, puisque rendu au premier coin de rue, un gars en jeans d'à peine vingt ans s'approcha discrètement pour lui demander : « Cherches-tu de la compagnie ? »

Au début de mars, néanmoins, quelle ne fut pas la surprise de Paul de recevoir, de la part de William et de son amie Norma, une invitation à leur mariage. Un faire-part avec deux cœurs entrecroisés, une cérémonie intime, une petite réception dans une salle d'hôtel du centre-ville. Ne sachant comment réagir, il téléphona à Émilie pour le lui annoncer et se fier à ses commentaires :

— Tu ne comptes pas y aller, au moins ?

— Je ne sais pas... Pourquoi je n'irais pas ?

— Paul ! Il a divorcé de ta sœur !

— Pis ? Ça m'en fait un pli sur la différence, ça ! Je l'aurais divorcée bien avant si j'avais été lui !

— Tout de même, tu es de son ex-belle-famille... Pensesy, ce ne serait pas convenable...

— Voyons donc ! Il se remarie le beau-frère ! Et avec une jolie femme à part ça ! Une femme avec un magnifique sourire, pas un rictus amer au coin de la bouche comme la Caroline ! Je regrette, je t'en parle, mais comme tu es encore du bord de la p'tite sœur...

— Non, ce n'est pas ça, je suis beaucoup plus du tien que du sien et tu le sais ! Mais... Et puis, si le cœur t'en dit, vas-y, ne te refuse pas cette joie. Je te vois d'ici dire à Caroline après les noces à quel point c'était charmant, que la mariée était superbe...

— Tu penses que je vais me gêner ? Elle m'a tellement descendu, la benjamine, tant méprisée, montrée du doigt, calomnié... Il n'y a plus rien à faire, jamais elle ne va rentrer dans mes bonnes grâces, celle-là ! J'aime mieux espérer que ça marche bien entre Norma et moi, ça me fera quelqu'un d'autre à visiter.

— Venir chez moi ne te suffit pas ? Je suis encore là, moi !

— Bien oui, Émilie, tu seras toujours là, je t'aime énormément, mais des petites visites de temps en temps chez d'autres gens, ça ne ferait pas de tort. Être constamment seul, tu sais, ce n'est pas drôle. Et je pourrais sortir avec eux, je ne déteste pas l'opéra…

— Toi ? Depuis quand ?

— J'ai une assez bonne culture, tu sauras ! C'est parce que personne n'apprécie l'opéra et la grande musique dans la famille que je n'en parle pas, mais j'ai déjà vu *Carmen* étant jeune et un opéra de Mozart dont j'oublie le nom. Ça fait si longtemps… Mais j'aimais ça, les ténors et les sopranos, j'aurais même continué, mais avec Manu, si peu instruit…

— Ne parle pas contre lui, il doit être très heureux où il est, mais je te ferai remarquer que j'adore la musique classique ; Beethoven est mon préféré, mais j'aime aussi les valses de Strauss. J'ai plusieurs albums classiques que nous écoutons, Renaud et moi, quand il n'y a rien de bon à la télévision…

— Ouais… Tu n'as pas besoin de me défiler les disques de ta petite discothèque, je la connais par cœur, et le dernier CD que tu as acheté, c'est celui d'André Rieu ! Loin de Beethoven, celui-là !

— Chaque artiste a son auditoire ! Rieu est l'un des préférés de Renaud et nous allons le voir lorsqu'il vient à Montréal.

— Bien, tant mieux pour lui ! Et pour vous deux ! Mais, pour revenir aux noces du beau-frère, je vais y aller, mais je me demande si l'invitation est pour deux ou juste pour moi…

— Tu n'as quand même pas envie de t'y rendre avec un garçon de ton quartier, Paul ! Ce serait disgracieux…

— Non, pas avec un gars, j'ai des amies de femmes au travail… Quoique si tu acceptais…

— Non, ne compte pas sur moi ! Es-tu devenu fou ? Aller au mariage du beau-frère qui s'est débarrassé de sa femme, ma propre sœur, avant leurs noces d'argent ? Ce serait infâme, indigne de moi... Comment as-tu pu penser...

— Oh ! j'ai rien pensé, je ne te l'avais pas encore demandé, j'irai seul, finalement, et je me ferai des amis parmi les invités. Je leur dirai, avec la complicité de William et de Norma, que mon épouse est malade et qu'elle n'a pas pu m'accompagner... T'en fais pas, va, je saurai bien me débrouiller, je m'en sors tout le temps !

— Pour ça, oui ! Mais un jour viendra où tu ne t'en sortiras pas, Paul ! Avec un coup de couteau entre les omoplates ! Tu vas finir par tomber sur un malade qui va préférer te voler mort plutôt que vivant. Ta dernière aventure m'a fait peur ! Tu devrais cesser...

— Oui, je sais, je m'y rends de moins en moins dans ce quartier-là. Je préfère les faire venir à la maison.

— Comme si c'était moins dangereux... Où donc as-tu la tête ?

— Sur mes épaules, Émilie ! Et je vais tenter de ne pas trop boire au mariage de William, afin de me souvenir de tous les détails qui vont mettre Caroline en furie ! Salut, je raccroche, j'ai à faire !

— Paul !

Mais comme il l'avait dit, Paul avait déposé l'appareil sans attendre le « au revoir » coutumier de sa sœur bien-aimée. Entendant le *buzz* du récepteur coupé, Émilie referma l'appareil en soupirant.

La cérémonie avait été prévue pour le 22 mars, et c'est vêtu d'un complet noir avec chemise blanche et cravate à pois rouges sur fond gris que Paul Hériault se rendit au mariage de Norma et William qui échangèrent leurs vœux devant quelques invités seulement, pour ensuite les suivre jusque dans l'ouest du centre-ville où une douzaine de personnes les avaient précédés dans un joli petit salon d'un hôtel de renom. Norma était magnifique dans sa robe de dentelle beige trois-quarts avec pan de satin retombant à l'arrière. Retenant un petit bouquet de boutons de roses blanches, elle en avait aussi orné son chignon avec délicatesse et discrétion pour ne pas faire ombrage à l'éclat de son rang de perles. Savamment maquillée, la jolie dame entra au bras de William qui, ce jour-là, sans doute aidé de sa future, avait l'allure d'un riche professionnel dans un complet beige avec une chemise blanche impeccable et un papillon brun qui en fermait le col et qui s'harmonisait à la tenue de Norma. La tête haute, le sourire du vainqueur, il avait prononcé ses vœux comme l'homme heureux qu'il était devenu. Paul fut présenté aux parents de la mariée, à ses sœurs et à ses oncles et tantes. William, de son côté, n'avait qu'un cousin propre venu avec sa femme, quelques amis de travail et leurs épouses, et Paul, son ex-beau-frère. Un assez beau groupe, cependant, pour orner une grande table où tout avait été déposé et servi avec soin. Paul fit honneur au vin rouge, mais juste assez, sans se griser. Assis près d'une parente de Norma qui lui demanda :

— Votre femme va un peu mieux ? On m'a dit…

— Heu… oui, sa sœur veille sur elle.

— Vous êtes mariés depuis longtemps tous les deux ?

— Heu... 1970, répondit-il nerveusement.

— Plusieurs enfants ?

— Non, aucun, malheureusement... Mon épouse a fait une fausse couche étant jeune et elle n'est pas retombée enceinte, le bon Dieu ne l'a pas voulu...

Exaspéré par les questions de la curieuse à ses côtés, il s'empressa de lui demander si Norma avait déjà été mariée.

— Vous ne la connaissez pas plus que cela ? Oui, elle l'a été, mais elle n'a pas d'enfants. Son premier mari la trompait et elle en a eu assez. Elle, une femme si belle...

— Je comprends... Tiens ! Écoutez ce qu'on vient de mettre comme musique. Une chanson de Bryan Adams... Je peux vous inviter à danser ?

La cousine, une célibataire pas tellement jolie, fut enchantée de l'invitation et accepta de se rendre sur la piste de danse. Ce fut d'ailleurs la seule et dernière politesse de la part de Paul envers sa voisine de table. Il alla ensuite s'entretenir avec les nouveaux mariés qui lui révélèrent avoir acheté une maison de pierres à Longueuil que le nouvel époux rénovera avec ses hommes dès leur retour de voyage de noces. S'enquérant de l'endroit où ils se rendraient, la mariée avait répondu : « À Rome ! Je veux faire visiter le berceau de ma famille à mon mari. » Et William avait souri, sans avouer à sa femme qu'il avait vu Rome et presque l'Italie au complet avec Caroline, qui l'avait fait voyager de force... durant des années ! La journée prit fin et, avant de les quitter, Paul leur remit une assiette murale de valeur, illustrant deux petits garçons en train de manger des raisins en joyeux lurons. Ce qui avait fait sourire davantage William qui avait deviné les préférences de Paul à travers la bonne intention. Norma lui fit la bise, William, l'accolade, et tous deux invitèrent l'ex-beau-frère à venir souper chez eux dès qu'ils seraient installés. Ce que Paul accepta de bon gré. Il repartit enfin, regagna le centre-ville et se frotta les mains d'aise. Il avait enregistré, dans ses vilains neurones, tout ce qui s'était déroulé au mariage afin de transmettre la projection du film, sans se tromper d'une seule scène, quand il verrait sa jeune sœur. Au souper de Pâques le lendemain soir ? Peut-être... Afin qu'elle voie sans l'avoir vu, le bonheur de son William avec Norma, « la grue » comme elle l'appelait, qui le lui avait volé. Il tracerait le portrait de cette belle journée sans en être le moindrement mal à l'aise. Une mauvaise intention, comme allait le lui dire Émilie ? Foutaise !

Le docteur Mathieu Boinard était impeccable dans son complet gris en ce jour de Pâques où il était arrivé chez ses parents au volant de sa Volvo sport rouge, dernier cri, avec l'intérieur de cuir noir. Sans l'envier, Joey avait admiré la superbe auto de son frère et de son côté, ravi, Renaud s'était exclamé :

— Quelle voiture ! Digne d'un jeune médecin ! Si tu savais comme je suis fier de toi !

Une phrase qui dérangeait le frérot beaucoup plus que la Volvo. Joey s'était rendu compte depuis longtemps que son père lui préférait Mathieu. Il avait passé outre à l'adolescence et encore plus durant les études, mais aujourd'hui, devenu adulte, il aurait souhaité que le paternel se garde une petite gêne pour les compliments, surtout devant la visite. Caroline était déjà arrivée avec son Luc qu'elle traînait partout et, Paul, très élégant, regarda son neveu favori pour lui murmurer :

— Ce n'est qu'une voiture ! Ce qui compte chez un mâle, c'est ce qu'il dégage ! Et tu es plus allumant que lui !

Joey avait éclaté de rire en entendant la repartie de son oncle. Le mâle comptait tellement pour lui ! Tous se demandaient ce que l'oncle lui avait susurré à l'oreille, mais Joey se garda bien de le leur dévoiler. Ce qui avait fait sourciller quelque peu le frère aîné.

Le souper fut excellent, le jambon était cuit à point, les pommes de terre bien pilées, le poulet bien apprêté, les desserts appropriés et le vin blanc, de bonne qualité. Quoique Paul aurait préféré le rouge. Même avec du jambon et du poulet ! Mais Émilie, connaissant sa préférence, s'était abstenue d'offrir son Châteauneuf-du-Pape, pour que son frère reste sobre pour une fois avec le Mouton Cadet qu'il n'aimait pas. Ce qui ne l'empêcha pas de lancer à Caroline devant tous les invités au moment du dessert :

— Je suis allé au mariage de William. C'était très réussi !

Renaud leva les yeux sur lui, fronça les sourcils, mais Paul continua :

— Elle était de toute beauté, sa Norma, et lui, si distingué dans son complet beige. La réception a eu lieu dans un chic hôtel de l'ouest de la ville. On a mangé, bu et dansé, les parents de la mariée étaient fort gentils et, pour leur voyage de noces, ils sont partis en Italie. Un vrai beau couple !

N'en pouvant plus, Caroline se leva de table et se dirigea vers la salle de bains où Émilie la suivit. Il ne restait qu'une tablée d'hommes et Renaud, mécontent, pointa son beau-frère du doigt pour le semoncer :

— Tu es un malappris, Paul ! Tu l'as fait exprès ! On ne dit pas de telles choses devant la famille...

Mathieu et Joey n'osèrent s'impliquer en quelque sens que ce soit, c'était leur oncle, il y avait le respect, mais Luc, l'amant de Caroline, voulant appuyer Renaud, osa dire à ce dernier sans considérer Paul :

— Je suis de votre avis, Renaud, il y a de ces propos...

Et Paul de l'interrompre brusquement pour lui lancer :

— Toi, t'es pas encore de la famille ! T'as pas à te prononcer ! Et puis, en te regardant bien, oui je t'ai vu avant, toi ! Il faut que je trouve où, maudit ! J'ai pourtant une bonne mémoire ! Tu dois savoir où on s'est vus et tu ne veux pas me le dire... Mais je vais finir par découvrir où je t'ai vu... Ça s'peut-tu ?

Devant l'air embarrassé de Luc qui n'avait pu ajouter un seul mot, Joey regarda son oncle Paul de côté et, sans être observé par son père, esquissa un sourire.

Au début de juin, Caroline demanda une fois de plus à Émilie un rendez-vous, dans un restaurant, de préférence. Les deux sœurs convinrent de se rencontrer dans un petit resto plutôt moyen de la rue Jean-Talon, à l'est de Saint-Laurent. Émilie voulait profiter de ce coin de la ville afin de faire un saut au marché, juste derrière, et d'y acheter des œufs et des légumes frais. Vers une heure, lors de leur rencontre, le restaurant était presque vide et elles n'eurent pas de mal à obtenir une table le long du mur.

— Tu as faim, j'imagine ? demanda Caroline.

— Non, pas tellement, j'ai pris un bon déjeuner ce matin, mais je vais y aller pour l'assiette de fromages et de fruits que je vois au menu. Avec un bon café, cela va me suffire.

— Bon, comme tu voudras. Moi je vais prendre leur omelette au jambon avec des patates rôties maison. De toute façon, ce n'est pas le genre de restaurant où on y boit du vin…

— Ni le genre ni l'heure, Caroline, je ne bois jamais de vin le midi.

Les deux femmes commandèrent à la serveuse qui, avec un morceau de gomme dans la bouche, notait tout sur son calepin. Après son départ pour la cuisine, Émilie s'adressa à sa sœur :

— Bon, tu as quelque chose à me demander, toi, ou à m'annoncer…

— Les deux, Émilie, et je vais commencer par t'annoncer ce que j'ai décidé. Tu me diras ensuite ce que tu en penses.

— Alors, vas-y, je suis tout ouïe.

— Je me retire de la pharmacie, j'ai l'intention de vendre mes parts à ma collègue et de prendre ma retraite.

— Vraiment ? Déjà ? Tu viens à peine d'en faire l'acquisition…

— Je sais, mais je suis fatiguée, les heures sont longues, je n'ai plus d'énergie… J'aurais voulu tout vendre carrément, mais ma partenaire, qui est plus jeune que moi, s'y est opposée. Elle préfère continuer seule, quitte à s'endetter davantage pour le faire. Remarque qu'elle pourra réussir, la clientèle est établie. De plus, si elle désire un ou une autre partenaire, libre à elle par la suite.

— Et l'argent que vous devez à William ?

— Ce sera la dette de mon associée, plus la mienne. Une bonne façon de me débarrasser de ce bon à rien à tout jamais.

— Tu lui en veux encore ? Paul a ressassé bien des choses, n'est-ce pas ? Et je me demande si ton cœur est aussi fermé que tu le laisses croire. Parfois, j'ai l'impression que tu éprouves toujours des sentiments...

— Arrête, Émilie ! J'ai mis tant de temps à en faire le deuil, ne le remets pas dans ma vie, même en pensée.

— Mais je ne me trompe pas, n'est-ce pas ?

— Peut-être, mais il est maintenant remarié avec la grue et il sera sans doute heureux avec elle. Ah ! le salaud !

— Pourquoi l'injurier ainsi ? C'est toi qui l'as quitté, Caroline ! Il fallait y penser deux fois...

— Non, Émilie, ce n'est pas moi, c'est lui qui m'a lâchement laissée alors que je ne m'y attendais pas. J'ai menti par fierté, mais j'ai été abandonnée sans chance de rien raccommoder. Pour elle ! Pour cette Norma qu'il fréquentait déjà ! Il m'avait trompée bien avant, il me l'avait avoué...

— À ce compte, tu n'as rien perdu, ma petite sœur, William était indigne de toi. Moi, un homme qui trompe sa femme...

— Bref, j'ai gardé longtemps des sentiments pour lui, je n'aimerais jamais personne comme j'ai aimé William, mais c'est de ma faute. J'aurais dû le laisser respirer un peu plus, j'en suis consciente maintenant. Il n'est pas parti pour rien, tu sais...

— Bon, remettons-le en veilleuse, ce mufle, et revenons au sujet qui t'importe pour le moment. Tu veux réellement prendre ta retraite ? N'es-tu pas un peu jeune pour t'en aller parmi les vieux qui se demandent quoi faire de leurs journées ?

— À cinquante-huit ans ? Soixante dans deux ans ? Non ! Je crois que c'est l'âge pour se reposer et jouir d'une seconde existence. Ni trop vieille ni trop jeune. Tu sais comment j'aime voyager.

— Oui, évidemment, et comme Luc est là maintenant, ce sera certes…

— Avec lui, je ne sais pas combien de temps cela va durer. Quinze ans de moins que moi, c'est dangereux. Il peut rencontrer quelqu'un d'autre… D'autant plus que nous ne vivons pas ensemble.

— Pourquoi ne pas le faire ? Tu sembles l'aimer, non ? Il est bel homme, il a une bonne situation, il est très affable envers toi…

— Oui, admettons… Mais je n'éprouve pas les sentiments que je devrais avoir pour quelqu'un dont je serais amoureuse. Et, entre toi et moi, Luc n'est pas chaud lapin, ses avances se font rares et lorsqu'elles surviennent, elles sont de courte durée. Je m'excuse d'entrer ainsi dans les détails de ma relation avec lui, mais entre femmes, je peux en faire état.

— Tu n'as jamais été très portée sur la chose, Caroline. Qui sait si ce n'est pas toi qui freines ses ardeurs ? William se plaignait…

— Ne reviens pas avec lui, je t'en supplie. Pour ce qui est de Luc, c'est nettement différent. Il a un corps superbe, il est rempli de délicatesse, je suis très attirée par lui, je fais même les premiers pas, mais le résultat est toujours le même. Quand je lui mets la main dans les cheveux, j'ai l'impression de le dépeigner ! Aussi bête que ça ! Il n'est pas charnel, celui-là ! Tout le contraire de Will... Non, je passe !

— Vous pouvez former quand même un bon couple, il n'y a pas que le sexe dans une vie à deux, il y a tous les autres plaisirs, la cuisine, les films à regarder ensemble, les sorties au restaurant, les voyages, comme tu dis...

— Oui, j'y compte bien, mais en dehors de la vie de couple, que penses-tu de ma décision de me retirer de la pharmacie et de vivre sans stress, sans angoisse... Vivre pleinement pendant qu'il en est encore temps !

— Ce n'est pas moi qui vais te le déconseiller, Caroline. Si tu crois avoir les moyens de te payer une existence agréable sans plus avoir à travailler, fais-le, plonge, il n'est pas nécessaire d'amasser toujours de l'argent pour être heureux.

— Voilà ! C'est ce que je pense ! Trop de gens font l'erreur d'en ramasser pour plus tard mais, c'est quand « plus tard » ? À quatre-vingts ans ? Et pour en faire quoi à cet âge-là, quand on n'a plus la santé pour se rendre chez l'épicier ? Tu sais, le coffre-fort ne suit pas le corbillard !

— Non, c'est vrai, je te le concède... Travailler trop longtemps est une autre erreur de jugement. Parfois, j'aimerais que Renaud en prenne conscience. Il ne voit pas le jour où il s'arrêtera...

— Les hommes sont plus tenaces parce que plus craintifs face à l'avenir. Ils ont peur de ces matins où ils n'auront plus à se lever pour aller au boulot. La plupart d'entre eux ne sont pas préparés à la retraite. Ils ne savent même pas ce qu'ils vont en faire. Tandis que les femmes...

— Tu as raison, Caroline, et pour clore cette conversation, fais-le, vends tes parts et profite de la vie. Trouve-toi un appartement plus petit, débarrasse-toi de tes gros meubles, allège un peu, tu auras moins de ménage à faire. Et pour ce qui est de Luc, ménage-le, fais en sorte de le garder près de toi, de ne pas le perdre par tes impatiences…

— Oh non ! pas avec lui…

— Je te connais, Caroline ! Il y a des habitudes qui ne s'estompent jamais. Et tes violents sursauts peuvent refaire surface… Prends-en soin, vivez à deux paisiblement, mets un peu d'eau dans ton vin et laisse-le t'aimer comme il l'entend…

— Bon, ça va, la grande sœur, merci pour tes conseils, j'en prends et j'en laisse ! ajouta Caroline en riant.

— À ta guise ! Je suggère, mais je n'insiste pas. Tu es assez grande…

Elles réglèrent les additions, sortirent et, avant de se quitter, Caroline remercia de tout cœur Émilie de l'avoir écoutée et conseillée. Même si elle se promettait de ne suivre qu'à moitié ce que son aînée lui avait recommandé. Émilie se dirigea vers les marchands de légumes du marché Jean-Talon alors que Caroline, laissant échapper un soupir, reprit le volant de sa voiture en pensant à William et à sa « grue », et en rageant intérieurement : *c'est de ma faute, mais de la sienne aussi, l'écœurant !*

L'été se pointa, les fleurs grandissaient dans les plates-bandes des Boinard, quelques annuelles s'épluchaient doucement et les vivaces jaillissaient des arbustes plantés par Renaud l'an dernier. Joey avait fêté ses trente ans en juin, et

Mathieu s'apprêtait à atteindre ses trente-deux ans en juillet. Célibataires tous deux, l'un vivait dans son superbe condo de Laval et l'autre, telle une araignée collée à sa toile, habitait encore avec ses parents, même s'il découchait fort souvent. L'appartement de l'oncle Paul était l'un de ses chers refuges pour aller prendre un verre et y passer la nuit lorsqu'il avait trop bu avec lui. Paul aimait beaucoup Joey, c'était son lien le plus solide dans la famille. Après Émilie, bien entendu, à qui il faisait toujours parvenir des lettres charmantes pour y appliquer son précieux tampon illustrant la main qui tenait la plume. Émilie en souriait chaque fois. Plus détendue, dans la force de ses soixante ans elle était celle sur qui tous s'appuyaient lorsqu'il était temps de se confier ou d'obtenir conseil. Quant à Caroline, elle avait vendu ses parts de la pharmacie et résidait maintenant dans un appartement luxueux loué dans le quartier d'Outremont, pas trop loin de sa sœur. Elle n'avait pas acheté, ne voulant pas s'embarrasser d'une propriété et en assumer toutes les charges. Après un bref repos, elle se mit à sortir plus fréquemment, à se rendre au cinéma avec Émilie quand un film romantique s'affichait, comme *Funny Games* avec Naomi Watts et Tim Roth, qu'elles avaient plus ou moins apprécié. Toujours en couple avec Luc, ils ne vivaient pas ensemble cependant. Ils se fréquentaient régulièrement, voyageaient ici et là, pas très loin, mais la relation était plutôt celle d'un bon compagnonnage que d'une liaison amoureuse. Détaché de plus en plus d'elle sur le plan émotif, Luc en était presque arrivé à faire de Caroline sa bonne amie. Ce qui était tout dire ! Surtout pour une femme qui avait encore des besoins affectifs et sexuels. Elle poursuivait tout de même sa liaison avec lui pour ne pas se retrouver seule. Pourtant, toujours jolie, bien mise et en forme, elle aurait pu mettre le grappin sur un homme de son âge sans trop d'efforts de sa part, mais comme toute épouse abandonnée par un mari et attachée à celui qui l'avait remplacé, elle n'osait s'en défaire et craignait même que ce soit lui qui s'éloigne. Comme William l'avait fait ! Moins brusquement cependant... Mais cette idée lui faisait peur. Caroline Hériault n'était pas sûre d'elle-même sur le plan amoureux. Ayant été une fois le dindon de la farce...

Or, pour se soustraire à toute éventualité du genre, elle maintenait le statu quo avec Luc et passait d'agréables moments avec sa sœur Émilie quand cette dernière lui consacrait un après-midi ou une soirée. Car Émilie, malgré sa soixantaine, n'en était pas moins dévouée à Renaud et à Joey pour qui elle cuisinait chaque jour, en plus de s'occuper de la lessive, du ménage. Bref, de l'intérieur d'une grande maison. Et comme Mathieu venait souvent souper avec eux... Mais son mari veillait au grain et la secondait le plus possible car, affairée ou pas, madame Boinard recevait de nombreux appels de Paul qui n'avait qu'elle à qui se confier. Et néanmoins en bonne santé, tous deux, ils venaient à bout de tout. Ils s'aimaient, ils partageaient leurs soirées, ils se divertissaient au gré des émissions de la télévision ou de films qu'Émilie louait ou achetait. Le samedi soir, ils regardaient des films ensemble pour éviter d'aller en salle où le son était trop fort selon Renaud. À s'en boucher les oreilles comme ç'avait été le cas avec *Gladiator* quelques années plus tôt. Au point d'avoir quitté le cinéma avant la fin pour ensuite le louer un an plus tard, en maîtrisant le volume de leur télécommande.

Mathieu, toujours au même hôpital, avait été affecté en cardiologie où il recevait maintenant, régulièrement, les patients qu'on lui avait confiés. Et ils étaient nombreux. Hommes et femmes d'un certain âge, d'autres d'un âge certain qui, opérés à cœur ouvert ou simplement débloqués pour atténuer leur angine, le consultaient une ou deux fois par année. Ou en urgence quand c'était inquiétant. Très aimé de ses patients, dévoué envers eux et prenant le temps de leur expliquer leurs problèmes, on se sentait à l'aise avec lui. Et les femmes, le trouvant séduisant, lui disaient fort souvent qu'elles avaient une fille à marier... Des filles de vingt ou vingt-trois ans... pour un docteur de trente-deux ans ! Aussi beau fût-il, il n'était pas dit que ces jeunes filles de discothèques ou de bars auraient été intéressées par un médecin trop vieux pour elles, avec une Volvo sport ou pas. À l'âge de l'insouciance, on n'a de préoccupation immédiate que pour sa petite personne, on ne s'inquiète pas de son avenir et des besoins des autres. La fête ! Sans cesse ! Après les études ou le boulot de fin de semaine ! Mathieu, encore convoité cependant par des infirmières ou des préposées avec plus de maturité, se mettait des œillères pour ne pas avoir à leur rendre leurs sourires invitants. Aucune d'entre elles n'avait attiré son attention. Depuis Geneviève, aucune autre fille rencontrée dans un bar lors d'une rare sortie avec un collègue n'avait détourné son regard de sa grenadine avec soda qu'il commandait régulièrement. Peu porté sur l'alcool, contrairement à son frère, Mathieu ne prenait qu'un verre et demi de vin rouge lorsqu'il soupait chez ses parents. Jamais chez lui où il n'invitait personne et... jamais seul. Ses plus grandes qualités étaient d'être un excellent cardiologue et d'être séduisant ! Ce qui comblait son ego. Jolis vêtements, voiture de luxe, gants de cuir véritable, bien rasé, cheveux courts, dents blanches, il se suffisait au point de ne jamais jeter un coup d'œil par les vitres de côté de sa voiture. Les yeux plutôt sur la route ou sur le petit miroir du pare-soleil lorsque survenaient quelques arrêts obligatoires.

Septembre, le chagrin de voir l'été se terminer et regarder les enfants reprendre le chemin de l'école. Certains en riant, d'autres en pleurant. Et madame Boinard, après avoir salué sa plus proche voisine de sa fenêtre, se mit en frais de nettoyer le carreau avec un tablier autour de la taille et des gants de latex dans les mains. Pour elle, c'était le grand ménage d'automne qui débutait. Deux semaines plus tard, corvées terminées, le vendredi 19 septembre en soirée, alors qu'elle regardait un film loué avec Renaud dans le vivoir, ils furent dérangés par la sonnerie du téléphone. Renaud, impatienté, lui avait dit pendant qu'elle se levait pour aller répondre :

— Si c'est Paul, dis-lui qu'on est en plein milieu du film *Bon Voyage* avec Isabelle Adjani. Qu'il rappelle plus tard !

Émilie doutait que ce soit lui, son frère sortait les soirs de fin de semaine. S'emparant de l'appareil, elle prit l'appel, écouta, devint blême et, s'agrippant au cadre de la porte, réussit à prononcer :

— Mais où est-il ? Est-ce grave ? Mon Dieu ! Un instant… Renaud !

Son mari accourut devinant qu'il se passait quelque chose de sérieux et, prenant le récepteur des mains de sa femme, il put entendre un policier lui répéter que leur fils

Joey avait été victime d'un accident de la route et qu'il avait été transporté à l'hôpital. On ne pouvait lui en dire plus, on n'avait aucune idée de son état en ce moment. Renaud, pâle et affligé, serra Émilie dans ses bras et, ayant pris soin de relever le nom de l'hôpital, s'empressa d'appeler Mathieu pour l'avertir de la situation. Ce dernier, la tête dans ses dossiers, avait tout laissé tomber pour dire à son père :

— Ne t'énerve pas, papa, calme aussi maman. Je me dirige vers l'hôpital en question. J'arriverai sans doute avant vous. Ne paniquez pas, ce n'est peut-être pas grave.

Émilie, tremblante, avait saisi son imperméable et son sac à main et Renaud, habillé en vitesse, était déjà au volant de la familiale pour se rendre à l'urgence de l'hôpital où leur fils avait été amené. En cours de route, Émilie s'imaginait le pire ! S'il fallait qu'il ait le bassin défoncé ? Qu'il reste handicapé ? S'il fallait qu'il ne marche plus ? Elle lui avait prêté sa petite voiture pour la soirée, sachant qu'il était prudent, qu'il conduisait lentement, qu'il s'en allait chez un ami... Lequel ? Elle n'en savait rien, mais qu'importe ! Renaud pesait sur le champignon et Émilie le rappelait à l'ordre. Ils arrivèrent à l'hôpital en question quinze ou vingt minutes plus tard et, stationné dans un endroit interdit, Renaud se précipita à l'urgence en traînant sa femme derrière lui. À peine entrés, ils remarquèrent qu'il y avait foule. Des gens venus pour toutes sortes de raison, un achalandage habituel, de longues heures d'attente sans doute, malgré les promesses du gouvernement... Cherchant des yeux, ils repérèrent Mathieu qui sortait d'une salle et qui se dirigeait vers eux :

— Et puis, qu'est-ce qu'il a ? C'est sérieux ? On peut le voir ?

— Non, pas pour l'instant, papa, c'est grave, on tente de le sauver.

— Mais je veux le voir, je suis sa mère ! insista Émilie.

— Maman, je t'en prie, calme-toi ! Joey est entre bonnes mains et j'ai accès auprès de lui, ne t'en fais pas…

— Mais qu'est-il arrivé ? Tu as des détails sur l'accident ?

— Oui, et ça n'implique aucun autre véhicule, Joey a foncé sur un arbre solide d'une rue du centre-ville. La voiture est une perte totale…

— Qu'importe, ce n'est que ma Mazda ! Mais, lui, son visage ? Ses jambes ? insista-t-elle en pleurant.

— Maman, je t'en supplie, il vient à peine d'arriver, laisse-les faire leur travail, je vous reviendrai avec d'autres nouvelles sous peu. Je vais y retourner, je veux être auprès de lui. À titre de médecin, je suis le seul à être admis… Laissez-moi en prendre soin.

Renaud acquiesça de la tête, mais Émilie, lorsque Mathieu fut reparti, leva les yeux vers son mari pour lui dire en pleurant :

— Ça regarde mal… Mon Dieu, venez-lui en aide, ne le faites pas trop souffrir, c'est un si bon p'tit gars !

Renaud, mal à l'aise, demanda à sa douce moitié :

— Tu veux que j'aille acheter du café, ça va nous garder réveillés. Ça risque d'être long de telles interventions…

— Pas pour moi, pas encore, vas-y pour toi si tu le désires, je ne bougerai pas d'ici.

— Non, j'irai plus tard, je ne te quitte pas d'une semelle, ma chérie.

Et Renaud, devant le fait, se sentait quelque peu coupable. Au souper, il avait sévèrement avisé Joey de s'acheter une voiture, d'arrêter d'emprunter celle de sa mère, de penser éventuellement à s'installer ailleurs... Et c'était Émilie qui avait rétabli le calme en répétant à Joey qu'il pouvait prendre son auto quand bon lui semblerait et que la maison familiale était aussi la sienne. Ce à quoi Joey avait répondu :

— Il a raison, maman, ce ne sera pas long, j'ai un plan en tête...

Pour ensuite se rendre chez son ami au volant de la Mazda, après avoir embrassé sa mère.

Renaud était encore dans ses sombres pensées lorsqu'un infirmier délégué par Mathieu vint leur dire que le docteur Boinard, leur fils, reviendrait les voir, dès qu'il le pourrait. Émilie, le retenant par la manche, lui demanda :

— Vous étiez là ! Comment se porte notre garçon ?

— Heu... Je regrette, mais je ne suis pas affecté à son cas, je m'occupe d'une dame âgée qui souffre d'une pneumonie double dans une salle adjacente.

Un pieux mensonge pour ne pas leur dire que l'état de Joey était grave, voire critique. Mathieu, en salle d'opération avec deux chirurgiens, regardait ces derniers faire tout en leur pouvoir pour tenter de réanimer son frère qui respirait très mal. À un certain moment, les machines se mirent à émettre des sons alarmants et les tracés à zigzaguer sur les écrans. On poussa, on monta, on injecta davantage, mais les images devinrent fixes au moment où il avait rendu l'âme. Mathieu, secoué, désarmé, se penchait sur son frère et, lui retirant son masque à oxygène, se mit en frais de redonner, de sa bouche à celle de Joey, le souffle de la vie qui semblait l'avoir quitté. Une minute, deux, trois même... sans succès.

L'un des chirurgiens, regardant Mathieu, le releva de sa position courbée en lui disant:

— N'insistez pas, docteur, il nous a quittés.

Affaissé, pleurant comme un enfant sur le corps de son frère qu'il aimait tant, Mathieu, regardant un des deux chirurgiens lui murmura:

— Allez avertir mes parents, je n'en ai pas la force...

Le chirurgien qui avait tout fait pour sauver la vie du jeune homme sortit de la salle, se dirigea vers les Boinard, et alors qu'Émilie se levait, le cœur rempli d'espoir pour l'agripper, il leur révéla:

— C'est fini... On l'a perdu. On a tout fait. Désolé...

À ces mots, Émilie chancela et faillit s'évanouir dans les bras de son mari alors que Mathieu, bouleversé, le visage mouillé de larmes, s'approchait d'eux pour se joindre à leur désespoir.

On avait pu apprendre par les policiers chargés de l'enquête que Joey s'était sans doute endormi au volant de la voiture avant de percuter contre un arbre. De plus, après analyses, on en avait déduit que le jeune homme était ivre au moment de l'accident. Juste assez pour s'assoupir quand la chaleur s'était répandue dans l'automobile pour en évacuer l'humidité. Un seul petit moment, un œil qui se ferme, puis l'autre qu'on tente de garder ouvert et on se retrouve le pied à fond sur la pédale et les mains dégagées de la roue: Joey avait frappé l'arbre à vive allure et, à défaut de mourir sur le coup comme c'était souvent le cas, il avait survécu une heure et demie de plus pour s'éteindre sans avoir repris conscience. Avec le visage défiguré, ce que Mathieu n'avait pas osé dire à sa mère. Elle était revenue chez elle avec Renaud et son fils et, affaissée sur le canapé, ayant peine à croire ce qui était arrivé, il avait fallu que Mathieu lui administre un calmant pour qu'elle ferme un peu les yeux vers trois heures du matin. Pendant que Renaud, figé dans un fauteuil, buvant à petites gorgées le café que son fils lui avait fait couler, se morfondait dans des remords qu'il était incapable de surmonter. Il revoyait leur dernier souper, leur petite altercation, d'autres auparavant... Il s'en voulait terriblement de n'avoir pas su se rapprocher de son plus jeune, de ne pas avoir été en mesure de l'apprécier comme il l'avait fait de Mathieu. De s'en être détaché parce qu'il levait le coude comme son oncle. De l'avoir si mal aimé... Dieu qu'il s'en repentait ! Au point de ne pas sentir les picotements des larmes qui coulaient sur ses joues. Mais le mal était fait. À quoi bon... Dieu s'était chargé de rappeler à lui ce grand garçon qu'Il lui avait donné. Quelle déchirure au fond du cœur, quel désarroi dans les tripes ! Assez pour demander à Mathieu qui pleurait encore dans un autre fauteuil : « Tu peux me donner un sédatif ? Ça m'éviterait d'aller en chercher un dans ma chambre. Je suis si bouleversé. Pauvre Joey ! Ça ne se peut pas ! Il était avec nous il y a quelques heures... »

Mathieu se leva, massa le bras de son père en guise de solidarité et, lui remettant une petite pilule verte, murmura :

— Va te coucher aussi, papa, je ne partirai pas, je serai là avec vous deux. Nous ne pouvons rien faire de plus maintenant. Du moins, pour l'instant. Monte, papa, va rejoindre maman qui va pleurer encore lorsqu'elle se réveillera. Demain matin, on parlera de tout cela...

— Et toi, qu'est-ce que tu feras d'ici là ?

— Rien. Je vais m'étendre sur le divan et tenter de dormir si je le peux... Et je vais penser à lui. Je vais lui parler où qu'il soit et je vais prier le Seigneur...

Caroline avait failli perdre connaissance lorsqu'elle avait appris le lendemain la nouvelle du terrible accident qui avait tué son neveu. Paul, de son côté, avait éclaté en sanglots ! Joey ! Son préféré ! Parti pour l'au-delà ! Brusquement ! Mais où donc était-il pour avoir bu ainsi ? Avec quel ami ? Il ne lui en connaissait pas ! À moins que... Il avait tenté de consoler Émilie au bout du fil, mais bouleversé, il sanglotait avec elle. C'est lui qui avait prévenu William, ce dernier en avait été secoué. On laissa passer quelques jours avant de publier l'avis de décès de Joey Boinard, trente ans, décédé accidentellement...

Émilie était inconsolable, elle pleurait à fendre l'âme et Mathieu craignait une dépression de sa part. Mais il se rendit compte que c'était son père qui était le plus à surveiller, il culpabilisait tellement... Mathieu avait tenté de le rassurer :

— Voyons, papa, vous n'aviez eu qu'une petite altercation tous les deux, ce n'est pas ça qui a fait boire Joey.

— Si ce n'était que ça, mon grand, c'est beaucoup plus...

Et il s'était arrêté, la gorge nouée par les sanglots qu'il retenait. Le deuxième soir, alors qu'il était seul avec sa femme, il lui avait murmuré d'une voix chevrotante :

— C'est de ma faute, Émilie ! C'est moi qui l'ai fait mourir.

Voyant qu'il était chaviré, même si elle lui reprochait bien des choses au fond d'elle-même, elle eut la générosité de lui répondre :

— Non, Renaud, c'est le destin, c'est le Ciel qui nous l'a repris, tu n'y es pour rien.

— Je l'ai si peu aimé, il s'en rendait compte, j'étais injuste…

— Cesse de te sentir coupable, tu lui as donné le même amour qu'à Mathieu, mais différemment. Tu ne lui as jamais rien refusé…

— Je parle d'amour de cœur et d'âme, j'étais si loin de lui et pourtant il faisait tout pour se rapprocher de moi. Il avait réussi dans la vie, lui aussi… J'en étais fier…

Et le père, éploré, pleurait à fendre l'âme dans les bras de sa femme. C'est finalement Mathieu qui lui fit comprendre qu'il n'avait rien sur la conscience, qu'il avait été un bon père pour Joey, qu'il en avait été témoin. Et, peu à peu, au gré des heures, Renaud parvint à se convaincre temporairement qu'il n'était pas responsable de l'état d'ébriété de son fils ce soir-là.

On l'avait incinéré et on allait déposer son urne dans une petite niche d'un columbarium que Renaud s'empressa d'acheter. Joey avait déjà exprimé, dans une conversation sur le sujet, le désir de passer son éternité à la clarté et non six pieds sous terre où la noirceur allait le séparer des vivants à tout jamais. On avait prévu une journée entière d'exposition de l'urne et, le lendemain, une courte cérémonie qui précéderait la mise en niche des cendres du défunt. Avec la plus jolie photo de Joey sur le devant. Avec son beau sourire… L'image d'un gars heureux de son vivant. Ce qui allait atténuer de beaucoup la tristesse des gens qui viendraient pour s'y recueillir un peu plus tard. Le jour de l'exposition de l'urne, madame Boinard fut la première à franchir le seuil du salon au bras de Renaud, suivie de son fils Mathieu et de sa sœur Caroline. Une petite musique de fond répandait les notes discrètes de la mélodie de *Tous les palmiers* de Beau Dommage, une des chansons préférées de Joey. Reconnaissant la ballade, madame Boinard éclata en sanglots, essuya ses larmes d'un mouchoir beige qu'elle appuya contre la vitre de la niche où la photo de son fils était en vue. Comme pour lui transmettre sa douleur. Puis, à genoux, respirant d'une façon saccadée, elle pria en regardant les fleurs et, relevant les yeux, elle s'adressa à Joey tristement : « Pourquoi ? Pourquoi être parti si tôt ? On avait tant de choses à faire ensemble... » Et comme ses sanglots s'intensifiaient, Mathieu crut bon de la prendre par le coude et de l'emmener jusqu'à un fauteuil où sa sœur, malgré sa détresse, parvint à l'appuyer contre elle. Renaud, impassible, regardait l'urne, les fleurs, la photo de Joey et, calme à cause des sédatifs avalés avant de venir, il murmura à son fils tout bas : « Pardonne-moi, Joey, je t'aimais, je ne savais pas comment te le dire. Et je te reprochais ce que tu ne méritais pas... Si seulement tu pouvais revenir... » Mathieu, qui avait entendu les dernières paroles de son père, le pria de se relever et de laisser les gens s'approcher du reposoir de son frère, tout en lui chuchotant :

— C'est toi et moi qui allons les recevoir, papa. Il nous faut être forts pour trois, maman ne pourra pas...

Renaud acquiesça et les premiers à venir se recueillir étaient trois étudiants de l'université que Joey avait côtoyés. Des inconnus pour la famille qui avaient appris par le journal du matin que Joey Boinard était décédé accidentellement.

Ils s'étaient rassemblés dans l'allée du salon et, de Mathieu à son père, en se dirigeant ensuite vers la mère, ils offrirent leurs condoléances avec respect, de la part des universitaires. L'oncle William vint s'agenouiller avec Paul au pied de la scène mortuaire. Il était venu seul, sans sa femme, pour ne pas gêner Caroline dans un tel moment. Puis, se relevant, il avait trouvé la force d'offrir ses condoléances à Renaud et à Émilie, ainsi qu'à Mathieu, mais lorsqu'il s'était approché tout doucement de Caroline, celle-ci avait détourné la tête. Ce qui l'avait figé sur place pour ensuite reculer et se rendre dans la seconde rangée où Paul, affaissé, discutait péniblement avec des voisins de sa sœur qu'il ne connaissait pas. En fin d'après-midi, une couronne de fleurs, don de la famille Boinard, fut installée et, juste à côté, une gerbe de fleurs orangées avec une carte de sympathie de la part de Geneviève. La jeune femme n'avait pas osé venir, de peur de déranger la quiétude des parents de Joey et pour ne pas raviver son passé avec Mathieu dans une telle circonstance. Ce dernier fut touché du geste et Renaud lui murmura : « Je trouverai le moyen de les remercier, son père et elle. » Vers cinq heures, alors que les gens étaient épuisés et que les larmes avaient terriblement coulé, on s'apprêtait à fermer lorsqu'un individu insista pour entrer quelques secondes. C'était Manu ! Désemparé, triste à voir, venu seul apporter son soutien à Émilie et offrir ses condoléances à Renaud, Mathieu et Caroline. Un Manu qui sanglotait et qui disait à sa bonne amie :

— J'ai tellement pleuré, Émilie, tellement que je n'en ai pas dormi de la nuit. Vous revoir me fait du bien, mais j'aurais souhaité que ce ne soit pas dans la tristesse... J'aimais beaucoup Joey, il avait toujours été très correct avec moi. Pauvre petit ! Si jeune…

Émilie lui massa l'avant-bras avant de lui répondre :

— C'est une lourde épreuve, mais que veux-tu, il nous faut l'accepter… Je fais mine de le faire…

Pour ensuite s'effondrer en larmes dans les bras de Manuel. Toutefois, Manu ne s'était pas approché de Paul qui, de loin, le surveillait. Et Paul n'avait pas fait les premiers pas, il attendait que son ancien amant vienne vers lui et que, repentant… Mais il n'en fut rien puisque, après avoir échangé quelques propos avec Émilie, Manu l'embrassa, la serra contre lui et disparut comme il était venu. On allait reprendre l'exposition de l'urne en soirée, mais avant de partir, Mathieu suggéra à ses parents d'aller prendre un café au sous-sol du salon funéraire. Ils refusèrent, préférant retourner à la maison et revenir pour la réouverture. Caroline, qui avait entendu l'invitation, descendit accompagnée de quelques personnes venues se pencher sur l'urne du défunt et suivie, sans le savoir, de Paul qui rageait encore intérieurement de l'attitude de Manu envers lui. Ayant contenu sa tristesse durant plus de trois heures, Caroline allait s'asseoir lorsqu'elle aperçut Paul qui, près du comptoir, jeta un regard en sa direction. Sans perdre une seconde, elle lui cria :

— C'est de ta faute ! C'est toi qui l'as toujours fait boire ! Tu es responsable de sa mort ! Tu es un misérable !

Devant tant d'injures publiques, Paul ne fit qu'un bond pour se rendre jusqu'à Caroline, la soulever de son fauteuil et l'étrangler de ses deux mains en hurlant à son tour :

— Saleté ! Vipère ! Comment oses-tu m'accuser de la sorte ? C'est toi qui devrais être morte !

Et sans l'intervention rapide de Mathieu, un autre malheur aurait pu arriver. Caroline était à bout de souffle, le café renversé sur sa robe, les yeux quasiment sortis de la tête !

— Paul ! Voyons ! Un peu de calme ! Joey repose en haut...

— Oui, je sais, Mathieu, et je l'aimais tellement ! Mais cette damnée de l'enfer a osé m'apostropher et m'accuser !

Puis, regardant les gens qui étaient tous bouche bée, il ajouta :

— Elle m'a agressé verbalement, moi, son propre frère ! Vous en êtes tous témoins ! C'est une garce ! La chienne de la famille ! Et son ex-mari est venu cet après-midi sans pouvoir s'approcher d'elle. Tant mieux pour lui ! Elle l'a fait souffrir durant vingt-cinq ans, la truie !

Le sommant d'arrêter, Mathieu fit remonter Paul en haut et le reconduisit jusqu'à sa voiture en lui disant :

— Allez ! Quel scandale ! Si maman avait vu ça !

— C'est elle qui m'a cherché, la vache ! Je ne lui voulais aucun mal, moi. Elle m'a fait sortir de mes gonds. J'aurais pu la tuer, Mathieu ! Est-ce possible ? M'attaquer de la sorte en plein salon funéraire ?

— C'est inconvenant et je vais lui parler. On a encore la soirée à passer à moins que tu préfères t'en abstenir...

— Non, j'y serai ! Pour Joey ! Je reviendrai plus tard et je ne la regarderai même pas. Mais si jamais elle recommence, je ne réponds pas de moi !

— Elle ne le fera pas, je te le promets, compte sur moi.

Paul disparut parmi les badauds, et Mathieu, de retour au sous-sol où son café était froid, trouva le moyen de remettre sa tante Caroline en bon état physique pour ensuite lui reprocher sa conduite envers son frère. Ce qu'elle accepta en lui disant :

— Je me suis emportée, je le sais, mais c'est plus fort que moi… Juste à lui voir sa face d'ivrogne ! Et dire que Joey le fréquentait !

Le soir, il y avait plus de monde, évidemment, et les parents du défunt se prêtèrent de bonne grâce au réconfort des gens venus de partout : des collègues de travail de Mathieu, des clients et clientes de Renaud, des marchands du quartier, des cousines de madame Boinard, des pharmaciens, des proches voisins… Perdu dans ce salon pourtant grand, Luc, l'ami de Caroline, qui avait passé la journée non loin des lieux, s'entretenait avec des visiteurs qu'il ne connaissait pas, pendant que Caroline soutenait sa sœur qui titubait parfois ; des vertiges du cœur qui lui procuraient des étourdissements assez fréquents. Sans parler des calmants que Mathieu lui avait fait avaler pour qu'elle puisse tenir jusqu'à la fin de la soirée.

Une gerbe de fleurs fut déposée le soir, et quelle ne fut pas la surprise de Mathieu d'y lire sur la petite carte : *Avec mes plus vives condoléances. Johanne.* Un geste généreux de sa première blonde qu'il n'avait jamais revue depuis les études. Il en était remué. Sophie, pour sa part, sa seconde amie du temps de ses débuts universitaires en médecine, ne s'était pas manifestée. Qu'à cela ne tienne, il y avait tant de fleurs dans ce salon qu'on ne distinguait presque plus l'urne parmi les bouquets. Une couronne de roses rouges et blanches avait été envoyée par les confrères de travail de Joey, des connaissances de Paul. Plusieurs d'entre eux étaient présents, sauf ceux qui habitaient trop loin, mais les fleurs compensaient les quelques absents qui avaient aussi signé une carte. Émilie, épuisée, affaissée, encore triste à en mourir, était assise au premier rang en compagnie de Renaud et de Caroline, pendant que Mathieu recevait les visiteurs tardifs pour ensuite leur indiquer où étaient ses parents. Vers l'heure de la fermeture, alors que c'était plus fluide dans le salon, une dame entra avec, à son bras, une jeune fille qui sanglotait. Toutes deux se dirigèrent vers le prie-Dieu et, agenouillée, la jeune fille pleurait en mettant sa main sur sa bouche pour en atténuer le son. On se grattait la nuque, on se questionnait, Mathieu attendait, mais c'est Paul qui, le premier, s'approcha des deux femmes. L'apercevant, la jeune femme se leva et se jeta dans ses bras en lui disant:

— Ça s'peut pas, Paul ! Je l'aimais tellement... Joey ! Pourquoi ?

À ces mots, Émilie, suivie de Renaud, s'approcha des deux femmes et regardant la plus jeune, lui demanda:

— Vous connaissiez mon fils ?

— Oh oui ! Beaucoup même ! Demandez à Paul. Nous sortions ensemble depuis cinq mois...

Paul acquiesça d'un signe de tête et, prenant son courage à deux mains, la jeune fille en larmes ajouta:

— Et je porte son enfant, madame !

Chapitre 7

Sidérée, madame Boinard se demandait si elle avait bien entendu. Renaud, aussi éberlué qu'elle, regardait son beau-frère Paul en guise d'interrogation et c'est ce dernier qui, protégeant de son aile la jeune femme, put enfin leur dire :

— Oui, Émilie, il est vrai que Joey et Justine se fréquentaient. Elle travaille au même bureau que nous.

Mathieu, aussi bouleversé que ses parents, lui demanda :

— Pourquoi ne nous en avoir rien dit ? Pourquoi se cacher, Paul ? Et pourquoi ne pas nous en avoir avertis, toi ?

— Parce que Joey ne voulait pas que j'en parle. Pas encore… Il attendait le bon moment pour la présenter à sa mère. Écoutez, allons nous asseoir à l'écart, venez, madame Huguay, vous êtes la mère de Justine, je crois ?

— Oui, en effet, et elle est dévastée. Je me demandais quoi faire avec elle…

À l'abri des quelques curieux qui tentaient de s'immiscer, Paul demanda à Justine :

— Est-ce que Joey savait que tu étais enceinte ?

— Oui, depuis peu. Je le lui ai caché le plus longtemps possible, mais j'ai fini par le lui dire. Il était fou de joie, il parlait d'en prendre soin, de quitter la maison pour vivre avec moi, de m'épouser un peu plus tard…

Madame Boinard de regarder la jeune fille à son tour et de dire tout bas à son mari :

— Joey nous aura laissé un héritage, Renaud. À nous d'en prendre soin…

— Oui, je veux bien le croire, mais il nous faudra aller au fond des choses avant.

— Paul en est pourtant témoin…

— Ah lui ! Pas une référence, ton frère, Émilie !

Le lendemain, lors de la mise en niche de l'urne, ce fut le déchirement total. Madame Boinard, ayant oublié l'incident de la veille, n'en avait que pour son fils bien-aimé qu'elle venait de perdre. Soutenue par Caroline qui lui tenait le bras, elle lui disait dans ses sanglots :

— Ce n'est pas normal pour une mère d'enterrer son enfant !

— Oui, je sais, maman disait cela, mais Joey ne s'en va pas en terre, on pourra le revoir avec son beau sourire chaque fois que nous reviendrons ici…

— Si j'en ai la force… C'est moi qui aurais dû partir avant lui. Son père aussi. Quelle cruelle épreuve pour des parents !

On entendait Renaud sangloter et on put voir Mathieu verser des larmes au moment des dernières prières. On avait évité, cette fois, les chansons préférées du défunt et on avait plutôt opté pour un album de cantiques religieux, dont l'*Ave*

Maria de Gounod. Renaud avait demandé un peu plus de piété dans la cérémonie, pas tout à fait à l'aise avec ce genre de sépulture, habitué qu'il était d'enterrer les morts dans sa famille.

Justine n'était pas à la mise en niche, elle comptait revenir plus tard, seule, se recueillir sur les cendres de celui qu'elle avait aimé. Madame Huguay, de son prénom Lorraine, arrivée avec un de ses frères, expliquait à Paul que Justine n'avait pas la force, dans son état, de faire face à toutes ces larmes qui la bouleversaient. Mathieu, un peu plus curieux que les autres, avait murmuré à l'oreille de l'oncle Paul :

— Elle n'a pas de père, cette fille ? Ils sont divorcés, les parents ?

— Non, il est mort il y a quelques années. Un cancer généralisé.

Intérieurement, Mathieu s'excusa à Dieu de son jugement trop hâtif et se contenta de participer au dernier hommage rendu à son frère en lisant un éloge qu'il avait composé la veille et qui fit pleurer toute l'assistance. La cérémonie terminée, Émilie se prosterna devant la niche et, regardant le visage souriant de son fils sur la photo encadrée, murmura :

— Je reviendrai te voir souvent, Joey, on causera encore tous les deux… On…

Elle allait poursuivre lorsque son mari, devinant qu'elle allait s'effondrer la releva pour l'entraîner vers la sortie en lui disant :

— Viens, on va rentrer et se reposer un peu. C'est ce que Joey te suggère, Émilie. Il sait que tu es épuisée, il ne veut plus te voir pleurer…

Madame Boinard suivit de force son mari qui la soutenait de son bras alors que Caroline, de l'autre côté, lui prêtait le sien. Mathieu, resté à la porte du columbarium, remerciait les personnes venues assister aux obsèques de son frère. Peu à peu, les gens se dispersèrent, la voiture des Boinard repartit et Mathieu, ayant signé les papiers d'usage, reprit la route dans sa luxueuse Volvo rouge.

Émilie laissa passer un jour ou deux, histoire de se remettre de ses émotions encore vives au fond du cœur, puis, curieuse, elle demanda à son frère Paul de venir à la maison en soirée alors que Renaud y serait. Ayant eu vent de la réunion, Mathieu se libéra afin d'être présent pour cette rencontre avec Paul qui semblait en savoir plus long qu'il ne le laissait paraître. L'oncle arriva vers dix-neuf heures, juste après le souper, et Émilie, pour le mettre à l'aise, lui offrit un digestif qu'il ne refusa pas. Un soupçon de Tia Maria qu'il versa dans son café. Puis, lorsqu'ils furent tous rassemblés au salon, Émilie lui demanda sans détour :

— Paul, raconte-nous l'histoire de cette fréquentation. Qui est cette fille que Joey voyait à notre insu ?

— Justine travaille au département des arts et de la culture depuis cinq ans, à titre de secrétaire de l'information. Au même endroit que Joey. Moi, je la connaissais bien avant, elle avait déjà occupé un poste d'adjointe pour un sous-ministre dont le bureau était non loin du mien. Il m'était même arrivé de dîner avec elle et deux autres employés lorsque parfois nous apportions notre lunch. C'est ainsi que Joey, qui la saluait chaque jour, l'a connue plus personnellement. Il faut dire qu'elle est jolie cette petite brunette, et bien articulée.

— Quel âge a-t-elle ? demanda Mathieu.

— Vingt-six ou vingt-sept ans, je ne sais pas au juste. Nous l'avons fêtée en début d'année, mais je ne me rappelle pas son âge précis. Mais pas beaucoup plus ou pas moins, je dirais.

— Donc, si je te suis bien, Joey a fait sa connaissance plus intimement et il l'a invitée à sortir ?

— C'est ce qu'il m'a dit la première fois où ils sont allés au cinéma. Ça fait cinq ou six mois de ça, mais encore là... Et comme Justine vivait en appartement, elle n'a pas tardé à l'inviter pour veiller. Il vous disait venir chez moi ou chez un ami passer la nuit, mais c'était chez Justine qu'il dormait. Il en était tombé follement amoureux.

— Cinq ou six mois... Il aurait pu nous en parler, nous la présenter, tu ne trouves pas ? Ça nous aurait fait plaisir de la connaître, de renchérir Renaud.

— Oui, je sais, et je le lui ai suggéré, mais il a refusé et m'a fait promettre de ne jamais dévoiler son histoire d'amour avec Justine. Il a ajouté qu'il vous la présenterait en temps et lieu.

— Mais pourquoi ? insista Émilie.

— Bien, ce que je vais dire ne va pas plaire à Mathieu, mais je me dois d'être franc. Joey ne voulait pas parler de sa blonde avant d'être sûr de sa relation avec elle. Il ne souhaitait pas faire comme Mathieu, la fréquenter pour ensuite s'éclipser si ça ne marchait plus. Vous faire de la peine ainsi qu'à elle. Il tenait à ce que celle qu'il vous présenterait soit la bonne, l'unique femme de sa vie. C'était sa première blonde, vous comprenez. Bien des filles tournaient autour de lui, au travail, mais il ne voulait s'embarquer avec aucune. Jusqu'à ce que son cœur lui désigne Justine.

— Donc, c'est chez elle qu'il était quand il n'était pas chez toi ?

— Chez moi, il venait prendre un verre de temps à autre, mais pas plus. Il avait rencontré madame Huguay, la mère de Justine, il y a quelque temps. Il se proposait d'en faire autant avec vous deux, mais je crois que la grossesse de Justine, que j'ignorais, a dû retarder ses plans. Il voulait sans doute être sûr que le bébé était bien en place avant de se confier. De toute façon, il n'avait plus rien à craindre de toi, Renaud, à trente ans, on n'est plus un enfant.

— Pourquoi dis-tu cela ? Je le terrorisais ? Voyons donc !

— Pas à ce point, mais il te redoutait. Passons, tu veux bien ? C'est sans importance maintenant ! Retournons à leur histoire d'amour. Or, Justine ne m'a rien avoué de son état, elle attendait sans doute que le bébé soit bien en place avant d'en faire l'aveu. Joey l'aurait fait avant elle, de toute façon.

— Tu es certain que l'enfant qu'elle porte est de notre fils, Paul ?

— Émilie ! Comment douter d'une telle chose ! Justine est une fille de bonne famille, une fille qui sort très peu et qui n'a eu qu'un seul ami avant Joey alors qu'elle avait dix-neuf ans. Et ce, brièvement. Je la connais depuis si longtemps, jamais je ne mettrais sa parole en doute. Et j'imagine que Joey en était fier.

— Remarquez qu'un test sanguin de nos jours…

— Mais non, oublie cela, il a été incinéré… Il y a d'autres moyens, mais n'allons pas si loin, d'ajouter Renaud. Je crois, tout comme toi, Paul, que cette fille est de bonne foi. Sa peine était sincère...

— J'aurais aimé la revoir au columbarium...

— Elle avait des nausées, Émilie, elle me l'a avoué lorsque je lui ai parlé hier. Son cœur était chaviré par la perte de son amoureux. Et celle du père de son enfant, par conséquent. Imaginez ! Un enfant qui perd son père avant de naître !

— Oui, c'est terriblement triste, mais comme il ne l'aura jamais connu... C'est moins grave que de perdre un fils que tu as élevé...

— Émilie ! Ne ressasse pas le sujet, ça te fait pleurer juste à y penser.

— Papa a raison, maman. Maintenant, comme un enfant de Joey va venir au monde l'an prochain, que comptez-vous faire ?

— Bien quoi ? Il aura sa mère... murmura Renaud.

— Oui, évidemment, ajouta Émilie, et Justine aura aussi la sienne pour l'aider, mais nous devons faire notre part, Renaud, c'est notre petit-enfant qu'elle porte, le seul que Joey nous aura donné. On ne peut ignorer que c'est lui qui en est le géniteur. On ne peut laisser à cette jeune femme, qui ne semble pas tellement riche, la tâche de tout encaisser alors que nous avons les moyens. Si elle n'avait pas de mère, je l'inviterais à venir s'installer ici jusqu'au jour de la délivrance...

— Non, ne pense pas à ça, Émilie, elle en a une justement ! Nous pourrons la dépanner si elle est en difficulté...

— Elle le sera sûrement, insista Paul, car seule, avec juste son revenu de congé de maternité... Elle ne gagne pas un gros salaire, Justine. Secrétaire, ce n'est pas fonctionnaire.

— Je n'en doute pas, Paul, mais mes parents n'ont pas à tout défrayer, c'est quand même son enfant, de répondre Mathieu.

— C'est comme ça que tu vois cela, toi ? clame l'oncle.

— Oh ! Mathieu ! intervint sa mère. C'est son enfant, mais c'est aussi celui de ton frère ! Comment peux-tu être aussi peu sensible ? Nous allons l'aider et l'appuyer, la pauvre fille, et nous allons accueillir cet enfant comme si c'était Joey qui le déposait dans nos bras. Comment peux-tu penser de la sorte ?

— Ce n'est pas exactement ce que je voulais dire, je me suis mal exprimé, mais comme vous êtes sur une belle lancée tous les trois, je vais vous quitter, j'ai un quart de nuit à respecter. Je suis de garde, cette semaine.

Sur ces mots, Mathieu se leva, partit sans trop déranger. Les Boinard restèrent seuls avec Paul, et Émilie se chargea de conclure :

— Écoute, il faut qu'elle vienne nous voir, je veux qu'elle nous parle de Joey et je veux savoir pourquoi il a bu ce soir-là ! Avec elle, malgré sa grossesse ? Chez elle ou ailleurs ? On ne sait rien de ce qui a provoqué l'accident...

— Je peux me charger de la questionner, ce sera plus facile, elle n'est pas timide avec moi, tandis qu'avec vous...

— Alors, fais-le, Paul ! Reviens-nous avec la vérité ! Il est impossible que Joey ait été trop ivre pour conduire. Il était si prudent, il ne se permettait pas d'écarts...

— Laisse Paul s'informer, Émilie, on verra ce qu'il aura à nous dire. Il est important de le savoir, mais remarque que ça ne nous ramènera pas notre fils.

À ces mots, Émilie s'empara d'un papier mouchoir, quelques larmes semblaient vouloir tomber de ses paupières. Paul, prenant son imperméable, les remercia de leur digestif et de leur confiance, et rentra chez lui après avoir appelé un taxi. Restés seuls, Émilie et Renaud se regardaient et ce dernier, penaud, avoua à sa douce compagne :

— Tu as entendu ? Il me redoutait... Mon fils me craignait, Émilie, parce que je n'étais pas correct avec lui. J'en ai sur la conscience, tu sais. Il est parti sans savoir que je l'aimais.

— Oui, murmura Émilie tristement, parce que tu ne le lui as jamais dit de son vivant.

La fin de l'année s'écoula sans trop de tourments. Paul avait appris de Justine que Joey n'avait bu que deux verres de vin en mangeant, le soir de l'accident, mais qu'il avait avalé un calmant, parce qu'il se sentait anxieux, voire nerveux, en futur père qu'il serait... Et c'est ce sédatif qui avait renforcé les effets de l'alcool et qui l'avait endormi au volant. D'où la suite malheureuse dont personne ne se remettait. En décembre, alors enceinte de six mois, Justine fut invitée par Émilie à venir souper à la maison. Avec sa mère si elle le désirait. Justine hésita, puis accepta. Parce que la mère de son bien-aimé l'avait appelée maintes fois pour lui offrir son aide, lui remettre de l'argent... Qu'elle avait toujours refusé, d'ailleurs. Dans son état, elle avait réussi à se départir de son bail et elle était retournée vivre avec sa mère le temps de sa grossesse. Après ? Elle y penserait en temps et lieu. Très équilibrée, Justine Huguay-Rinville, qui avait bel et bien vingt-sept ans depuis février dernier, était prévoyante et réfléchie et comptait bien ne pas vivre aux dépens de qui que ce soit. Avec ce que lui rapportaient les prestations d'assurance parentale, son loyer écarté, car sa mère ne lui chargeait rien, il ne lui restait plus qu'à remplir le réfrigérateur de denrées et à se reposer à l'appartement de cette dernière, pendant qu'elle irait travailler. Car, Lorraine Huguay, depuis son veuvage, avait trouvé un emploi temporaire qui lui permettait d'arrondir les fins de mois. Or, avec la participation financière de sa fille, elle serait encore plus à l'aise, ce qui lui fit dire un certain soir, après le bulletin de nouvelles :

— Tu sais, tu pourras rester ici avec ton enfant, après ton accouchement. S'il y a de la place pour deux, il y en aura pour trois !

— Voyons, maman, tu travailles ! Et je retournerai au boulot, moi aussi...

— Je prendrai un congé de quelques mois et, lorsque viendra le temps, il y a de bonnes garderies où on en prendra bien soin...

— Tu dis « le » comme si c'était un garçon que j'attendais !

— Non, je dis le pour « l'enfant », lui, l'enfant... Et puis, fille ou garçon, je l'aimerai de tout mon cœur, Justine.

— Alors ça t'intéresse de venir chez les Boinard, samedi soir ? Il n'y aura qu'eux, peut-être Paul aussi...

— Non, vas-y seule, Justine, c'est toi qu'ils veulent connaître davantage, pas moi.

— Disons que ça me gêne, je les connais si peu... Elle, je lui parle au téléphone, mais lui, je ne l'ai pas revu depuis septembre.

— Bah ! tu t'en sortiras bien. Tu es de la famille dans un certain sens, tu portes l'enfant de leur fils. Non, vas-y seule, il faudra que tu t'y habitues, Justine, ils voudront sûrement te revoir après l'accouchement. Elle aussi sera grand-mère pour la première fois.

— Oui, et ça semble lui plaire. Imagine, maman ! Un enfant qui se veut la continuité de celui qu'ils ont incinéré. C'est le sang de Joey qu'il aura dans les veines, ce bébé. C'est très précieux pour eux ! Un enfant que leur fils a fait avant de les quitter... C'est très touchant, tu sais...

Le samedi se pointa et comme Paul ne pouvait être du souper, occupé ailleurs comme de coutume, Justine se fit conduire par sa mère jusque chez les Boinard avant qu'il fasse trop noir. Elle lui avait dit : « Je reviendrai en taxi, maman, ne t'en fais pas pour moi. » Vêtue d'un pantalon ample avec un chandail évasé qui cachait difficilement ses rondeurs, elle laissa monsieur Boinard la délivrer de son manteau d'hiver et s'emparer du bonnet de laine qu'elle avait sur la tête. Puis, troquant ses petites bottes contre des souliers à talons presque plats, elle replaça de ses doigts, devant le miroir, quelques mèches rebelles de ses cheveux bruns mi-longs. Avec un soupçon de rouge à lèvres et un léger fond de teint, elle avait un air distingué que Renaud sût reconnaître. Madame Boinard s'informa de sa grossesse, tout en gardant les yeux rivés sur le ventre de la jeune femme, et Renaud, fort galant, lui offrit un doigt de Dubonnet qu'elle refusa poliment dans son état, optant plutôt pour un jus de fruits. Émilie avait apprêté un saumon grillé accompagné de petites pommes de terre au four et de carottes coupées en dés. Le plat principal était précédé d'un potage aux champignons que Justine accepta. Assise avec eux, ayant avalé sa soupe avec un bout de pain croûté, Justine se sentait déjà plus à l'aise. Monsieur Boinard était très attentif et sa femme, des plus chaleureuses.

— Vos nausées sont terminées, Justine ? s'enquiert Émilie.

— Oui, c'est passé maintenant. Ça m'embêtait, je l'avoue, mais c'était passager, je crois.

— Votre médecin prend soin de vous ? Il vous suit bien ?

— Oui, c'est le même qui a accouché une collègue de travail. Il est dans la cinquantaine, donc très chevronné et très paternel. Je l'aime beaucoup.

— Et... vous l'attendez pour quand, au juste, ce bébé ?

— Si mes calculs sont bons ainsi que ceux du médecin, je devrais accoucher au mois de mars prochain. Entre le 25 et le 30, m'a-t-il dit. Selon que le bébé soit paresseux ou pressé de sortir ! ajouta-t-elle en riant.

Ils passèrent un bon moment et, vers neuf heures, alors qu'elle s'apprêtait à regagner son appartement, Mathieu fit irruption chez ses parents sans les avoir prévenus. Sachant que Justine serait là, il voulait voir de plus près celle qui aurait pu devenir sa belle-sœur, si son frère... Il avait été poli, courtois, très gentil même, mais plus Justine causait avec lui, plus elle se rendait compte qu'il n'avait rien de Joey. Ce dernier, plus souple, plus ordinaire, plus comme tout le monde, n'avait pas ce petit côté précieux qu'elle détectait chez le médecin. Aimable certes, mais plus intimidant, moins familier... Gentil, courtois, mais un peu distant... Et lui, quoique enchanté de la revoir, l'avait trouvée quelconque ; polie et bien de son temps, comme à peu près les infirmières qu'il côtoyait sans tomber en amour avec aucune pour autant. Somme toute, Justine ne lui faisait pas effet en tant que femme. Il se montra toutefois galant et s'offrit pour ramener la jeune femme chez elle, mais elle protesta, l'assurant que sa mère était en route pour la reprendre. Et c'est de la salle de bains qu'elle lui avait téléphoné de son cellulaire pour lui dire :

— Maman, viens me chercher, je leur ai dit que tu étais en route. Leur fils, le médecin, m'a offert un *lift,* mais je ne veux pas revenir avec lui, je ne suis pas à l'aise, il me gêne, je n'aurais rien à lui dire...

— Je n'aime pas tellement conduire à la noirceur, Justine...

— Ne t'en fais pas, tu viens, tu m'attends à la porte et je prends le volant pour le retour.

Ce qui fut dit fut fait, et c'est après avoir embrassé monsieur et madame Boinard que Justine descendit les quelques marches de la façade de la résidence, pour se glisser dans la voiture de sa mère et changer de place avec elle au premier coin de rue. Pendant que Mathieu, parti un peu avant elle, retournait à son appartement. Content d'avoir rencontré officiellement celle que son frère aimait tant. Mais... indifférent !

Janvier, un an nouveau, un 2009 que les gens attendaient. Avec ses froids ou ses jours d'accalmie. Tout le monde avait repris le boulot, les sapins étaient dégarnis, les enfants de nouveau sur les bancs d'école. Émilie, frileuse de nature, ne sortait guère dès que le mercure descendait sous la barre du zéro. Caroline, cependant, ne haïssait pas l'hiver, elle faisait même à l'occasion du ski dans les Laurentides avec Mathieu qui, ayant enfin apprivoisé janvier et février, raffolait maintenant des pentes des grands centres. Luc, pour sa part, détestait tous les sports. Il aimait le théâtre, le cinéma, le magasinage, mais rien qui lui demandait un effort. Ce qui permettait à Caroline de sortir sans lui, d'aller avec son neveu skier ou de se rendre dans un bon restaurant avec Émilie sans inviter son ami à se joindre à elles. Leur relation, commencée amoureusement, poursuivie amicalement, devenait de plus en plus platonique. Ce qui avait fait dire à Caroline au bout du fil avec sa sœur :

— Je me demande si ça va durer, lui et moi. J'ai l'impression de perdre mon temps et, si je veux rebâtir ma vie, ce ne sera sûrement pas avec lui.

— Tu ne l'aimes plus ? Déjà ?

— De moins en moins, il est ennuyeux à en mourir. Il est peut-être bel homme, mais ce n'est pas tout dans la vie d'une femme. J'ai connu mieux avec…

— Ne prononce pas son nom, tu avais juré de ne plus en parler !

— Bien, je le nomme : William ! C'est le seul que j'ai eu dans ma vie, Émilie ! Il était plus dynamique que Luc, plus grouillant, moins monotone malgré son manque d'instruction. On voyageait partout ensemble… Ah ! et puis, laisse faire ! À quoi bon raviver des souvenirs, ça fait juste mal pour rien.

— Tu as raison, d'autant plus qu'il est maintenant remarié.

— Dis, tu es retournée au columbarium depuis le décès de Joey ?

— Oui, à trois reprises et je compte y aller encore demain. Chaque fois que je vois son urne avec sa photo joviale sur le dessus, j'ai le cœur en lambeaux, mais je finis par lui sourire de peur qu'il me demande de ne plus revenir. Et j'ai un secret à te confier…

— Ah oui ? Lequel ?

— J'ai acheté la niche voisine de la sienne. Une petite pour une seule urne. Comme lui ! De cette façon, je serai à ses côtés quand mon heure sera arrivée.

— En as-tu parlé à Renaud ?

— Non et ne divulgue rien, toi ! C'est entre nous deux, Caroline ! Pas même à Mathieu ! Ils connaîtront mes dernières volontés au moment opportun.

— Ça, c'est si tu pars avant lui ! Ton mari ne serait pas content d'apprendre que tu ne veux pas partager ton éternité avec lui.

— Qu'importe ! Joey passe avant ! Renaud a toujours dit qu'il voulait être enterré afin d'aller nourrir la Terre qui l'a nourri. C'est noble de sa part, mais moi, six pieds sous terre dans un cercueil, les mains jointes, la tête sur un morceau de satin… Juste à y penser, j'ai peur ! Tandis qu'avec Joey, à la clarté du salon où j'ai acheté la deuxième niche, nous aurons l'impression de reposer dans un hall d'hôtel, lui et moi.

— Bien, quant à ça, je ne peux te blâmer… Tu es en train de me convaincre, moi qui voulais aller retrouver maman…

— Je ne veux pas t'influencer, Caroline, ne change pas tes dernières volontés si tu les as déjà écrites, maman en serait outrée de l'autre côté. Moi, je n'avais encore rien préparé, j'ai vu notre notaire à l'insu de Renaud, mais je suis contente que tu sois dans le secret au cas où Mathieu et lui décideraient de m'enterrer... J'en ai des frissons ! Mais tu seras là pour leur faire part de mon plus cher désir en les enjoignant d'aller consulter le notaire.

— Oui, bien sûr, mais quels propos lugubres ! On parle de la mort et il y a la vie qui s'en vient ! As-tu des nouvelles de Justine ? Comment se porte-t-elle ?

— On jase de temps en temps, je ne veux pas l'envahir, tu comprends. Elle va bien, elle est en congé de maternité, elle vit avec sa mère. Je me fais discrète, je suis quand même une étrangère...

— Pas tout à fait, elle porte l'enfant de Joey.

— Oui, je veux bien le croire, Caroline, mais Joey n'est plus là. Le bébé n'est qu'à elle maintenant, il faut respecter cet état d'être. Quand viendra le moment, je m'en rapprocherai davantage, mais pour l'instant elle a même refusé l'argent que je voulais lui donner pour qu'elle se gâte un peu d'ici son accouchement.

— Par fierté ?

— C'est possible ! Elle a sa mère, elle a son salaire, le gîte gratuit... J'aurai au moins essayé, mais je n'ai pas insisté. Justine n'est quand même pas dans la rue, elle a un toit et, comme Paul la visite régulièrement, elle a gardé un ami en plus d'un parent de celui qu'elle aimait.

— Tout un parent ! Un vieux fou, un vicieux... J'arrête avant de bondir, mais elle aurait mieux fait de se rapprocher de toi que de lui !

— Peut-être, mais elle connaît Paul depuis des années. Elle est consciente de la vie qu'il mène et elle le respecte quand même. Et c'est Paul qui était là durant son roman d'amour avec Joey. C'était leur confident, leur complice,

Caroline, pas moi ni toi. Il les a bien conseillés, il les a même aidés, selon elle, dans un moment de difficulté. Paul adorait Joey. C'était son neveu, mais il le traitait comme son fils.

— En le faisant boire ?

— Joey n'a pas eu besoin de Paul pour apprendre à boire, Caroline. Plusieurs membres de la famille ont ça dans le sang, tu le sais. Encore chanceuse que Mathieu ne lève pas le coude…

— Comme toi et moi, Émilie ! Une grenadine avec soda, rien de plus, sauf un demi-verre de vin rouge dans les grandes occasions. Il va bien ton Mathieu, au moins ?

— Oui, très bien, il travaille fort, il passe son temps à l'hôpital ou à son bureau de consultations. Je me demande même si ce n'est pas trop ! Essaie, la prochaine fois que vous irez skier, de l'intéresser à fréquenter une fille, à combler un peu sa vie intime.

— Pour qu'il me dise de me mêler de mes affaires ? D'autant plus que je n'ai personne à lui présenter…

— Peine perdue avec lui, il faut croire. Il les trouve au hasard, ses blondes.

— Pour ensuite s'en défaire… Dommage, car il a tout ce qu'il faut pour une belle vie à deux. Beaucoup plus que moi, il a bon caractère, lui ! Un Gémeaux, c'est mieux qu'un Bélier, mais Dieu que c'est indépendant, ce signe-là ! Ils se suffisent à eux-mêmes !

Mars succéda aux deux précédents mois d'hiver et, pour se faire apprécier des badauds, décida d'être un peu plus clément cette fois. Émilie était anxieuse, c'était vers la fin du mois que Justine donnerait naissance à son enfant. Son petit-enfant à elle ! La jeune femme l'avait visitée moins fréquemment ces derniers temps. Comme si la mère de Joey prenait un peu moins d'importance soudainement. Elle voulait certes que son enfant ait deux grands-mamans et un grand-papa pour le choyer, mais... Comme si madame Huguay la retenait quelque peu. Fidèle à la mémoire de son regretté copain, Justine, dans ses pensées, revoyait le jour où Joey s'était approché d'elle au travail pour lui demander : « Ça te dirait de venir au cinéma avec moi ce soir ? » Étonnée, même si intéressée, elle avait fait mine d'hésiter pour ensuite lui dire : « Oui, avec plaisir, je n'ai rien de spécial pour la soirée. Tu as un film en tête ? » Souriant, il lui avait demandé : « Français ou américain ? » Elle avait songé un peu avant de lui répondre : « Américain de préférence... » Et il s'en était réjoui puisqu'il avait en tête de l'emmener voir *The Brave One* avec Jodie Foster, un *thriller*. Elle avait éclaté de rire pour répliquer : « Pas tout à fait mon genre, mais je te suis, Joey ! »

Ce fut leur première rencontre, une sortie amicale qui se termina chez elle où elle lui avait servi un café avec des biscuits et, de fil en aiguille, la conversation aidant, il avait fini par s'en approcher et l'embrasser timidement. Constatant que Joey voulait être plus qu'un ami pour elle, la jeune femme se dégagea et lui demanda : « Déjà ? » Il avait éclaté de rire avant de lui répondre : « On n'est plus à l'âge de nos mères, Justine. De nos jours, quand on ressent quelque chose... » Néanmoins, ça n'alla pas plus loin. Justine, fille distinguée, ne voulait pas se donner ainsi le premier soir, même si Joey était fort invitant. Elle le revit au travail le lendemain, lui sourit, causa un peu avec lui et Joey lui demanda :

— Tu n'as personne dans ta vie, au moins ?

— Non, juste ma mère. Ma dernière fréquentation remonte à plusieurs années. Et toi ?

— Non, je n'ai personne. À vrai dire, tu es la première fille qui m'intéresse. C'est tout nouveau pour moi.

Justine n'osa mettre en doute son affirmation, mais elle allait en parler à Paul. Il était trop beau pour qu'aucune femme n'ait été dans sa vie avant elle, elle le croyait même engagé... Toutefois, elle l'invita à venir souper chez elle le samedi soir et c'est avec empressement qu'il s'y rendit. Gauchement ! Sans même lui apporter quelques fleurs. Mais il avait une bouteille de vin dans son sac. Justine ne prenait qu'un verre ou deux à l'occasion, mais elle s'aperçut que Joey pouvait vider le reste sans problème, ce qui la fit sourciller quelque peu. Causant avec Paul, lui apprenant discrètement que Joey et elle se fréquentaient maintenant, elle lui demanda s'il était vrai qu'elle était la première fille dans sa vie. L'oncle, déçu de voir Joey s'engager, répondit sérieusement :

— Heu... oui, mon neveu n'a jamais eu de blonde, du moins à ce que je sache. Et comme nous sommes très proches, il m'en aurait parlé. Comme ça, vous sortez ensemble et il ne m'en a rien dit ?

— Que deux fois à ce jour, monsieur Hériault, rien de vraiment sérieux encore, mais j'avoue que je l'aime bien.

Sans toutefois lui révéler qu'ils s'étaient permis quelques caresses après le souper, sans pour autant aller plus loin. Le mercredi de la même semaine, elle lui avait demandé à l'heure du lunch :

— Joey, j'ai deux steaks congelés ainsi que des frites et des légumes, ça te dirait de venir souper chez moi ce soir ?

— Bien sûr, j'apporte le vin !

— Pas beaucoup, juste une demi-bouteille, tu en prends trop…

— Ah non ! tu ne vas pas commencer comme mon père, toi ! riposta-t-il en riant.

Constatant qu'elle avait commis une bévue, Justine se reprit :

— Non, c'est parce que tu conduis et que les lois sont sévères.

— Aucune inquiétude pour ce soir, je pars du bureau avec toi, je n'ai pas la voiture de ma mère aujourd'hui.

Elle en fut rassurée et ramena Joey chez elle, alors qu'il lui disait en cours de route :

— J'ai voulu aviser mon oncle de notre fréquentation, il était quasiment fâché que je ne le lui en aie pas parlé avant, il l'a appris de toi…

— Tout de même ! Paul n'est pas ton père ! Pourquoi t'en rapporter à lui ?

— Parce qu'il est très près de moi, très généreux de son temps, de son hébergement parfois, et que je suis son neveu préféré. L'oncle Paul est presque un père pour moi !

Dès lors, Justine apprit à vivre avec un « père et oncle à la fois » qui les visitait souvent, qui les invitaient aussi, et qui buvait comme un trou ! Justine n'en raffolait pas, elle était au courant de ses penchants, de ses vices, de ses jeunes amants, mais elle ne jugea pas. Elle comprenait que Paul était pour Joey plus important que son père, mais elle déplorait que l'oncle fasse boire autant le neveu. Toutefois, lors du fameux repas au steak avec frites, ils avaient terminé, le vin aidant pour lui, au creux du lit de Justine. Et, de jour en jour, ce fut une liaison torride entre l'homme qu'il était devenu et la jeune femme qu'elle était déjà. Plus sérieuse que lui, elle le traitait comme un gamin parfois, mais elle semblait éprise et Joey devint vite le centre de sa vie. Elle aimait tout de lui, physiquement du moins, ses cheveux mi-longs, ses yeux rieurs, sa bouche sensuelle et son corps superbe qui la rendait « accro » au sexe, comme disaient les jeunes. D'où la procréation de l'enfant à un certain moment...

Quand elle le lui avait finalement annoncé, il était resté bouche bée. Puis, retrouvant son calme après l'étonnement, il lui avait dit :

— Écoute, si nous allons être parents, je vais maintenant te présenter à ma famille. Je n'ai pas voulu le faire avant, car je voulais être sûr de moi, ne pas être comme mon frère, mais je t'aime tant, Justine, que ça ne risque pas d'arriver. Et encore moins maintenant. Nous ne sommes pas riches, mais avec nos salaires, nous le comblerons ce bébé, il ne manquera de rien, je te le promets.

— Sans le mariage, Joey ? Pense à tes parents... Quant à ma mère...

— Nous nous marierons, mais après les Fêtes si tu veux bien, après les présentations officielles, l'annonce à ma mère et à la tienne... En attendant, nous allons nous éloigner un peu de Paul, je ne veux pas qu'il le sache, je veux garder ce secret pour nous... Du moins pour quelque temps. Jusqu'à ce que cela paraisse. Car, après quelques verres, il pourrait s'oublier, en parler à ma mère...

— Rien ne paraît comme tu peux voir, j'ai à peine pris quelques livres... Mais ma mère ne sera pas dupe, je la vois si souvent.

— Va pour elle, dis-le-lui, et pour ce qui est de la mienne, attendons encore un peu, elle ne sait même pas que tu existes. Ce sera donc une présentation formelle en plus d'un double aveu, tu comprends ?

— Je veux bien, mais je ne veux pas arriver chez ta mère avec le ventre rond. Pense à un moment avant les Fêtes au moins.

— Pas si loin, en octobre sans doute, quand tu seras certaine que tout va bien et que le bébé est en bonne voie.

Et c'est ainsi que l'oncle Paul n'eut d'autre choix que de se tenir éloigné d'eux pour quelque temps, et de se rabattre sur ses jeunes amants d'occasion. Joey avait une telle emprise sur lui qu'il l'avait convaincu de les laisser respirer, Justine et lui. Et Paul ne voulait pas se le mettre à dos en se plaignant de sa plume d'oie à sa sœur bien-aimée. Non, pas cette fois. Et la suite devint l'histoire que l'on sait. Le terrible accident, la mort de Joey, le chagrin de Justine, la déchirure d'Émilie, la peine immense de l'oncle Paul, l'abattement de Mathieu et les remords de Renaud. Mais comme le temps est un bien grand maître, six mois plus tard…

— Madame Boinard, ici Lorraine Huguay, ma fille vient d'entrer à l'hôpital. Je suis avec elle, c'est pour aujourd'hui, je crois. Je vous téléphonerai dès que ce sera terminé.

Émilie, heureuse de la nouvelle, était néanmoins contrariée de ne pas être invitée à rejoindre la mère de Justine. Elle avait cru qu'à titre de « grand-mère » on lui aurait demandé de venir assister à la naissance de son petit-enfant. Tel ne fut pas le cas et ce n'est qu'à vingt heures, le vendredi 27 mars 2009, que naquit le bébé de Justine. Une fille de sept livres !

Renaud avait été ravi d'apprendre qu'il était grand-père d'une petite-fille, lui qui n'avait eu que deux garçons... De son côté, Émilie était aussi radieuse, mais sans le crier sur les toits, car elle cachait une petite déception au fond de son cœur. Elle aurait préféré que Justine accouche d'un garçon. Pour voir renaître en cet enfant celui qu'elle avait perdu. Pour regarder un nouveau « Joey » évoluer et l'épauler comme elle l'avait fait pour son propre fils. Elle se montra tout de même heureuse lorsqu'elle se rendit à l'hôpital pour féliciter la maman et qu'elle vit de près la petite boule au visage rond qui lui fit penser à Joey à sa naissance. Tout revenait à lui. Constamment ! Et quand elle avait dit à Justine que la petite ressemblait énormément à son père, cette dernière avait répondu : « Voyons, madame Boinard, elle n'a que deux jours, c'est à peine si elle entrouvre ses yeux bridés. »

Madame Huguay, la mère de la jeune maman, s'était sentie quelque peu offensée. Comme si ce bébé n'était que le fruit de son fils, alors que sa fille l'avait porté neuf mois ! Lorraine Huguay avait déjà les yeux sur cette enfant, quitte à la garder pour elle seule, à l'élever comme elle l'avait fait avec Justine, lorsque cette dernière reprendrait le travail. Elle n'allait pas laisser une autre grand-mère venir contrecarrer ses plans. D'autant plus que « l'autre » n'était que la mère du défunt et non de celle qui avait accouché. Mathieu était venu avec Paul offrir ses vœux et un bouquet de fleurs à la nouvelle maman, alors que Caroline et Luc s'étaient brièvement présentés pour la féliciter et regarder quelques instants cette belle petite fille déjà orpheline de père. L'événement terminé, alors que Justine avait regagné la maison de sa mère avec son enfant, Émilie, entre ses murs, avait repris sa routine hebdomadaire. Triste cependant à l'idée que son fils ne serait plus jamais là. Mais sans le laisser voir à Renaud lorsqu'il rentrait le soir. Impatiente, irritée parfois, encore sous les effets secondaires du brutal décès de Joey, elle sortait moins, parlait moins, semblait négative, lointaine... Renaud, de son côté, n'avait de cesse de se reprocher la mort violente de son fils, de répéter à Émilie que s'il l'avait mieux traité, s'il l'avait un peu plus aimé... Un soir, alors qu'Émilie composait encore avec sa peine, il avait eu le malheur de lui dire, avant de monter se coucher :

— Je me sens toujours coupable face à la mort de Joey...

Courroucée, elle lui avait répondu :

— Ce qui est fait est fait, Renaud !

— Oui, mais que faire de ces remords qui me tourmentent ?

— Bien... vis avec !

Émilie s'était levée et avait quitté le salon pour se réfugier dans sa chambre. Renaud, stupéfait, cloué sur place par la réponse de sa femme, eut du mal à prendre un fauteuil. Le visage entre les mains, il se demandait pourquoi Émilie lui avait répondu de la sorte. Elle qui, depuis leur mariage, n'avait jamais élevé la voix une seule fois. Elle qui, à l'écoute des autres, trouvait toujours les mots... Ce qui augmenta le désarroi qui le minait terriblement. S'en doutant, ayant retrouvé son calme, Émilie revint au salon et, s'approchant de son mari, lui dit :

— Excuse-moi, Renaud, j'aurais dû tenter de te comprendre... Je suis désolée, je ne pensais pas ce que j'ai dit...

Et elle éclata en sanglots dans ses bras en murmurant encore :

— Excuse-moi, pardonne-moi.

— Non, tu n'as pas à t'excuser, Émilie. Sans le savoir, tu m'as dit exactement ce que je devais entendre. Il faut que je vive avec mes regrets, mes remords inclus. Si jamais je m'en délivre, c'est que Joey m'aura pardonné. Lui seul peut le faire…

— Mais tu n'es coupable de rien, c'est le destin…

— Non, Émilie, ne fais pas marche arrière, laisse-moi venir à bout de ma faute par la prière. Où qu'il soit, Joey l'entendra et le Seigneur aussi. Désormais, je vais mettre tout cela en retrait dans mon cœur. Tu as suffisamment de difficulté à vivre avec ta peine sans composer avec les affres de la mienne.

— Mais, nous sommes deux, Renaud…

— Oui, mais nous avons chacun une âme.

Émilie laissa s'écouler plusieurs jours avant de revenir à la charge avec Justine qui ne lui donnait pas signe de vie. L'ayant au bout du fil, la jeune femme l'accueillit en s'écriant :

— Madame Boinard ! Comment allez-vous ?

— Très bien, Justine, et toi ? Tu permets que je te tutoie ?

— Bien sûr, voyons ! Ça me rend plus à l'aise.

— La petite va bien ?

— Elle se porte à merveille ! Ma mère l'a dans les bras du matin au soir ! Je me demande si elle ne la connaîtra pas plus que moi ! On pourrait jurer qu'elle sourit…

Comprenant que madame Huguay avait pris le contrôle de l'enfant, Émilie n'ajouta rien aux propos la concernant et demanda :

— Est-ce que tu vas finir par venir nous la montrer, Justine ?

— Heu… oui, certainement, mais comme c'est encore frais à l'extérieur pour elle… Remarquez qu'il serait plus simple que vous veniez faire un tour chez nous si le temps vous le permet. Monsieur Boinard pourrait vous accompagner.

— Oui, c'est une meilleure idée, je te rappellerai pour te dire quand nous pourrons. Tu comptes la faire baptiser quand ?

— Rien d'urgent, mais je vous préviendrai, je tiens à ce que vous veniez avec votre mari et Paul.

Voilà qui était radical. Elle n'avait pas parlé de Mathieu ni de Caroline et de son ami… Tout de même !

— Tu as choisi un prénom pour la petite ?

— Non, pas encore. Ma mère et moi y pensons beaucoup, mais je vous préviendrai quand notre choix sera définitif.

Par ces derniers mots, Émilie venait de comprendre que tout se ferait sans elle, qu'elle était « biologiquement » la grand-mère de l'enfant, mais qu'elle ne ferait pas partie de son environnement. Le soir, en causant avec son époux, elle lui glissa tout doucement la conversation qu'elle avait eue avec Justine. Déçu pour elle, il lui répondit :

— Je suis navré, mais qu'y pouvons-nous ? C'est son enfant ! Elle va l'élever seule, sans mari, il est donc naturel qu'elle se détache un peu de la famille du père.

— Renaud ! Elle disait l'aimer beaucoup !

— Oui, je sais… Reste à voir ce que le temps a fait cependant. Paul serait le mieux placé pour nous faire part de ses sentiments. Pour ce qui est du prénom de l'enfant, ça ne nous regarde pas, Émilie. C'est sa petite à elle, pas la nôtre. Et à sa mère qui semble se dévouer entièrement pour elle. Laisse, on verra bien avec le temps… Pour le moment, j'ai une proposition à te faire.

— Ah oui ? Laquelle ?

— Je pourrais fermer pour deux semaines en fin d'avril et nous pourrions aller en voyage nous changer les idées. Ça te plairait ?

— Quoi ? Toi, fermer ton bureau temporairement ? T'éloigner de ta chiropractie pour deux semaines ? On aura tout vu !

— Bien, c'est comme ça. Nous avons besoin de refaire le plein tous les deux, de voir autre chose que notre maison et le columbarium. Je suis certain que Joey ne s'en plaindra pas…

— Tu as raison, un peu de soleil en fin d'hiver nous remettrait de la chaleur dans le cœur. Je veux bien, mais où irions-nous ?

— Pas trop loin, tu n'aimes pas l'avion et si nous devions revenir plus vite que prévu…

— Non, ne sois pas pessimiste, Renaud, nous avons eu notre lot d'épreuves. Pourquoi pas la Californie ? À Malibu, où il y a de si belles plages, dit-on !

— Alors, c'est décidé ! C'est là que nous irons. Je vais m'informer auprès de l'un de mes patients qui est agent de voyages. Il y a sûrement de grands hôtels ou de très beaux condos à cet endroit…

— D'accord, mais je préfère un hôtel où nous n'aurions rien à nous occuper. Pas dans les hauteurs, j'ai peur. Demande-lui de nous trouver une belle suite dans les trois premiers étages, pas plus haut, avec vue sur la mer. Ce serait fantastique !

Et ce qui fut dit fut fait. En d'avril 2009, Émilie et Renaud s'envolaient pour la Californie où un magnifique hôtel de Malibu allait les accueillir pour leur séjour. À bord de l'avion, pour contrer un peu sa peur de l'altitude, Émilie lui avait dit :

— Ce sera comme un second voyage de noces, Renaud !

Lui serrant la main dans la sienne, il lui avait répondu :

— Effectivement ! Depuis le temps, trente ans et plus, nous méritons bien cela, ma chérie.

Elle avait souri, s'était plongée dans ses pensées et avait relevé la tête pour lui dire d'un ton inquiet :

— J'espère que Justine ne profitera pas de notre absence pour faire baptiser la petite.

Même entre ciel et terre, Émilie se méfiait de sa presque « belle-fille ». Il y avait beau avoir énormément de turbulence au-dessus du Grand Canyon, qu'elle songeait déjà à la peine qu'elle ressentirait si le cas s'avérait. Renaud lui changea les idées d'un regard réprobateur et Émilie, fermant les yeux, les mains enfoncées dans les accoudoirs de son siège, murmura à son mari d'une voix quasi éteinte :

— Est-ce qu'on arrive ? J'ai l'impression qu'on s'écrase !

— Sois patiente, ne parle pas, nous descendons tout doucement, je vois presque le sol de mon hublot. Je te préviendrai de l'atterrissage afin que tu ouvres les yeux avant qu'on touche la terre, ça t'évitera de paniquer.

Émilie resta sage, le cœur gonflé par la peur de la descente et, enfin au sol, les moteurs arrêtés, elle dit à son mari :

— J'ai peine à croire qu'il faudra reprendre ce gros engin pour revenir.

— N'y pense pas, nous sommes sains et saufs, regarde les sourires des autres passagers… Dans une heure tout au plus, nous serons près de la plage que tu as tant envie de voir.

— Tu sais pourquoi j'ai choisi cet endroit, Renaud ?

— Pas tout à fait, pour le sable, la mer, je suppose ?

— Non, j'ai opté pour la Californie parce que c'est le seul endroit que Caroline n'a pas encore visité. Ce qui me donnera la chance de lui raconter notre voyage sans me faire dire : « Je sais, j'y suis allée ! »

Renaud pouffa de rire avant de lui répondre :

— Tu as pensé à tout, à ce que je vois. Même à ça ! Vilaine sur les bords, peut-être ?

— Non, mais j'ai tellement écouté ses récits de voyage du temps de William que j'en aurai enfin un à lui décrire à n'en plus finir. Comme elle le faisait alors que j'en avais pour des heures à regarder ses diapos sur son ordinateur ou ses multiples films sur son téléviseur !

Le voyage avait été merveilleux. Émilie et Renaud s'en étaient donné à cœur joie comme des tourtereaux. L'endroit était magnifique, l'hôtel de premier ordre et la plage d'une propreté impeccable. Le sable était si fin, si doux entre les doigts, qu'on aurait dit un « sel de blé entier » comme le qualifiait Renaud. Ils mangèrent copieusement, dansèrent le soir, visitèrent les alentours et revinrent deux jours plus tôt à Los Angeles afin de se familiariser avec la ville du cinéma par les quelques tours guidés. Puis, le retour. L'avion était en place et, contente de son séjour, Émilie était montée en classe affaires, bien entendu, avec un service sans pareil. L'agent de bord qui leur était attitré avait dit à Émilie, devinant sa peur : « Ne craignez rien, madame, ce sera plus doux au retour. Et comme je fais ce vol aller-retour deux fois par semaine... » Ce charmant monsieur l'avait rassurée.

Comment étaler sa crainte alors que lui, selon elle, risquait sa vie chaque fois ? Elle revint donc saine et sauve, heureuse d'être sur terre, mais ravie de son vol qui, quoique turbulent de temps en temps, lui avait permis de se détendre avec un ou deux gins Gimlet dont l'agent de bord semblait détenir la recette. Un taxi les ramena avec leurs bagages jusqu'à leur luxueuse demeure et, dans son vaste salon, les souliers enlevés, pieds nus sur le tapis moelleux, Émilie accepta le café que Renaud venait de faire couler.

— Tu es heureuse de ton voyage, ma chérie ?

— Et comment ! Tu es le plus adorable des maris, Renaud !

— Pour la plus merveilleuse des femmes !

— Si ça ne te fait rien, je vais défaire les valises demain seulement. Je vais juste déballer le sac dans lequel j'ai des souvenirs de voyage pour Paul, Caroline et Mathieu, et je vais jeter un coup d'œil sur le courrier.

S'emparant du paquet de lettres que le facteur avait laissé tomber par la fente, Renaud les lui tendit et, ayant séparé les comptes des réclames publicitaires, elle découvrit une enveloppe rose et l'ouvrit prestement. C'était l'invitation pour le baptême de la petite qui allait avoir lieu le dimanche suivant. Juste à temps pour ne pas le manquer, pensa-t-elle. Le carton était pour son mari et elle, sans mention de Mathieu... À moins qu'il ait reçu une invitation personnelle, mais s'en enquérant, il n'en était rien. Pas plus que Caroline et son Luc. Seul Paul n'avait pas été omis de la liste d'invités de Justine. Sans doute parce qu'il travaillait avec elle et qu'il avait été à l'origine de la fréquentation de courte durée. Et parce qu'il avait été le collègue de Justine un certain temps ainsi que, sur commande, le complice muet de leur secrète liaison.

Chapitre 8

C'est par un dimanche de mai entremêlé de soleil et de pluie que l'enfant, vêtu de langes, fit son entrée dans la petite chapelle d'une église avoisinante dans les bras d'une inconnue qui était sa porteuse. Justine, sourire aux lèvres, accompagnait, tandis qu'un homme qu'Émilie et Renaud ne connaissaient pas marchait derrière madame Huguay. Peu d'invités : une jeune femme et son mari, un autre couple plus âgé, une compagne de travail et un autre homme dans la trentaine avec une dame, sans doute un cousin… La porteuse, une tante, était ravie de son rôle, alors que madame Huguay, marraine de l'enfant, et Roger, frère de madame Huguay, disait-on, allait en être le parrain. Paul, mal à l'aise, se rendait compte qu'il n'y en avait que pour la famille Huguay-Rinville et que celle de Joey comptait pour rien aux yeux de la jeune mère. On n'avait même pas dévoilé à Émilie le prénom de l'enfant jusqu'à ce que le prêtre en fasse mention. Elle allait s'appeler Marie, Lorraine, Madeleine. Lorraine pour sa marraine et Madeleine, pour celui qu'elle allait porter. Justine avait en horreur les prénoms actuels, souvent déformés ou inventés sans penser à l'enfant qui allait le subir toute sa vie. Quand sa mère lui avait dit: « Tu ne trouves pas ça vieux, Madeleine ? » Justine avait répondu: « Qu'importe ! C'est joli, c'est doux, et elle sera la seule à l'école à le porter. Madeleine Huguay ! Ça sonne très artistique, tu ne penses pas ? » Et sa mère de rétorquer: « Tu n'as pas tort, et il y a une sainte de ce prénom ! Tandis que ceux pigés je ne sais pas où d'aujourd'hui... Pauvres enfants plus tard ! » Plus triste pour Émilie encore, la petite n'allait porter que le nom de famille des Huguay, en inscrivant toutefois dans le registre celui de Joey Boinard comme défunt père. Par ce fait, Justine voulait que sa fille n'ait que le nom de famille de sa grand-mère au cas où elle referait sa vie et qu'elle aurait d'autres enfants. À ce moment-là, le père éventuel n'aurait qu'à adopter sa fille pour qu'elle porte le même nom que ses frères et sœurs. Décidément, elle avait pensé à tout, cette Justine ! Très terre à terre, et peu sentimentale puisque Joey s'était éclipsé de leurs vies. Comme si elle le faisait mourir une seconde fois... pensa Paul qui n'était pas d'accord à ce que son neveu préféré soit exclu ainsi de sa propre fille, de son sang, de son nom qu'elle ne porterait jamais. Pas même jumelé à celui des Huguay. Émilie et Renaud, peinés, humiliés par les décisions de Justine, n'en laissèrent rien paraître et assistèrent à la petite fête que suivait chez madame Huguay afin de remettre à l'enfant une bourse de soie rose avec un bon montant d'argent pour ses études plus tard. Paul, invité, n'avait eu d'autre choix que d'offrir à la petite une médaille en or ciselé avec une vierge incrustée sur l'ovale. Il aurait voulu fuir, partir, crier sa mauvaise humeur, mais il se contint sur le regard de sa sœur qui ne voulait d'aucun esclandre. Renaud et elle étaient allés jusqu'au bout de la journée… pour la petite. Pour cette enfant issue de leur fils, pour cette petite-fille qu'ils ne verraient pas souvent d'après ce qu'on leur avait fait vivre depuis sa naissance. Vers cinq heures, alors que Paul reprenait son imperméable pour l'enfiler, Renaud en fit autant, Émilie suivit et, après avoir embrassé le bébé et la mère, ils partirent non sans avoir salué les autres invités. À bord de la voiture, Émilie était furieuse :

— Ils auraient pu prendre Renaud comme parrain ! C'est le grand-père !

— Non, c'est mieux ainsi, Émilie, je n'aurais pas eu de temps à consacrer à une filleule. Je me contenterai d'aimer ma petite-fille de loin en souvenir de notre fils.

— N'empêche ! Attends qu'elle revienne au bureau, la Justine ! Je vais aller au fond des choses ! ajouta Paul.

— Elle disait tant l'aimer ! d'ajouter Émilie, en parlant de Joey.

— Évidemment ! Après un tel drame ! Mais il est mort maintenant, le temps passe, le chagrin s'estompe… Et puis, il faut toujours creuser le fond de l'histoire, Émilie. Et je n'attendrai pas son retour au travail, je vais aller manger avec elle et apprendre pourquoi elle vous a ainsi exclus de la cérémonie du baptême. Elle a besoin d'avoir une bonne raison, la petite. Tu me connais, non ? Elle ne va pas me faire avaler n'importe quoi !

Ruminant, insulté pour sa sœur et son beau-frère, Paul laissa passer quelques jours avant d'appeler Justine et de l'inviter au restaurant en précisant que c'était important.

— Je ne sais pas, Paul, la petite ne fait pas ses nuits, on a de la misère à fermer l'œil, ma mère et moi. Je suis très fatiguée…

— Alors, juste un dîner ou un café d'après-midi quelque part.

— Bon, puisque tu insistes, je pourrais te rencontrer au centre commercial pas loin du travail. Il y a un Tim Hortons, un Starbuck et un marchand de revues qui sert un excellent café.

— Allons là, c'est plus discret, il n'y a jamais personne en plein après-midi. Demain te conviendrait ?

— Oui, maman s'occupera de Madeleine et je t'y rejoindrai. Tu peux te libérer vers trois heures ?

— Je me libère quand je veux, je suis quand même chef de département. Alors, va pour trois heures, je serai là à t'attendre.

Le lendemain, épuisée par les nuits difficiles avec l'enfant, Justine se présenta, les traits tirés. Elle prit place en face de lui à une table en retrait et, café à la main avec un beigne saupoudré de cassonade, elle demanda à son camarade :

— Bon, si on allait droit au but ? Je me demande bien ce qui ne va pas…

— Je ne vais pas y aller par quatre chemins, Justine, je vais y aller de plein fouet. Pourquoi avoir évincé ma sœur et mon beau-frère de la petite au baptême ? Va pour ta mère à titre de marraine, mais pour le parrain tu aurais pu prendre Renaud. Et Émilie aurait pu être porteuse ! Tu les as carrément relégués aux oubliettes, pourquoi avoir agi de la sorte ? Ils sont les grands-parents de ta fille, eux aussi, non ?

— Bon, tu as fini ? Tu as déballé ce que tu avais sur le cœur, Paul ? Alors, laisse-moi t'expliquer maintenant, et avec ton bon jugement, tu devrais être en mesure de comprendre. Ce qui se passe, c'est que Joey est mort, que la petite n'aura jamais ce papa pour la cajoler et en prendre soin, il sera toujours inexistant pour elle. Il est évident que, plus tard, elle saura qui est son père…

— Pourquoi pas plus tôt ?

— Laisse-moi poursuivre, je t'en prie, ne m'interromps pas, je ne veux pas perdre le fil. J'aime beaucoup les Boinard, surtout elle qui a été d'une grande délicatesse… Mais, ce qu'il faut que tu saches, c'est que je vais refaire ma vie un jour, que j'aurai un autre homme, que nous aurons des enfants d'un autre nom et que je voudrais, à ce moment-là, que Madeleine porte le nom de ses frères ou sœurs, qu'elle ne se sente pas à part. Surtout en bas âge ou au temps de l'école. Et comme celui qui m'épousera, si tel est le cas, adoptera la petite, il deviendra forcément son papa, celui qui l'élèvera, qui s'en occupera, tu comprends ? Madeleine ne pouvait porter mon nom entier, celui des Boinard et, plus tard, un troisième de son futur père adoptif. Joey est mort, Paul ! Avant qu'elle naisse ! Il n'a été que le géniteur, il n'en sera jamais le père, sauf sur papier. Elle apprendra tout cela un jour, j'irai même au columbarium et elle pourra rencontrer les parents de son père biologique si elle le veut, mais d'ici là je veux qu'elle ait une jeunesse sans tracas. J'imagine mal ma petite avec trois grands-mères avec le temps, tu comprends ? Voilà pourquoi j'ai évité que monsieur et madame Boinard soient dans les honneurs et dans le registre.

— Mais ils aiment ta petite, Justine ! Ils comptaient bien la choyer, lui parler de son papa…

— Exactement ce que je ne veux pas, Paul. S'ils désirent la voir au cours des ans, ma porte sera toujours ouverte pour les recevoir, mais je ne tiens pas à maintenir un lien solide alors que je souhaite bien refaire ma vie.

— Tu ne perds pas de temps ! Joey à peine incinéré, tu regardes déjà ailleurs…

— Je ne l'aurais pas fait si je n'avais pas eu d'enfant. Et ce bébé n'était pas planifié, c'était un accident. Et je n'ai cherché personne à ce jour !

— Sois franche, Justine, est-ce que tu aimais Joey autant que tu as pu le pleurer ?

— J'ai pleuré sa perte, j'ai pleuré le bête accident, j'ai pleuré le fait que j'étais enceinte de lui… J'ai pleuré tout ça, Paul, mais comme tu veux que je sois franche, je crois que… Tu sais, ça ne faisait même pas un an que nous nous fréquentions…

— Qu'allais-tu dire ? Tu as changé de sujet, tu t'es retenue.

— J'allais dire que Joey m'aimait beaucoup plus que je l'aimais. Souviens-toi que c'est lui qui m'a courtisée, pas nécessairement moi. J'ai apprécié sa galanterie, il était beau gars, je l'invitais chez moi, mais je ne suis pas certaine que je l'aurais épousé si je n'avais pas été prise au piège. Je lui disais de faire attention, que j'avais de la difficulté à prendre la pilule…

— Il y avait d'autres moyens, non ?

— Oui, des moyens qu'il ne voulait pas et pour ne pas le contrarier, j'ai couru des risques jusqu'à ce que l'inévitable se produise.

— Donc, tu ne l'aimais pas !

— Détrompe-toi, je l'aimais bien, mais pas follement comme on pourrait le penser. Il buvait trop, il me faisait peur avec cette habitude, je devais le surveiller constamment.

Paul, se sentant aussi visé, ne releva pas cette remarque et la laissa poursuivre :

— Je l'aimais donc à ma façon, il était séduisant physiquement, nous avions des goûts en commun, mais il n'était pas du genre avec qui j'aurais passé ma vie. Pour l'enfant, je l'aurais fait, mais sans attente, je crois que nous aurions fini par nous quitter. Juste quelques mois, Paul ! Que cela ! Six mois à s'être mieux connus et cinq à devenir plus intimes, lui et moi. Ce n'était pas un bail, c'était une aventure qui se poursuivait. Une belle aventure, mais pas un engagement. Bien sûr que j'ai pleuré, qui ne l'aurait pas fait ? Perdre brutalement celui qui était le père de mon enfant, le voir sans vie à trente ans seulement. Ce fut un choc terrible pour moi, je m'en remets à peine, mais j'ai une vie à vivre avec la petite, moi. Je dois penser à mon avenir, à celui de ma fille, je dois commencer à chercher pour ne pas l'élever seule, tu comprends ? Ce que je vis n'est pas facile, Paul, mais comment l'expliquer à des beaux-parents que je ne connaissais même pas il y a quelque temps ? Voilà pourquoi je garde une certaine distance. Et j'ai besoin de toi pour justifier ma démarche. Seule, je n'y arriverai pas, je vais passer à leurs yeux pour une ingrate. Maintenant que tu connais mes motifs et ce que je ressens au fond de mon cœur, je veux que tu m'aides, Paul. Toi, tu peux leur expliquer comment j'ai l'intention de vivre. Moi, je n'en ai pas la force. Et comme je suis timide face à eux…

Paul remarqua que Justine avait les yeux embués, qu'elle était triste, fatiguée, que le café ne descendait plus après ce plaidoyer qui avait grugé toutes ses énergies. Le souffle court, elle le regardait, attendant un reproche ou un appui de sa part...

— Retrouve ton calme, Justine, je vais leur parler. Tu as raison si c'est vraiment ce que tu penses et je te remercie de ta confiance. Joey n'est plus là, en effet, c'est toi qui fais face à l'avenir et il faut qu'il soit tel que tu l'anticipes. Tu sembles aimer ta petite au point de te sacrifier pour elle, tu comptes même lui trouver un père pour ne pas l'élever seule. Je t'admire d'avoir de si grandes valeurs en ton cœur, mais ne choisis pas le premier venu pour autant. Prends ton temps et assure-toi d'être en mesure de l'aimer pour la vie, le suivant. Pense à toi, pas juste à l'enfant... Allez, je vais demander qu'on réchauffe mon café et après avoir causé un peu d'autres choses, je te laisserai regagner ta demeure en toute quiétude. Ta vie t'appartient désormais, tu en feras ce que tu voudras, mais j'espère que le Ciel s'en mêlera cette fois. Il est évident qu'on va se revoir au travail de temps à autre, ou sans doute manger ensemble à l'occasion comme on l'a fait souvent avec quelques autres collègues, mais je vais me faire plus discret, je vais sortir tranquillement de ta vie, ne pas t'importuner...

— Non, pas toi, tu ne me déranges pas...

— Je suis de la famille de Joey, Justine, j'étais votre complice... Il vaut mieux que je m'éloigne un peu, que je m'efface un tantinet pour que tu puisses oublier. Et quand nous nous retrouverons à la cafétéria, nous parlerons de la pluie et du beau temps, mais si tu le veux bien, j'aimerais voir une photo de la petite de temps en temps.

— Bien sûr, Paul, et si ta sœur veut venir nous visiter, je te le répète, la porte sera toujours ouverte.

— Connaissant Émilie, après que je lui aurai fait part de tes intentions, je serais surpris qu'elle s'impose. Tu pourras me remettre des photos de Madeleine, histoire de lui rappeler Joey, mais c'est la petite qui, plus tard, décidera si elle veut se rapprocher de ses grands-parents, quand ses frères et sœurs à venir seront en mesure de comprendre.

— Encore là, Paul, je fais des projets, mais qui sait si je rencontrerai quelqu'un ? Le destin n'est pas à notre service, tu sais. C'est lui qui commande…

Ils terminèrent, et Paul, constatant que la jeune femme était épuisée par l'entretien fort délicat, la reconduisit jusqu'à sa voiture pour la savoir bien installée au volant. Elle lui sourit, lui fit un signe de la main et démarra… Pour s'arrêter avant la sortie du stationnement du centre commercial, descendre de la voiture, verser quelques larmes et s'essuyer avec la manche de son blouson.

Paul, fidèle à sa mission, se rendit le plus tôt possible faire part à Émilie et Renaud de sa rencontre avec Justine. Ces derniers l'écoutèrent sans trop l'interrompre, et Paul, ayant fait son possible pour défendre les points de vue de la jeune femme, leur fit comprendre, par un long silence, que la conversation s'arrêtait là, concernant Justine. Sa sœur, qu'il avait fait pleurer à un certain moment, regarda son mari pour lui dire :

— Je crois qu'on l'a perdue, Renaud. Après Joey, sa fille...

— À quoi bon angoisser de la sorte, je t'ai répété maintes fois que la petite était la fille de Justine et non la nôtre. Que c'était sa grand-mère maternelle qui allait l'élever. Joey est mort, Émilie, l'enfant ne lui appartient pas. Elle ne lui a jamais appartenu, d'ailleurs... C'est sa mère qui l'a mise au monde alors qu'il n'en faisait plus partie, lui. Ce qu'elle dit n'est pas pour te faire plaisir, je le comprends, mais d'un autre côté elle n'a pas tort. Elle ne veut pas la perturber, elle veut lui donner une existence paisible...

— Elle aurait pu venir nous voir avec elle, nous la laisser quelques jours...

— Pourquoi ? Pour dire chaque fois à la petite que son papa est mort ? Qu'elle ne le reverra plus ? Parce qu'une enfant, ça questionne, Émilie. Et ce serait la troubler que de nous imposer chez elle pour la visiter. Non, laisse, et plus tard nous verrons ce que le sort décidera.

— Je n'ai pas le choix, mais ce qui me choque, c'est que Justine a osé dire qu'elle n'aimait pas Joey comme lui l'aimait ! Quelle horrible révélation ! Après avoir pleuré devant nous !

— Elle a été sincère, Émilie, elle est allée au plus profond d'elle-même avec Paul, elle s'est ouverte avec franchise... Et il est vrai que leur relation était récente.

— Pourquoi s'être donnée à lui ? Quand on n'aime pas...

— Le corps et le cœur, c'est deux choses... De nos jours... Ah ! mon Dieu, avec ce que j'entends dans mon cabinet de consultation ! Les gars d'aujourd'hui, tu sais...

— Et les filles aussi, à ce que je vois !

— Oui, l'homme propose, la femme dispose ! Il en est ainsi depuis Noé, Émilie. Sauf que les filles de maintenant ont moins de retenue que celles de notre temps. Moins de pudeur également ! Et les garçons n'ont aucune gêne à baisser leur pantalon !

— À qui le dis-tu ! s'exclama Paul.

— Je t'en prie, ne fais pas de comparaison avec ta vie et celle de Joey, mon cher frère. Toi, ce n'est que charnel…

— Bien, si j'en juge par les propos de la demoiselle, ce n'était que ça pour elle aussi, tu ne penses pas, Renaud ? Et peut-être que ce n'était que charnel pour lui également.

— Non, puisqu'il l'aimait plus qu'elle, selon ses dires ! clama Émilie.

— Mieux vaut ne pas se faire de mal, trancha Renaud. Tu t'y serais attachée, tu n'aurais pas voulu lâcher la bride par la suite. Et tu aurais sans cesse été entre elle et sa mère. Comme ça se veut la décision de Justine, respectons-la, elle a droit à une seconde chance, cette jeune femme. Pas facile, à son âge, d'avoir une enfant à charge, de travailler et de vivre sous le toit de sa mère. Il va te falloir céder, Émilie, ne pas insister, garder plutôt tes prières pour ton fils auquel tu penses chaque jour.

— Oui, tu as sans doute raison, je n'ai pas le choix, je vais abdiquer, attendre qu'elle vienne à moi, ne pas m'entêter…

Ce que madame Boinard réussirait peut-être plus facilement à faire depuis qu'elle avait remarqué au baptême que l'enfant ressemblait… à sa mère !

Paul Hériault, toujours occupé par le travail et ses conquêtes d'un soir, ne se plaignait pas de vieillir en beauté.

Selon lui, dès qu'il entrait dans un bar, nombreux étaient ceux qui s'avançaient vers lui avec le sourire. Comme vers un client ! Pour son argent, évidemment ! Ce qu'il n'admettait pas encore pour autant. Côté boulot, tout allait bien et il faisait de plus en plus le deuil de Joey qu'il avait tant aimé. Il n'était pas retourné au columbarium comme sa sœur le faisait, il voulait que la plaie se cicatrise, qu'elle ne se rouvre pas chaque fois qu'il reverrait la photo de son neveu dans le cadre ovale. Justine avait aussi repris le travail, elle saluait Paul, lui demandait comment il allait, il en faisait autant, mais ils ne parlaient pas de « la petite » ensemble. Et ils ne dînaient plus avec les autres à la cafétéria. Elle mangeait à son bureau alors qu'il sortait pour se rendre dans un restaurant à prix modique tout près. Le genre pizza garnie, rigatoni, *fish and chips, smoked meat sandwich...* Bref, un menu à moins de huit dollars, café et dessert inclus. Et il ne demandait plus à sa sœur si elle avait des nouvelles de Manu. Comme s'il n'avait jamais existé. Après l'avoir eu vingt ans dans sa vie. *Quel être ignoble !* auraient pu dire de lui ceux qui, dans le milieu, vivaient heureux à deux. Aux dernières nouvelles, qu'Émilie ne rapportait pas à son frère, Manu travaillait maintenant dans un magasin à grande surface où il avait hérité, à la longue, du poste de gérant du rayon des meubles. Installé dans un nouvel appartement de la rue Sauvé, pas très loin de Place Vertu, il partageait sa vie depuis peu avec Félix, un homme de trente-deux ans, passablement joli, aimable et fort gentil, qu'on avait engagé comme vendeur dans son département. Et sa vie allait bon train ! C'était néanmoins la première fois que Manu avait un homme plus jeune que lui dans son parcours. Et il était heureux, selon Émilie qui rapportait ses propos à Renaud. Jamais à Paul cependant. Quoique ce dernier, servi à souhait comme il l'était…

En compagnie de son ex-beau-frère William et de sa femme Norma, Paul était allé voir *La Flûte enchantée* de Mozart, un chef-d'œuvre dirigé par Alain Trudel de l'Opéra de Montréal, et il en était revenu ravi. Un peu plus sans doute que William qui ne se cultivait que pour plaire à sa bien-aimée. Ils avaient d'abord pris un léger souper dans un restaurant du centre-ville et William lui avait demandé :

— On se remet peu à peu de la mort de Joey chez les Boinard ?

— Oui, mais pas facilement pour Émilie. Elle va souvent au columbarium, elle s'est même acheté une niche à côté de celle de son fils. C'est supposé être un secret, mais comme tu ne fais plus partie de la famille…

Et Paul de leur raconter l'achat de sa sœur, ainsi que ce qui s'était passé avec Justine au baptême.

— Pauvre femme, de dire Norma, je me mets à sa place, elle ne verra pas sa petite-fille…

Mais Paul avait détourné la conversation pour leur demander :

— Un voyage en vue pour l'automne ?

— Heu… peut-être, répondit « Willie ». Norma souhaiterait qu'on se rende au Venezuela, mais je ne suis pas trop attiré par ces endroits-là. Il y a trop de danger de nos jours dans les pays latins. J'aimerais mieux qu'on reste au Canada ou aller juste de l'autre côté des lignes.

— Il fallait le dire, mon chéri ! Vous voyez, Paul ? À vous, il se confie et je viens d'apprendre que mon idée de voyage ne l'intéresse pas. Où voudrais-tu aller dans ce cas-là ?

— Bien… je ne sais pas, je n'ai jamais visité les Maritimes, je ne détesterais pas me rendre en Nouvelle-Écosse.

— Alors, c'est là que nous irons, mon amour.

Et Norma d'embrasser son Willie sur la joue. Fort satisfait du changement de destination, ce dernier avoua à Paul :

— J'ai la meilleure femme du monde ! Nous sommes si heureux, elle et moi !

C'était évident. William avait tellement changé depuis son mariage avec sa deuxième femme. Très différente de Caroline, Norma était douce, aimable, à l'écoute des autres, altruiste… Ce pour quoi Paul admettait l'aimer « énormément ». Ce qui était beaucoup dire… pour lui ! Ils promirent de se revoir et, alors que Norma était allée aux toilettes se refaire une beauté, William avait demandé en vitesse à son beau-frère :

— Et Caroline, toujours avec son nouveau chum ? Pas encore mariés, ces deux-là ?

— Oui, elle est toujours avec lui, mais ça ne devrait pas durer. Plus plate que Luc… et pas mal étrange pour les seules fois où je l'ai rencontré. Mais je l'ai déjà vu quelque part, cet agrès-là !

Norma revint, on changea de sujet et on partit pour l'opéra. À la toute fin, on se quitta sur un au revoir, et Paul Hériault, content de sa soirée, était comblé d'avoir renoué avec un membre de sa famille. Lui qui, bien souvent, se sentait très seul… sans le dire.

Toutefois, de retour chez lui, il se remémorera sa conversation avec William et, dans un sursaut de mémoire, il se rappela où il avait déjà vu Luc, le compagnon de sa sœur Caroline. Fier de lui, il se rendit investiguer et, satisfait du résultat, se mit en frais de contacter Luc pour lui fixer un rendez-vous quelque part. Ce dernier, redoutant Paul, lui avait répondu :

— Non, je n'ai pas le temps, je travaille beaucoup, je suis maintenant représentant à travers la province, pas seulement à Montréal.

— À ta place, Luc, je le trouverais, le temps. C'est très important…

— Que voulez-vous dire ?

— En personne seulement, pas au téléphone. Rejoins-moi ce soir au petit café à aire ouverte de Place Versailles et je ne te garderai pas longtemps. Fais un effort. Et cesse de me vouvoyer, tu fais partie de la parenté. Ou presque…

Étonné, inquiet, Luc n'eut d'autre choix que de se rendre aux désirs de Paul et de le rencontrer le soir même. Ça tombait bien, Caroline était mal en point, elle désirait se coucher tôt. Un mal féminin mensuel qui lui causait une affreuse migraine chaque fois. Il se rendit donc au petit resto choisi par Paul et n'eut pas trop de peine à le repérer à une table du fond, un journal entre les mains.

S'approchant, il prit place en face de lui sans lui serrer la main, et Paul de lui demander :

— Tu n'as pas acheté un café en passant ?

— Non, je n'en bois pas et j'ai pris un thé après le souper.

Paul le dévisagea. C'est vrai qu'il n'était pas laid, mais il avait l'air si niais qu'il se demandait comment sa sœur pouvait composer avec un tel homme après avoir été mariée à William. Paul prit un autre café avec une pointe de tarte, cette fois, et, regardant Luc qui ne buvait qu'un cola diète, il lui dit :

— On s'est vus toi et moi, plusieurs fois, je ne me rappelais plus où, mais ça m'est revenu... Tu connais le bar sur Sainte-Catherine où les couples dansent ? Les hommes, je veux dire ?

Luc avait blêmi. Très mal à l'aise, il avait répondu :

— Non, tu fais erreur, je ne me tiens pas dans ces endroits-là. Pour qui me prends-tu ?

— Pour ce que tu es, mon ami, personne d'autre. Ça te dit quelque chose, Sammi ? Un barman de la place ? La quarantaine avancée, Algérien ou Tunisien, je ne sais trop ?

Luc avait rougi, cette fois, et, hors de lui, avait rétorqué :

— Où veux-tu en venir, Paul ? Des menaces ? Du chantage ?

— Non, pas tout à fait, mais il serait plus intègre, plus franc de dire à ma sœur, même si je la hais, que tu n'es pas seulement aux femmes, que Sammi a été ton amant de quelques semaines et que tu aimais danser des *slows* avec des hommes de ta génération bien sûr, ce bar est pour les quarante ans et plus, selon Sammi qui n'avait pas la langue dans sa poche quand je l'ai questionné.

— Je ne suis pas homosexuel ! clama Luc. J'ai une bisexualité que j'assume.

— Non, tu préfères les hommes et ce n'est pas parce que tu fais quelques efforts avec ma sœur que tu vas me convaincre de ta virilité. Écoute, je n'ai pas à te juger, nous sommes du même clan, si tu comprends ce que je veux dire. Sauf que toi, tu t'en défends...

— Oui, parce que j'ai honte ! finit par avouer l'homme en se tenant la tête entre les mains.

— Honte de quoi ?

— D'être comme je suis ! J'aurais aimé avoir une femme et des enfants, vivre une vie normale. Ne me dénonce pas, Paul, je n'ai jamais voulu m'assumer, laisse-moi la liberté de le faire un jour, mais pas maintenant.

— Tu peux rester dans le placard tant que tu le voudras, mais il n'est pas honnête de faire croire à une femme qu'on l'aime quand on a un gars en tête.

— Je ne vais plus à cet endroit depuis longtemps...

— Oui, Sammi me l'a dit, mais il y a plusieurs vieux qui te cherchent... Tu me suis, Luc ? Gérontophile en plus ? On m'a même dit que le dernier en lice était octogénaire.

— Arrête ! Tu n'avais pas le droit d'enquêter de la sorte sur moi !

— Je ne l'aurais pas fait si tu avais été sincère, si tu t'étais au moins ouvert à moi. Je te plains de vivre ainsi, ça doit être pénible de se retrouver dans le lit d'une femme...

— Ne va pas plus loin, tu me juges mal, j'aime Caroline...

— À d'autres, Luc ! Écoute, je n'en dirai pas plus, mais je te donne trois jours pour te séparer de ma sœur. J'aurais pu la laisser être bernée par toi plus longtemps, je la déteste tellement, mais je n'aime pas les hypocrites de ton espèce. Trouve la défaite que tu veux, mais mets un frein à ta relation, sinon je ne réponds de rien. Et je suis sûr que tu n'aimerais pas que Caroline te reçoive avec une brique et un fanal. Avec son caractère...

— Je vais rompre, Paul, je vais la quitter, je trouverai une raison, mais je t'en supplie, ne dis à personne ce que tu as appris sur moi. Laisse-moi le choix d'être moi ou un autre, laisse-moi dans le placard d'où je ne veux pas sortir. Ne bouleverse pas ma vie, elle est déjà assez perturbée comme c'est là !

— Je n'en ferai rien, Luc, je serai discret, je ne réagirai même pas quand on me dira que Caroline a rompu avec son chum ou vice versa, mais fais-le d'ici peu, c'est malhonnête de mentir ainsi à une femme qui a déjà été quittée une première fois. Tu vois ? Je ne l'aime pas, ma sœur, c'est une garce, mais je ne veux pas qu'on la fasse souffrir pour autant. Elle fait partie de ma famille.

Luc se leva, serra la main de Paul cette fois, et lui dit en partant :

— Merci, merci beaucoup, Paul. Je vais m'éclipser, tu n'entendras plus parler de moi, mais je compte sur ta discrétion… C'est promis ?

— Oui, sur mon honneur, parce que je sens qu'il est plus difficile d'être comme tu es que comme je suis. Moi, au moins, c'est à volets ouverts que je vis mon état d'être. Avec mes vices et mes penchants, avec mon alcoolisme… Ce que tout le monde sait. Tu devrais en faire autant, Luc, ça libère la conscience en maudit !

Luc partit en trombe et, resté seul, Paul le plaignait d'être si malheureux alors qu'il aurait pu être si bien dans sa peau dans une vie à porte ouverte, celle du placard, bien entendu. Au su de son entourage qui respecterait davantage l'homme franc et honnête à celui qui se cache encore derrière un paravent. Celui d'une femme !

Cinq jours plus tard, après s'être remise de ses migraines, Caroline avait téléphoné à Émilie pour lui dire :

— Tu ne croiras jamais ce qui m'est arrivé…

— Quoi donc ?

— Luc m'a quittée. Il a rompu au bout du téléphone hier soir, trop lâche pour venir le faire en personne.

— Pour quelles raisons ?

— Incompatibilité de caractère, a-t-il dit. Mais son départ ne me fait pas un pli, j'étais pour le faire incessamment, je le lui ai dit.

— Donc, ça s'est terminé dans l'harmonie.

— Oui, mais sans que nous restions amis. Comme je ne suis plus à la pharmacie, je ne le reverrai plus et je ne tiens pas à garder de liens avec lui. Il était si monotone, si ennuyeux, si… Puis, à quoi bon, il ne semblait pas tenir à l'amitié lui non plus. Finalement, bon débarras ! Je me retrouve libre et j'en suis fort aise. Je ne savais quel chemin prendre pour le lui dire. Mais n'empêche, Émilie, que c'est la deuxième fois qu'un homme me quitte ! Est-ce moi, le problème, ou eux ? Suis-je si abominable ?

— À toi de répondre à cette question, ma petite sœur, mais ne t'arrange pas pour que ça survienne avec le prochain. Jamais deux sans trois ! Tu connais ?

Lorsque Paul appela Émilie, comme pour s'informer tout bonnement de ce qui se passait dans la famille, elle s'empressa de lui faire part de la rupture de Caroline et Luc. Souriant au bout du fil, il fit mine d'être peiné pour elle, pour ensuite ajouter :

— Tu sais, elle a ce qu'elle mérite, c'est une maudite avec les hommes ! Elle n'en gardera jamais un, elle les fait fuir ! Mais quelle raison a-t-il donnée pour s'en défaire, son nouveau chum ?

— Il a parlé d'incompatibilité de caractère.

— Ça se comprend, avec le caractère de chien de Caroline ! Sans trop le connaître cependant, il avait l'air épais son chevalier servant. Et qui sait ? Incompatibilité tout court, peut-être ?

De son côté, Mathieu Boinard, cardiologue de profession, médecin à temps plein, semblait trouver sa vie intime un peu plus lourde au fil des mois. Depuis la mort de Joey, il allait moins souvent chez ses parents et si l'hiver il avait Caroline pour skier, il se sentait plus démuni lorsque l'été survenait. Il y avait certes le docteur Marleau, un confrère marié depuis peu, qui l'invitait parfois pour un souper à la maison, mais cette délicatesse ne suffisait pas à Mathieu pour se sentir entouré. Il aurait aimé trouver une fille, mais comment ? Sûrement pas par les petites annonces d'Internet ou des journaux spécialisés. Autour de lui, il avait beau regarder, il y en avait plusieurs, mais pas une. Pas une seule pour lui ! Aucune à son goût ! Quand elles étaient jolies, elles n'avaient pas le tempérament de la femme de tête qu'il recherchait, et quand l'une ou l'autre était très qualifiée du côté psychologique, elle n'avait rien à offrir du côté… physique ! Somme toute, Mathieu n'avait pas encore trouvé l'âme sœur qui aurait pu meubler sa vie. Un jour de juin, alors qu'il était de garde à l'hôpital, il se rendait de son bureau à l'urgence, lorsqu'il aperçut dans la salle d'attente, bondée comme d'habitude, nulle autre que Geneviève avec un bébé dans les bras. Il l'aurait reconnue entre mille ! De loin, de très loin, puisqu'elle ne l'avait pas distingué dans la foule. Hésitant un peu, il fit quand même demi-tour et se rendit jusqu'à elle où, levant les yeux sur lui, elle sursauta, afficha un sourire et lui lança spontanément :

— Mathieu ! Quelle surprise !

— Bonjour, c'est bien toi ? J'ai cru te reconnaître de loin... Comment vas-tu Geneviève ? Quelle question, excuse-moi, ici, personne ne va bien. C'est, c'est... ton enfant ?

— Oui ! Gabrielle, ma petite de dix-huit mois. Je dois consulter, car elle semble avoir une otite ou je ne sais quoi, elle se frotte sans cesse l'oreille de sa petite main. Et elle pleure souvent la nuit depuis quelques jours...

— Allons, n'attends pas, lui dit-il tout bas, viens avec moi, sinon tu vas être là durant des heures avec tout ce monde.

Il l'avait discrètement invitée à le suivre, pour qu'on ne se rende pas compte d'un passe-droit autour d'elle. Avec son sarrau blanc, il était évident qu'il était médecin. Geneviève le laissa prendre le pas et le suivit avec sa petite dans les bras jusqu'à une petite salle où il la fit entrer. Et là, entre les murs blancs, avec la lumière forte, il put la regarder de plus près pour s'apercevoir qu'elle était plus jolie encore que lorsqu'il l'avait fréquentée. Elle, pour sa part, n'avait pas réagi. Mathieu était bel homme, mais ça ne la troublait plus. Elle était mariée avec un professeur de mathématiques de son école et le couple vivait des jours heureux. Beaucoup d'eau avait coulé sous les ponts et Geneviève, de nouveau amoureuse depuis sa rencontre avec l'enseignant, avait vite oublié son roman d'amour... de vacances ! Aussi simple que cela ! Voilà comment elle qualifiait son premier amour quand elle en parlait à une amie. Un amour de vacances ! Rien de plus ! Un roman passager dont on avait vite tourné les pages. Un ou deux chapitres, pas plus. Un roman inachevé, quoi !

Mathieu examina la petite et en vint à la conclusion qu'il fallait lui prescrire des gouttes, que ce n'était pas grave, une petite irritation qu'elle entretenait de ses petites mains. Le docteur, penché sur l'enfant, avait tout de même remarqué qu'elle était belle comme un ange, cette petite. De grands cils, des joues rondes et déjà le sourire... Ce qui lui avait davantage fait plaisir, c'est que la petite lui avait souri comme s'il était son père. Du moins, il le croyait en ces brefs instants où il était retombé sur terre, loin des hauteurs de son titre et de sa condescendance. Il se plut à imaginer que Geneviève, plus belle et plus instruite que la plupart des femmes, à cause de sa profession, aurait pu être la compagne d'une vie s'il n'avait pas été si égoïste. Des regrets ? Des remords ? Sans doute à cet instant précis, mais Geneviève eut le don de vite les dissiper en lui disant :

— Il faut que je reparte, je dois rappeler Simon de la voiture, avant qu'il ne s'inquiète. Je lui ai laissé une note sur un bout de papier, mais sa fille, c'est de l'or en barre ! Heureusement, Gabrielle est une enfant sage. Sauf quand les oreilles lui piquent ! ajouta-t-elle en riant.

Elle allait quitter la pièce quand, voulant la retenir, il lui demanda :

— Heureuse, à ce que je vois.

— Oui, très heureuse, et nous souhaitons avoir un autre enfant.

Elle repartit en affichant un sourire et en le remerciant du privilège, mais il était déçu. Il aurait espéré qu'après lui avoir demandé si elle était heureuse, elle eût répliqué : « Et toi ? »

L'automne se fit sentir, Émilie et Caroline sortaient souvent entre sœurs. Au cinéma, elles avaient vu *Going The Distance* avec Drew Barrymore, et en DVD, *Wall Street* avec Michael Douglas. Elles avaient assisté à des pièces de théâtre, étaient allées magasiner maintes fois, avaient écouté quelques concerts à la Place des Arts, mais elles n'avaient pas voyagé ensemble.

Émilie gardait les déplacements lointains pour Renaud, s'il se libérait de nouveau. Vers la mi-septembre, alors qu'on ne s'y attendait pas, Caroline apprit à la famille, Paul exclu, qu'elle s'était trouvé un ami sur un nouveau site de rencontres. Émilie la mit en garde contre ces réseaux qui exploitaient souvent la naïveté des femmes, en garde aussi contre les hommes qui s'y affichaient avec de fausses prétentions. Caroline avait néanmoins répondu à sa sœur :

— Celui-là vient d'un bon milieu. Il est célibataire. À cinquante-deux ans, il a toujours vécu avec sa mère décédée récemment…

Au bout du fil, Émilie avait sursauté :

— Voyons, Caroline, un vieux garçon ! Ça semble louche… Il a des sœurs et des frères ?

— Non, Bertrand est fils unique ! Pas de problèmes de famille dans ce cas-là !

— Que fait-il dans la vie ?

— Bibliothécaire dans la paroisse où il habite.

— Et tu l'as rencontré ?

— Oui, une fois, il m'a invitée à prendre un café dans un resto d'un centre commercial.

— Toute une invitation ! Pour une première fois...

— Au moins, il ne m'a pas fait croire qu'il était riche en tentant de m'impressionner avec un grand restaurant. Je trouve ça plus décent. Ni beau ni laid, il a une belle conversation, il est instruit, il connaît tous les auteurs du monde. Jeune, il a enseigné la littérature dans un collège privé.

— Pourquoi ne le fait-il pas encore ?

— On l'a opéré dans une jambe, il en a gardé des séquelles, il ne peut rester debout trop longtemps, voilà pourquoi il a démissionné de l'enseignement. Mais dans une bibliothèque...

— Drôle de phénomène ne correspondant pas tout à fait à ton genre... Aime-t-il le cinéma, au moins ?

— Oui, mais chez lui seulement, il peut prendre des films à volonté à la bibliothèque, on les prête aux abonnés, ils ont un assez bon choix, dit-il. Des films de Louis de Funès, Françoise Arnoul, Jean-Claude Pascal...

— Pas d'hier, ça ! Autre chose d'intéressant, ton bonhomme ?

— Oui, il est très environnementaliste, il est même adepte de la simplicité volontaire.

— Caroline ! Pour l'amour du ciel !

Chapitre 9

Trois ans s'étaient écoulés depuis la mort de Joey et sa mère, encore inconsolable, allait le visiter autant de fois que possible à sa niche du columbarium. Elle la faisait ouvrir de temps en temps pour y déposer une rose de soie près de sa photo qui, peu à peu, jaunissait dans son encadrement. Sur le rebord de la fenêtre de l'urne, une plaque dorée qu'elle polissait régulièrement d'un mouchoir indiquait : *Joey Boinard 1978-2008.* Dans son imaginaire, Émilie se demandait ce que serait devenu son fils à trente-trois ans. Sans doute un très bel homme avec une fillette qu'il tiendrait par la main quand elle viendrait les voir. Un papa merveilleux qui couvrirait de poupées sa fille adorée. L'année en cours allait cependant apporter des rebondissements chez les Boinard comme dans tant d'autres familles. La vie n'était-elle pas faite de joies et de peines ?

Madame Huguay, la grand-mère de Madeleine, était décédée en début d'année et Émilie et Renaud étaient allés offrir leurs condoléances à Justine, sans apercevoir la petite toutefois. Justine, plus ou moins affectée par la mort de sa mère, semblait avoir hâte d'en finir avec les funérailles. Elle l'avait aimée, celle qui avait pris soin de sa fille, mais les différends avaient été fréquents sous le même toit, ce qui faisait maintenant soupirer la jeune femme de soulagement. Lorsqu'elle avait aperçu les parents de Joey, fort heureuse de les revoir, elle leur avait présenté un très bel homme dans la jeune trentaine avec qui elle s'était installée récemment. Au grand dam de sa mère qui ne s'était pas remise de l'éloignement de sa petite-fille. Était-ce le chagrin qui avait ainsi provoqué sa mort quasi subite ? Nul ne pouvait le dire, mais Justine, froide devant certains événements de la vie, n'entrevoyait que des jours superbes avec Éric, le nouvel homme de sa vie, séparé, en attente de son divorce et père d'un petit garçon de trois ans dont il avait la garde partagée. Justine comptait bien avoir des enfants de lui et élever Madeleine et le fiston de son amoureux dans un nid familial sous un autre nom. Ce qui allait sans doute se produire. Et si Éric adoptait légalement la petite, plus rien de Joey ni des Boinard n'allait subsister en Madeleine. Nouveau papa, nouveau nom de famille, nouvelle vie, mais que pouvait donc faire une enfant de presque trois ans contre le destin forgé par sa mère ?

Caroline, pour sa part, n'avait pas fait long feu avec Bertrand et sa « simplicité volontaire ». Dès qu'elle était allée chez lui après la première invitation dans un petit resto d'un centre commercial, elle s'était rendu compte que sa maison était dénudée de tout ce qui se voulait d'actualité. Quelques cadres sur les murs du salon datant des années de la Deuxième Guerre, des reproductions bon marché d'œuvres de Rembrandt ou Van Gogh, un crucifix – sans doute celui de sa première communion – au-dessus de la porte du salon, un vase avec des fruits en cire, un pot de fleurs de piètre qualité garni de monnaie-du-pape, don d'une voisine, et un petit téléviseur de quatorze pouces dans un coin avec des oreilles de lapin derrière. Caroline lui avait demandé :

— Ça marche, ce truc-là ? Ça fait longtemps que je n'ai pas vu ça !

— Oui, ça fonctionne bien. Je capte Radio-Canada, TVA et une station anglaise. C'est tout ce dont j'ai besoin et ça ne coûte rien, Caroline. Non pas que je sois pingre, mais c'est cela la simplicité volontaire. Que le strict nécessaire. Et comme elle s'y attendait, pas d'eau embouteillée, que celle de l'évier avec le robinet bien fermé. Dans sa cuisine, une table et quatre chaises avec sièges en paille, une cuisinière qui fonctionnait plus ou moins bien, un petit réfrigérateur presque vide, de la vaisselle datant du temps de sa mère, pas de grille-pain, il faisait ses *toasts* sur l'un des ronds du poêle, pas de cafetière électrique, il ne buvait que du thé avec l'eau chaude bouillie dans un chaudron. Ça n'en finissait plus, elle était découragée. Il lui en avait d'ailleurs offert une tasse et avait sorti de son armoire un plat avec des biscuits Village et d'autres à la guimauve et gelée de fraise, pas tout à fait frais. Il s'habillait proprement, mais sa garde-robe datait de plusieurs années. Voyant qu'elle était éberluée devant le peu qu'il avait, il avait ajouté :

— J'ai déjà beaucoup dépensé, c'est un ami qui m'a initié à cette philosophie de vie et, depuis ce jour, je me rends compte qu'il suffit de peu pour être heureux.

De peu ? De rien, aurait-il pu préciser, car il n'y avait, dans sa cuisine, qu'un tout petit appareil radio qu'il avait payé dix dollars dans un magasin Rossy. Pas à l'électricité, qu'avec deux petites piles qu'il ne remplaçait que lorsqu'elles étaient vraiment inopérantes. Après le bulletin de nouvelles, tout ce qui l'intéressait, disait-il, c'était de lire dans son fauteuil, éclairé par une lampe de chevet équipée d'une ampoule de 40 watts. Ce qui faisait sombre, plus que tamisé… mais Bertrand s'y était habitué. Il regardait des films qu'il rapportait de la bibliothèque sur un lecteur DVD qu'il avait acheté usagé. Et il faisait des casse-tête de parfois mille morceaux qu'il dénichait dans les ventes de garage pour vingt-cinq sous ou moins. Petite vie tranquille, quoi ! Caroline, habituée aux voyages, aux dépenses, au magasinage, se sentait de plus en plus diminuée par cet homme qui tentait de l'endoctriner dans sa simplicité volontaire. Pour ce qui était du côté intime, Caroline pouvait repasser, ça ne s'était produit qu'une fois, chez lui, sur un divan peu moelleux, pas même dans son lit. Une fois de trop, elle en avait été dégoûtée parce que Bertrand, dans sa simplicité, ménageait aussi sans doute son eau chaude et son savon si elle se fiait à son odeur corporelle. Assez pour qu'elle n'ait plus de rapports avec lui. Et assez pour, après quelques semaines, le quitter en lui disant qu'ils n'avaient rien pour former un couple. Fière de s'en être débarrassée, elle avait téléphoné à Émilie pour lui annoncer :

— C'est fini entre Bertrand et moi ! Jamais deux sans trois comme tu disais, sauf que cette fois, c'est moi qui l'ai quitté et non lui ! Et il n'a pas insisté, il n'a pas demandé pourquoi, je sentais même que je le dérangeais, il regardait un film des années quarante avec Humphrey Bogart quand je l'ai laissé tomber au téléphone. C'est tout dire !

Effectivement, Caroline était celle qui avait quitté, cette fois. Juste avant que Bertrand, lassé de cette dépensière, le fasse.

Mathieu Boinard avait fêté ses trente-cinq ans en juillet, avec ses parents et Caroline dans un restaurant du centre-ville. Toujours heureux à l'hôpital où il se dévouait, très près de ses patients qu'il suivait en cardiologie, le médecin émérite qu'il était n'avait pas pour autant de vie personnelle amusante. Chaque soir, lorsqu'il était chez lui, c'était la lecture de nouvelles brochures sur des médicaments ou d'articles sur les progrès de la science. De temps à autre, il se permettait un film sur son nouveau cinéma maison. Le plus récent vu à ce jour était *The King's Speech* avec Colin Firth, qu'il avait loué. Un film sorti en début d'année qu'il avait fort apprécié. L'hiver, bien sûr, il avait Caroline avec qui aller skier, quoique la tante, plus âgée maintenant, soixante et un ans ou presque, était moins habile qu'elle ne l'était auparavant. Et plus frileuse par les grands froids, mais elle aimait accompagner Mathieu, sachant que ce dernier adorait skier, ce qui le détendait de ses longues semaines auprès des malades. Surtout lorsqu'il était affecté à l'urgence !

Or, par une journée du mois d'août, un collègue duquel il était assez près, le docteur Richard Marleau, lui demanda :

— Mathieu, je vais à un concert classique avec ma femme, samedi soir prochain. On y jouera du Mozart, du Chopin, du Brahms… Ça te dirait de nous accompagner ?

— Que veux-tu que j'aille faire là avec un couple, je dérangerais…

— Non, justement, ma femme a une amie qui travaille avec elle et qui aimerait bien venir au concert avec nous, mais comme elle est seule… Tu pourrais l'accompagner, elle est très jolie, elle est libre, elle apprécierait sûrement ta compagnie.

— Je te vois venir, toi ! Tu tentes de me *matcher* n'est-ce pas ? répondit-il en riant.

— Non, pas du tout, un soir seulement, pas un *match*, juste un accompagnement. Elle est distinguée, elle est comptable agréée pour une firme, la même où Sandra travaille.

— Écoute, Richard, je veux bien, ça ferait changement et j'aime la musique classique, mais il ne faudrait pas que cette fille…

— C'est une dame, Mathieu, elle a trente ans, elle est française, elle vit ici depuis dix ans, elle a déjà été mariée en Europe, en Suisse je crois, mais elle n'a pas d'enfants. Pas plus intéressée que toi à être *matchée*, Véronique.

— C'est son prénom ?

— Oui, et refoule tes hésitations, tu viens ou non ? Ça me ferait plaisir, nous pourrions aller prendre un digestif quelque part ensuite. Sors de ta coquille un peu, Mathieu !

— Bon, ça va, tu as raison, il faut que je voie autre chose que des salles d'urgence. Je vais y aller, ça va me détendre et si cette dame a besoin d'être escortée, je serai bon joueur.

— Alors, voici comment nous allons procéder…

Et le docteur Marleau, époux de Sandra, renseigna Mathieu sur les indications à suivre pour le samedi qui venait. Il lui demandait de se rendre chez lui en taxi, qu'ils ne prendraient qu'une seule voiture, la sienne, et qu'il le ramènerait chez lui après la soirée, tout comme il le ferait pour Véronique.

Avisant sa femme que Mathieu avait accepté, Sandra s'empressa de téléphoner à Véronique pour lui annoncer :

— Écoute, je t'ai trouvé un compagnon pour samedi. Nous irons au concert tous les quatre. C'est un confrère de travail de Richard, un cardiologue. Très gentil, paraît-il, je le connais très peu, je ne l'ai vu qu'une fois à l'hôpital, mais bel homme en passant. Pas négligeable !

— Divorcé comme moi, j'imagine ?

— Non, célibataire, ma chère !

Le samedi soir se pointa et Mathieu, fatigué de sa semaine, se sentait contrarié d'avoir à se rendre à un concert avec son collègue, sa femme et une étrangère. Il aurait souhaité reculer, mais comment faire à la dernière minute ? Non, il allait affronter cette soirée en se jurant bien de ne plus se laisser prendre par des sorties improvisées. Il aurait préféré rester chez lui, manger seul, boire une grenadine et regarder un film ; il avait fait trois locations d'un coup et il ne lui restait que *Black Swan* avec Natalie Portman à voir avant de retourner les copies. Faisant contre mauvaise fortune bon cœur, il s'habilla élégamment, s'aspergea un peu de son eau de toilette *C.O. Bigelow Barber* et appela un taxi qui ne tarda pas à arriver. Il donna l'adresse de son collègue et, en moins de vingt minutes, il descendait devant une spacieuse maison bien éclairée. C'est Richard qui vint lui ouvrir et, après avoir salué Sandra, qui était en beauté ce soir-là, il fut introduit au salon où se trouvait, assise dans un grand fauteuil, une superbe blonde qui affichait un doux sourire. Richard les présenta l'un à l'autre et, après quelques regards de plus près, Mathieu se sentit attiré par cette femme qui avait un bel accent et qui s'exprimait aisément. Une femme sérieuse, jolie, attirante, mais qui l'entretenait de sujets divers sans faire allusion à la médecine pour ne pas lui sembler trop intéressée.

— Vous habitez ici depuis longtemps ? lui demanda Mathieu.

— En effet, dix ans, onze bientôt. J'ai quitté la Suisse pour m'installer ici et, de fil en aiguille, je me suis trouvé un emploi à la même firme comptable que Sandra, où nous sommes devenues amies.

Mathieu savait tout cela, mais c'était une façon habile de briser la glace dans une conversation. Richard offrit un *drink* à tout le monde et Mathieu accepta le doigt de scotch qu'il ne but pas en entier pour autant. Prêts à partir, Mathieu dévisagea la blonde de la tête aux pieds et remarqua qu'elle était fort bien tournée. Élégante de surcroît dans un tailleur léger noir qui laissait entrevoir un blouson de soie mauve et une chaînette en or au cou. Maquillée avec soin, bien coiffée, les cheveux aux épaules, Véronique avait l'allure d'une femme d'affaires. Le genre de femme que Mathieu admirait. La soirée au concert fut divine, la musique de Chopin ensorcela Véronique tandis que Sandra était portée sur les airs plus étourdissants de Mozart. Mathieu, tournant souvent la tête pour chuchoter un mot à sa compagne, humait du même coup le léger parfum qui se dégageait de son col de blouson ouvert. Il y eut un entracte et les quatre se levèrent en quête d'un rafraîchissement. Richard opta pour un scotch, Sandra pour un verre de vin blanc, Véronique pour un simple soda sur glace et Mathieu pour une boisson gazeuse sans glaçons. La soirée prit fin et Richard, content de voir que le concert avait été apprécié, suggéra un café ou un digestif dans un bar non loin de la salle de spectacles. Attablés, Sandra commanda une crème de menthe, Richard demanda encore un scotch alors que Véronique optait pour un verre de vin rouge et Mathieu, une eau Perrier avec un zeste de citron.

— Vous ne buvez pas d'alcool ? lui demanda sa compagne.

— Oui, dans les grandes occasions seulement. Et très peu… Je ne suis pas friand des spiritueux et je n'aime pas la bière. Il ne me reste que le verre de vin de temps à autre, mais je vous avoue que la grenadine avec soda est dans mes préférences.

Il avait éclaté de rire, elle en avait fait autant. Après avoir déposé Véronique à la porte de son immeuble, Richard avait reconduit sa femme à la maison et avait poursuivi avec Mathieu jusqu'à son appartement. Le regardant du coin de l'œil, il lui avait demandé :

— Tu l'as trouvée comment, la Française ?

— Bien, très jolie, distinguée, femme complète… Éduquée de surcroît, elle n'a pas que les chiffres dans la tête, elle semble connaître la grande musique et l'apprécier. Une femme assez particulière…

— Assez particulière pour la revoir ?

— Bien, je ne sais pas, subitement comme ça, ta question me…

— Mathieu ! Pas à moi ! Je me suis rendu compte qu'elle te plaisait. Tu n'as jamais regardé une femme comme tu l'as fait ce soir. À l'hôpital, aucune n'a encore attiré ton attention, mais ne viens pas me dire que Véronique Danaud te laisse indifférent.

— Non, mais je viens à peine de la rencontrer…

— Raison de plus, mon cher collègue ! Cette femme semble être la perle que tu cherchais ! Allons, bouge, n'attends pas qu'un autre s'en empare.

— Elle est entièrement libre ?

— Oui, et selon Sandra, elle refuse toutes les invitations qui se présentent, elle attend peut-être celui… J'ai remarqué que tu ne lui étais pas indifférent…

— Bon, assez parlé de femmes et de supposer quoi que ce soit. Je suis de garde demain, je me dois d'être frais et dispos. Merci de m'avoir raccompagné, Richard. Et merci encore de l'invitation.

Mathieu sortit de la voiture et, grimpant les trois marches qui menaient à l'entrée de l'immeuble, il vit la voiture de Richard tourner le coin et disparaître derrière les arbres. Se délivrant de sa cravate de soie, puis déboutonnant sa chemise, il se versa un verre d'eau et, le regard ailleurs, il revoyait le visage, le sourire et les yeux verts de Véronique. Pour ensuite soupirer et réaliser qu'il était amoureux.

Mathieu laissa passer quelques jours, il se rendit même souper chez ses parents sans leur parler de sa soirée au concert et de sa rencontre avec Véronique. Il ne voulait pas que sa mère s'emballe prématurément. Il préférait causer de ses cas graves avec son père qui, en retour, lui parlait des dernières techniques de la chiropractie. Bel homme, en très bonne forme, Mathieu Boinard se sentait toutefois assez esseulé dans sa vie privée. Son frère Joey lui manquait terriblement, il s'en serait certes rapproché avec le temps et ils auraient pu faire tant de choses ensemble… Hélas… Il savait que sa mère allait souvent au columbarium pour le voir, causer avec lui, mais il était incapable de se rendre sur ces lieux, sa douleur de l'avoir perdu risquait d'être ravivée. Lorsqu'il mangeait chez ses parents le samedi soir, il lui arrivait de lui remettre de l'argent en lui demandant : « Maman, tu veux bien faire brûler trois gros lampions pour le repos de l'âme de Joey ? » Et c'était avec plaisir que sa mère s'y prêtait le lendemain en murmurant tout bas : *C'est de ton grand frère, Joey, tu lui manques terriblement.* Pour ensuite en allumer un autre en ajoutant intérieurement : *Celui-là, c'est de ta maman, mon ange. J'espère qu'on est heureux, là où ton âme repose. Fais-moi signe...* Très croyante, très dévote depuis la perte de son fils, Émilie Boinard s'était rapprochée de ses pratiques religieuses qu'elle avait un peu mises de côté avec les ans. Elle se rendait à la messe régulièrement, elle assistait à d'autres offices, elle faisait même son chemin de la croix, comme autrefois, lorsque l'église était ouverte en après-midi. Pour être plus près de celui qui s'était envolé. Pour sentir Joey plus présent dans son environnement. Comme si son fils habitait cette église paroissiale à laquelle elle s'était attachée. Comme si c'était là sa nouvelle demeure éternelle, même si ses cendres reposaient au columbarium. D'un endroit à l'autre, Émilie avait regagné une foi quelque peu ébranlée ces dernières années. Parce que son mari, peu croyant sans être tout à fait athée, ne s'associait pas aux rites religieux de l'Église catholique. Ni d'aucune autre d'ailleurs. Mais, indécis, il lui était arrivé de dire à sa femme : « Comme personne n'est revenu nous dire qu'il n'y avait rien et que personne n'est venu nous dire qu'il y avait quelque chose, je préfère rester optimiste et penser que je puisse revoir Joey un jour. Dans le doute, je ne veux pas m'abstenir cette fois, Émilie, pas depuis que Joey n'est plus là. Et ça me console de voir que tu es en paix avec Dieu, pourvu que ça puisse compter pour nous deux. »

Tournant en rond dans ses pensées comme dans sa maison, Mathieu décida un soir de passer un coup de téléphone à Véronique qui, de son côté, n'avait pas donné signe de vie. Et comme son collègue ne lui avait plus parlé d'elle... Il avait demandé à Sandra le numéro de sa copine, le lendemain de leur sortie, au cas où, et le bout de papier traînait sur le comptoir de son coin-repas depuis. Il composa le numéro, tomba sur la boîte vocale de la jeune femme et laissa un message plus que bref. *Ici Mathieu Boinard. Si vous voulez bien me rappeler au...* rien de plus. Une réponse aussi formelle que celles qu'il transmettait à ses patients lorsqu'il ne les atteignait pas au bout du fil. Sauf qu'avec elle, il avait exclu le titre de « docteur » dont il faisait précéder son nom pour les autres. Le lendemain soir, quelle ne fut pas sa joie de voir sur son afficheur le nom de Véronique Danaud. Laissant sonner trois coups pour ne pas paraître trop empressé, il répondit évasivement comme s'il ne savait pas qui l'appelait :

— Oui, allô ?

— Docteur Boinard, ici Véronique Danaud, je retourne votre appel.

Feignant la surprise, il rétorqua :

— Véronique ! Bien sûr que je vous ai téléphoné ! Hier, je crois... Et, je vous en prie, appelez-moi Mathieu, oubliez les formalités, c'est un appel amical, je ne suis pas votre médecin à ce que je sache !

Il avait éclaté de rire et elle l'avait fait plus discrètement pour ensuite continuer:

— Que me vaut le plaisir de votre appel, monsieur? Pardon, je veux dire Mathieu.

— Bon, voilà qui est mieux. J'aimerais savoir, chère Véronique, si vous êtes libre vendredi soir qui vient.

— Bien, je crois que... oui, je suis libre, je suis comptable, je ne fais pas d'heures de garde, moi!

Il avait souri pour finalement lui demander:

— Écoutez, j'aimerais vous inviter à souper quelque part, faire plus ample connaissance, si l'intérêt de votre côté est en accord avec le mien.

— Bien sûr. Avec plaisir, Mathieu, j'accepte votre invitation.

— Alors, que diriez-vous si je vous prenais avec ma voiture vers les dix-neuf heures, nous serions attablés trente minutes plus tard.

— À la française, comme je vois! J'ai été habituée étant jeune à dîner, je veux dire souper assez tard. Parfois, vingt et une heures et plus.

— Dans ce cas, je réserverai pour vingt heures et le repas sera certes servi quinze minutes plus tard, sinon plus. Cela vous irait?

— Absolument, et je vous remercie de l'invitation. Je ne vous ferai pas attendre, je suis très ponctuelle.

— Vous m'en voyez ravi. Alors à vendredi, Véronique, et portez-vous bien d'ici là.

— Vous de même, Mathieu. Ne travaillez pas trop!

Ils raccrochèrent et, dans son vivoir, tapotant sur le bras de son fauteuil de cuir, Mathieu pensa intérieurement:

Quelle belle sortie ce sera! Une femme aussi charmante et libre en plus... Sans ajouter, dans son subconscient, qu'il éprouvait déjà de forts sentiments pour elle. Véronique, quant à elle, n'osa rien raconter à son amie Sandra, le lendemain, de peur qu'un changement à l'horaire de Mathieu vienne reporter l'engagement. Elle attendit en toute quiétude, espérant que le téléphone ne sonne pas pour annuler le rendez-vous. Songeuse, elle se permit de penser qu'elle était peut-être amoureuse de ce bel homme aux manières distinguées, elle qui n'avait pas connu l'amour depuis son divorce. Elle avait certes accepté quelques invitations ici et là étant plus jeune, mais aucun des prétendants ne l'avait fait trébucher dans des sentiments autres que ceux d'avoir passé une bonne soirée. Néanmoins, elle espérait que, cette fois, ce ne soit pas qu'une histoire d'un soir et que Mathieu était un tantinet sérieux dans son approche. Pourquoi donc en douter? N'était-ce pas lui qui l'avait invitée?

Le vendredi soir, plus décontracté dans ses vêtements que la première fois, ayant laissé la cravate à la maison sans toutefois omettre le veston, Mathieu avait sonné à la porte de l'appartement de Véronique qui, le sac à main sous le bras, descendait l'escalier pour le rejoindre. Les cheveux blonds quelque peu ébouriffés par le vent, les lèvres rouges, le sourire aussi radieux, elle ne portait qu'un pull vert à manches trois-quarts et un pantalon noir qui tombait sur ses escarpins à talons semi-hauts. Sentant le printemps même si nous étions en plein cœur de l'été, sa douce odeur envahit rapidement l'intérieur de la voiture de Mathieu. S'étant serré la main, rien de plus, ils se dirigèrent ensuite vers le restaurant en parlant de la pluie et du beau temps, elle de son travail en comptabilité, lui de sa semaine qui avait été chargée. Le repas fut apprécié, le vin blanc également. Très peu pour lui, un demi-verre de plus pour elle. Mais la conversation avait été agréable :

— Vous ne vous ennuyez pas de la France, de la Suisse ?

— Non, pas tellement, je suis une apatride ! Je crois que je m'habituerais n'importe où et que j'oublierais l'endroit précédent facilement. C'est d'ailleurs ce que je fais depuis toutes ces années.

— Vous avez encore vos parents, Véronique ?

— Mon père seulement, il habite en Suisse, mais il a grandi à Lyon, en France. Très âgé, retraité, il vit non loin de mon frère d'un an plus vieux que moi.

— Donc, vous avez un frère, que fait-il dans la vie ?

— Il est ingénieur électricien, il est marié, il fait vivre sa femme et ses trois enfants, et il habite juste à côté de chez papa. C'est d'ailleurs lui qui a hébergé le paternel tout près de chez lui. Gérard investit beaucoup dans l'immobilier, c'est sa lubie. Il achète et revend sans cesse, mais avec profits. Un très bon homme d'affaires. Mais là, assez parlé de moi, si tu me parlais de toi maintenant ? Boinard, ce n'est pas tout à fait québécois comme nom…

— Tu as raison, mon père est d'origine française, mais plus lointaine que la tienne. L'arbre a peu à peu perdu ses branches et les feuilles se sont dispersées. Il ne lui reste que deux cousins dont il s'est éloigné depuis longtemps. Il est chiropraticien et ma mère, une Québécoise pure laine, a déjà été enseignante. J'avais un frère…

— Oui je sais, ne va pas plus loin. Sandra m'a renseignée… Quelle tristesse…

— Une question indiscrète si tu le permets, tu as déjà été mariée ?

— Oui, un coup de tête, mais éphémère. J'étais bien jeune, dix-neuf ans seulement... Un étudiant en quête d'un bac tout comme moi, mais c'est si loin tout ça... Nous ne nous sommes jamais revus et je ne sais pas ce qu'il est devenu.

— Bon, je n'insiste pas, mais comme tu travailles en comptabilité, c'est que tu aimes les chiffres, n'est-ce pas ?

— Oui, les chiffres et les sciences. Au lycée, j'avais toujours de fortes notes en mathématiques, mon frère aussi, d'où son goût pour les affaires et l'ingénierie. Mais, je regarde ma montre, Mathieu ! Il se fait tard et tu travailles demain, je crois...

— Aucune importance ! je sors si peu souvent et ta compagnie est si agréable...

Elle avait rougi, il avait souri et, se levant après avoir réglé l'addition, il lui offrit le bras jusqu'à la voiture pour ensuite galamment lui ouvrir la portière. Ils avaient tous deux passé une excellente soirée, ils s'étaient plu dès les premiers propos. Au point qu'ils ne s'étaient pas rendu compte d'être passés du « vous » au « tu » sur le sentier des confidences. C'était elle qui, la première, avait rompu la glace de la formalité sans s'en apercevoir... Et Mathieu, sous le charme de son invitée, avait emboîté le pas à la deuxième personne du singulier sans même le constater. Il la déposa chez elle, non sans avoir posé un discret baiser sur ses deux joues et, la voyant ouvrir la portière pour descendre de la voiture, il lui demanda :

— Il est possible de se revoir ?

— Je n'osais te poser la question… mais bien sûr, j'en serais ravie.

— J'ai pensé… Comme nous sommes libres tous les deux…

— Toi, tu as pensé, Mathieu, et moi j'ai ressenti… Je crois que toi et moi pouvons faire bonne route ensemble… Est-ce donc moi qui propose ? ajouta-t-elle en riant de bon cœur.

— Merci de le faire, tu trouves les mots plus facilement que moi. J'ai trop de médecine dans la tête, mais c'est exactement ce que j'aurais voulu te dire. Je serais très heureux de te fréquenter assidûment, si tu le veux, évidemment.

En guise de réponse, Véronique se pencha à l'intérieur de la voiture et vint clore le sujet en déposant un baiser sur ses lèvres. Un léger baiser qui lui avait laissé un goût de miel et qu'il aurait souhaité prolonger.

Véronique lui sourit, monta chez elle sans se retourner, et Mathieu, resté devant sa porte jusqu'à ce qu'il la sente en sécurité, reprit le chemin de son appartement en respirant de contentement. Souriant en se regardant dans le rétroviseur, il se sentit soudainement heureux. Ce premier rendez-vous l'avait comblé. Mathieu Boinard venait enfin de retrouver la dive essence du verbe aimer.

Le lendemain soir, après une journée chargée à l'hôpital, il était allé manger chez sa mère qui l'attendait avec un rôti de porc comme il les aimait. Avec patates rondes au four, sauce au citron, légumes pas trop cuits… Renaud était content d'avoir son aîné à sa table. Un souper à trois rehaussait de beaucoup la conversation. Il pouvait s'entretenir de médecine avec Mathieu, discuter de ses patients à lui qui se plaignaient sans cesse lors des manipulations, parler d'autres choses que de Caroline et Paul, comme c'était la coutume avec Émilie. Au milieu du repas, alors que Renaud se servait un peu de vin blanc, Mathieu les regarda pour leur dire :

— Vous allez être contents tous les deux, je suis amoureux.

Émilie faillit laisser tomber sa fourchette :

— Quoi ? Tu as enfin trouvé une fille qui te plaît ?

— Oui, maman, et je suis certain qu'elle vous plaira aussi. Elle est Française, elle est comptable dans une firme réputée, elle est divorcée depuis plusieurs années, elle n'a pas d'enfants, elle a trente ans et elle se nomme Véronique Danaud.

— Bien, ça parle… Elle est sûrement jolie aussi…

— Oui, maman, autant qu'il soit possible de l'être. Une femme distinguée, bien élevée, une femme faite sur mesure pour moi. Nous allons nous revoir, c'est quand même récent, mais d'ici quelques semaines, si tout va comme je l'espère entre nous, je vous la présenterai.

— Nous en serons enchantés, Mathieu, répondit le père.

Après le départ du fils en fin de soirée, Émilie regarda son mari et lui dit : « Dieu soit loué ! Joey m'a écoutée ! Je lui ai demandé de trouver une femme pour son frère. Tu vois, Renaud ? Il vient de le faire ! Comment ne pas croire à présent ! »

Heureuse à l'idée de savoir son fils en bonne compagnie, Émilie s'empressa d'appeler Caroline le lendemain pour le lui annoncer. Cette dernière, ravie pour son neveu, répondit :

— Tant mieux s'il a trouvé ! Et comme Mathieu est plus sérieux que je peux l'être, il a sûrement choisi une femme qui lui convient. Quant à moi, aucune chance de ce côté. Je suis trop impulsive, je prends n'importe qui et je sors perdante chaque fois.

— Tu avais William... Ce qui aurait pu être pour la vie.

— Oui, je sais, je fais mon *mea culpa*, Émilie. Il est parti, une autre vit heureuse avec lui. J'étais trop exigeante... Tu sais, dans la soixantaine, on ne pense plus de la même façon. Le Bélier en moi est fatigué de dominer, il s'est de beaucoup apaisé, mais ce qui est fait est fait, n'est-ce pas ?

— Tu ne t'ennuies pas trop, Caroline, seule à longueur de journée ? Je suis là, tu le sais, mais je ne comble pas entièrement le vide.

— En effet, Émilie, mais j'ai pris une décision qui devrait te plaire. Je vais reprendre le travail à temps partiel. Mon ancienne collègue avec qui je suis encore en contact a besoin d'une pharmacienne le soir et le samedi. Elle m'a demandé si ça m'intéressait et j'ai accepté sans hésiter. Tu sais, avoir vendu, c'était une bonne affaire, mais j'ai quitté le travail trop vite cependant. Prendre une retraite dans la cinquantaine, c'est trop tôt, on est encore trop jeune pour se sentir à l'aise dans la peau d'un ou d'une pensionnée. Même à soixante et un ans, Émilie ! J'ai encore le vent dans les voiles, je me sens utile, je veux retourner sur le marché, mais pas à temps plein. Et lorsque j'approcherai de la prochaine décennie, ce sera peut-être le moment de me retirer tout doucement, de m'acheter un petit chien et de le promener chaque jour. Un vrai compagnon, quoi !

— Tu ne cherches plus d'homme, ma petite sœur ?

— Non, je n'en veux plus, je veux vivre en fonction de moi seulement, ne dépendre de personne. J'ai eu William, j'ai été heureuse avec lui et ça m'a suffi. Les deux suivants, mieux vaut ne pas en parler, un cauchemar l'un après l'autre ! Je me rappelle à peine leurs visages tellement ils ne m'ont pas fait d'effet !

Émilie éclata de rire et, contente pour sa sœur qui n'avait guère été chanceuse dans sa vie de femme à ce jour, elle lui déclara :

— Tant mieux pour le travail, ça te rajeunira, Caroline ! Tu n'es pas du genre à faire le ménage, à entretenir une maison, à faire tes emplettes...

— Non, pour ça, il faut avoir un mari et des enfants. Comme toi, Émilie ! Ce qui n'est pas mon cas.

— Mais ce qui n'empêche pas qu'un jour, peut-être... Tu sais, tu es bien jeune encore, tu as belle apparence et il se peut...

— Advienne que pourra, Émilie, moi je n'y pense même pas. Au diable le destin ! Il m'a bien mal servi avec mes prétendants. Libre enfin ? Alors, cherche avec moi, pour quand le temps viendra, un petit chien qui me plaira !

Fin octobre, les feuilles encore au sol, salies par la pluie et les pas des badauds, et Mathieu fréquentait sérieusement Véronique qui lui rendait pleinement ses attentions. Ils allaient l'un chez l'autre, chez elle le plus souvent parce qu'elle cuisinait bien, au cinéma voir des films, français de préférence, elle aimait bien Romane Bohringer qu'elle avait appréciée dans *Les poètes maudits,* et Benoît Magimel dans *Le roi danse*. Ce dernier avait aussi tourné l'an dernier dans *Sans laisser de traces* qu'elle n'avait pas encore vu et qu'elle se promettait de louer pour le visionner avec Mathieu. Ils allaient au restaurant, ils passaient des fins de semaine dans des auberges, ils s'aimaient... Parce que sur ce point, c'était l'harmonie totale. On n'aurait pu trouver de couple plus compatible que celui-là sur le plan charnel. Mais le cœur était aussi présent que le corps dans ces moments intimes. Parfois même un peu plus. C'était l'amour en lettres majuscules. Pas un coup de foudre pour Mathieu, cette fois, mais un coup de cœur qui non seulement persistait, mais grandissait au fil des jours. Ils étaient allés souper et veiller chez Richard et Sandra et, à son tour, Véronique les avait invités à son appartement pour leur démontrer son savoir-faire culinaire. Or, après toutes ces semaines à se voir très souvent, sûr l'un de l'autre, Mathieu décida qu'il était temps de la présenter à ses parents. Et c'est ce qu'il fit le dernier samedi d'octobre 2011, deux jours avant la traditionnelle Halloween. Ils étaient arrivés en après-midi pour que monsieur et madame Boinard puissent faire sa connaissance avant de passer à table. Émilie avait préparé des hors-d'œuvre qu'elle comptait servir avec un vin léger ou un thé vert ou noir, selon les goûts de la dame. Lorsque Mathieu leur présenta sa compagne, ils en furent estomaqués tous les deux, c'était comme si Véronique avait été faite sur mesure pour leur fils. Tout ce qu'ils trouvaient en elle se retrouvait chez Mathieu. On aurait pu jurer qu'ils avaient été élevés ensemble. La jeune femme, bien mise, vêtue d'une robe d'automne d'un vert émeraude qui contrastait très bien avec ses cheveux blonds, s'était parée de bijoux de filigrane ayant appartenu à sa grand-mère. Mathieu, élégant, mais décontracté, n'avait d'yeux que pour sa jolie partenaire. La conversation s'engagea sérieusement, Renaud apprit tout d'elle, Émilie y allait de propos plus légers et Véronique fut enchantée du souper d'apparat qu'avait préparé la mère de celui qu'elle aimait.

Après leur départ, subjuguée par la visite de la jolie comptable, Émilie avait dit à son mari en rêvant du moment :

— Ils vont finir par se marier ces deux-là, je le sens... Il a trouvé celle qu'il lui faut, cette fois. Quel merveilleux couple !

Renaud, plus discret, d'ajouter simplement :

— Tout est possible, Émilie, mais laisse du temps au temps, ils viennent à peine de se connaître.

Le lendemain, encore sous l'effet de la rencontre, Émilie avait téléphoné à sa sœur pour lui dire :

— Il ne faudra pas compter sur Mathieu pour skier cet hiver, je crois qu'il a trouvé celle qui va le suivre sur les pentes. Il nous a présenté son amoureuse, hier soir. Tu devrais la voir, Caroline, elle est superbe ! Sur mesure pour lui ! Quel beau couple ils forment !

— Bien, voilà qui me plaît ! Pour le ski, ça m'arrange, je n'ai plus la force de mettre mon attirail et de descendre des pentes. Je suis de moins en moins habile. Contente qu'elle prenne ma place... Pour ce qui est de leur couple, tant mieux si c'est sérieux. Un beau mariage ne serait pas de refus après toutes les ruptures auxquelles nous avons assisté.

— Quelles ruptures ?

— Bien, Manu et Paul, Mathieu et Geneviève, les miennes...

— Tu penses aux tiennes, Caroline ? Tu disais que c'étaient de bons débarras !

— Les deux escogriffes, oui, mais William, non.

— Tu n'as pas encore fait le deuil de ton mari ? Allons, ça commence à faire des lunes et il est remarié.

— Je sais, mais j'y pense encore. Si tu savais tout ce que je me reproche. J'ai des regrets, j'ai des remords...

— Prends sur toi, trop tard pour ça, ma petite sœur. Regarde plutôt en avant. On ne construit rien de solide sur les effondrements.

Novembre, tout était au beau fixe et Émilie vaquait à ses occupations lorsque Mathieu l'appela un certain soir pour lui demander :

— Dis, maman ? Ça ne te tenterait pas de déménager ?

— Déménager ? Voyons donc ! Nous avons notre maison, Mathieu !

— Oui, je sais, mais avez-vous encore besoin d'une si vaste demeure ? Vous n'êtes que deux, maman. Vous seriez beaucoup plus à l'aise dans un condo comme le mien, il y en a justement un à louer un étage plus bas. Tu aurais moins d'entretien à faire, tu pourrais te détendre davantage, avoir moins de meubles...

— Tu crois que je me départirais de ce que j'ai depuis toutes ces années ? J'adore ma maison, Mathieu, je suis attachée à mes meubles, à mes murs, à mes tableaux en place, à mes vases sur les tables... Je suis une nostalgique, tu le sais bien. S'il était possible de trouver un tourne-disque comme celui que nous avions quand vous étiez jeunes, je l'achèterais dès demain. Et puis, ici, je suis près de l'église, près de mon petit centre commercial dont je connais les magasins et près du columbarium où je me rends souvent... Tu voudrais me voir m'éloigner de tout cela ?

— Non, pas le columbarium, tu conduis encore la voiture, maman, tu pourrais t'y rendre aussi souvent. Ce que je veux dire, c'est que tu pourrais alléger tes tâches, penser un peu à toi…

— Pour faire quoi ? Regarder d'un septième étage un néant et des toits de maison ? Ici, je vois les mêmes oiseaux chaque matin, la dame d'en face qui promène ses chiens… De plus, je m'ennuierais de n'avoir pas autant d'entretien à faire, j'aime épousseter, passer l'aspirateur, faire tout reluire… Je travaille le jour et je me détends avec ton père le soir. Telle est ma routine, Mathieu, et je ne pourrais pas être aussi heureuse dans un condo. Aussi, quand les petits-enfants viendront…

— Quels petits-enfants ?

— Ceux que le Ciel voudra bien me donner, les tiens peut-être, ma petite Madeleine que je reverrai sans doute… Une grande maison, c'est comme un grand cœur. Prêt à tout recevoir, à tout garder, à abriter quand vient le temps… Non, Mathieu, je ne bougerai jamais d'ici tant que ton père sera vivant. Et puisse Dieu me reprendre avant lui, parce qu'il sera plus facile pour lui de tout vendre quand le moment viendra…

— Bon, arrête, maman, je ne voulais pas aller si loin. Ce n'était qu'une suggestion, mais comme elle ne semble pas t'intéresser, je ne veux pas entendre parler de ta mort éventuelle. On a déjà perdu un gros morceau…

— Oui, et ne parle pas de ton idée avec ton père, ça pourrait semer une discorde entre nous s'il s'y intéressait.

— Promis, maman, motus et bouche cousue, je ne reviendrai plus sur le sujet, je croyais bien faire…

— Je sais, et je te remercie de penser à nous de la sorte, mais pense plutôt à toi, Mathieu. Ton avenir est bien plus important que le nôtre. C'est toi le débutant maintenant, ton père et moi en sommes au dernier tournant, sinon pas loin...

— Bon, je te laisse maman, je dois partir, Véronique m'attend.

— Embrasse-la de ma part, mon grand. Et de celle de ton père, bien entendu.

— Je n'y manquerai pas. Bonne fin de soirée à vous deux.

— Merci, j'entends justement ton père mettre la clef dans la serrure et mon foie de veau n'est pas tout à fait dégelé... À plus tard, à un autre jour, bonne soirée à toi aussi.

Dimanche 4 décembre, alors qu'Émilie, levée tôt, remettait de l'ordre dans sa cuisine après avoir reçu Véronique et Mathieu à souper la veille, le téléphone sonna. Trop tôt pour que ce soit Caroline, elle aimait faire la grasse matinée. Laissant un plat sur le comptoir, elle se dirigea vers l'appareil pour y lire : Appel privé. Un mauvais numéro, sans doute. Au bout du fil, c'était l'urgence d'un hôpital du centre-ville qui l'avisait que Paul Hériault était hospitalisé à cet endroit après avoir fait une très vilaine chute chez lui. Il voulait s'en aller, signer des refus de traitements, mais on l'avait convaincu, au moins, de joindre quelqu'un pour venir le chercher.

— Puis-je lui parler, madame ?

— Non, il est trop loin du poste, mais nous allons l'aviser de votre arrivée si vous comptez venir le chercher.

— Bien sûr que je vais y aller... C'est lui qui vous a demandé de m'appeler ?

— Non, on a trouvé votre nom et votre numéro de téléphone dans ses papiers. Il était inconscient quand il est arrivé. Vous êtes sans doute une proche parente, madame ?

— Oui, je suis sa sœur, et dites-lui que j'arrive dès que possible.

— Le message sera fait. Il est à l'unité 12, mais faites vite, on a besoin du lit qu'il occupe, l'urgence est pleine…

Émilie n'avait pas attendu la suite, elle savait que les urgences débordaient, il en avait toujours été ainsi malgré les promesses du gouvernement. Avisant Renaud qu'elle s'en allait chercher Paul, ne sachant pas trop ce qui lui était arrivé, son mari lui avait dit :

— Je vais y aller avec toi, je ne peux pas te laisser seule…

— Non, reste ici, je veux justement être seule avec lui si c'est quelque chose d'inusité, tu comprends ? Moi, les chutes…

En moins de vingt minutes, Émilie était sur les lieux et n'eut aucune difficulté à repérer l'unité 12 où son frère était assis dans un lit. La voyant s'approcher, il lui dit :

— Émilie ! Quels imbéciles ! Je leur ai demandé d'appeler un taxi ! Ils n'avaient pas à déranger qui que ce soit, je ne leur ai pas donné ton numéro…

— Qu'importe Paul, je suis là maintenant. Enfile tes vêtements, enlève cette jaquette, je vais aller signer les papiers au poste et te ramener à la maison.

Elle se rendit voir l'infirmière en chef qui ne voulait pas laisser partir Paul sans l'autorisation du médecin de garde. Ce dernier, prévenu de l'arrivée de la sœur du patient, se dirigea au poste pour signer le congé du malade et dire à Émilie qui le regardait faire :

— Il a été pas mal tabassé, madame. Il insiste sur une chute dans la cuisine, mais il y a anguille sous roche, on ne se blesse pas autant en tombant, à moins d'atterrir sur un radiateur en béton. Nous prenons sa parole, on ne peut rien faire de plus, à vous de jouer maintenant. Vous savez, à son âge, on est plus têtu comme patient…

— Oui, je le connais, mais je vais m'arranger avec lui. Aucune contusion grave, il n'a pas à revenir pour des radiographies ? Je trouve son œil pas mal bleu… Aucun risque de séquelles ?

— Ça, on ne sait jamais, mais les radios ne montraient rien de sérieux. A-t-il un animal chez lui ? Parfois, les animaux font tomber les gens âgés quand ils les accrochent sans les voir.

— Non, il n'en a pas. Bon, j'ai tout ce qu'il me faut ? Merci, docteur, vous avez été généreux de votre temps.

— C'est là notre devoir, madame.

— Oui, mais j'en connais de plus expéditifs ! Merci encore !

Émilie prit les biens de son frère et, l'entraînant jusqu'à la voiture, même s'il boitait de la jambe gauche, elle le fit monter à l'avant et démarra en direction du Plateau en empruntant la rue Cherrier.

Chez lui, à l'abri des regards de la voisine qui écorniflait souvent, Paul put réintégrer son appartement en se camouflant le visage derrière le col de son imperméable. Rentrée, Émilie sursauta, il y avait un tel désordre dans la maison, des meubles étaient par terre, il y avait eu bagarre, c'était plus qu'évident.

La voisine, les sachant maintenant à l'intérieur, frappa à la porte et Émilie l'entrouvrit seulement pour qu'elle ne voie pas le désordre qui y régnait :

— Monsieur Hériault se porte-t-il bien ? C'est moi qui ai appelé Urgences-santé. La porte était restée ouverte et je l'ai aperçu par terre.

Comme la dame avait vu le saccage des lieux, Émilie ouvrit un peu plus avant de lui demander tout bas, pour ne pas être entendue de son frère :

— Avez-vous été témoin de quelque chose ? A-t-on fait du tapage ?

— J'ai entendu des cris, pas de votre frère, je connais sa voix, mais de celle de quelqu'un d'autre. Peut-être celui qui restait là depuis quelque temps. Puis, j'ai entendu des bruits, des choses qui tombaient, puis plus rien. J'ai regardé par l'ouverture de ma porte et j'ai vu un gars partir avec une tuque enfoncée sur la tête et un manteau au collet remonté. Je l'ai vu de dos seulement, mais j'ai reconnu ses jeans, c'était le gars qui venait souvent depuis une semaine ou deux. J'ai ensuite jeté un coup d'œil, et le reste, vous le savez. J'ai appelé Urgences-santé, ils sont venus en ambulance parce qu'il était inconscient et ils l'ont emmené à l'hôpital. Je n'ai pas appelé la police, je pensais qu'eux le feraient… C'est à peu près tout. Il va mieux, maintenant ?

— Oui, il se remet. Merci de vos renseignements, madame, ils seront fort utiles.

— Vous êtes bien sa sœur, n'est-ce pas ? Il me semble vous avoir déjà vue…

— Oui, je suis sa sœur et je suis venue quelquefois visiter mon frère. Bon, désolée, je dois vous quitter, il a des pansements à changer… Merci encore, madame.

— Vous savez, si vous avez encore besoin de moi comme témoin…

— Oui, oui, bien aimable, merci, madame.

Puis, Émilie, encore sous le choc de ce qui s'était passé, avait refermé la porte au nez de la voisine.

De retour avec Paul qui buvait un café, elle lui demanda :

— Tu es prêt à m'ouvrir ton sac ? À me dire ce qui t'est arrivé ?

— J'ai entendu ce que la commère te disait, elle a exagéré…

— Non, Paul, elle disait ce qu'elle savait, rien de plus… Mais toi, tu as sûrement d'autres propos à tenir que les siens. Et ne me joue pas le coup de la chute, je sais très bien qu'il s'agit d'un gars et non d'un simple manque d'équilibre. Même saoul, tu ne tombes pas comme ça, d'habitude. Alors, tu me dis ce qui s'est passé ou je demande à la police de venir faire son enquête…

— Bon, ça va, ne t'énerve pas, c'est pas si grave, ça peut arriver à tout le monde dans le milieu. J'ai trop fait confiance…

— Qui est le gars qui t'a tabassé de la sorte, Paul ?

— Jimmy… ou j'sais pas trop, moi les noms, je ne les retiens pas.

— Voyons, il était chez toi depuis un certain temps ! Tu dois le savoir, tu l'as hébergé ! Depuis combien de temps vivait-il ici ?

— Bah ! une semaine tout au plus, j'ai tellement bu avec lui, je ne sais plus exactement.

— Tu faisais pourtant tes journées au travail, donc tu ne buvais que le soir. Comme d'habitude ! Où l'as-tu pêché, celui-là ?

— Dans le Village... Un nouveau venu. Il avait l'air plus honnête que les autres, je l'ai invité un soir et il m'a demandé de rester. Généreux comme je suis...

— Non, Paul, vicieux comme tu es, tu l'as gardé ! Avec le résultat qu'on connaît ! Un jeune dans la vingtaine, je présume ?

— Bien, plus ou moins, vingt-neuf, trente ans, je ne sais plus...

— Écoute, Paul, tu as été tabassé par un inconnu, tu as sans doute été volé...

— Oui, il a vidé mon portefeuille et il a pris une carte de crédit, mais je l'ai vite annulé quand je m'en suis aperçu. Il a aussi volé ma montre, mes bagues dans mon coffre à bijoux, des bouteilles de vin... Tout sortait sans que je m'en rende compte. Or, quand je m'en suis rendu compte, j'avais pris un verre de trop et je l'ai traité de voleur. Je lui ai dit que j'allais appeler la police et c'est là qu'il a sauté sur moi pour me frapper, me jeter par terre et me rouer de coups de pied, dont un au visage, jusqu'à ce que je perde connaissance. Ensuite, je ne sais plus rien, je me suis réveillé à l'urgence, j'étais amoché, j'avais mal partout... J'ai encore mal, mon dos, ma jambe gauche, mon bras, mon épaule, mon œil...

— Oui, tu as été sauvagement agressé, Paul. Cette fois, ça ne restera pas là. Nous allons appeler la police, déposer une plainte, retrouver le gars, la voisine l'a déjà vu, elle pourra le reconnaître. Il y a toujours des limites à s'en prendre aux clients, même dans ce milieu. Ça fait deux fois qu'un tel malheur t'arrive, il faut le faire arrêter avant qu'un autre soit magané ou tué par une brute comme lui. Passe-moi le téléphone derrière toi !

— Émilie, ne fais pas ça ! Ça va se retourner contre moi.

— Non, Paul, tu as été agressé, on s'en est douté à l'hôpital ! Ce gars-là peut revenir avec d'autres... Tu sais, de nos jours, pour s'acheter de la drogue, on fait n'importe quoi. Laisse-moi téléphoner.

— Non, Émilie, je ne veux pas que cette histoire se rende plus loin qu'ici. Et là, écoute-moi.

Très mécontente, elle prit le fauteuil qu'il lui désignait et il lui débita :

— Si on appelle la police, si on dénonce un cas comme celui-là, ça va se rendre aux médias, Émilie. Tu te rends compte de ce qui va m'arriver si on m'identifie publiquement comme victime d'une agression d'un prostitué ? Tu t'imagines la tête des gens au bureau quand ils vont lire ça dans le journal ou le voir à la télé ? On fait un drame de tout de nos jours, on va me mettre en évidence, on va faire semblant de me plaindre, mais tous vont savoir que je suis homosexuel et que j'ai sans doute payé un gars pour venir chez moi ! Imagine la suite, Émilie ! Témoigner en Cour en plus... Puis, comme un plus un fait deux, ça va égratigner toute la famille. Pense à Justine qui travaille avec moi... Non, laisse faire, le temps va tout arranger, personne ne sera éclaboussé, mon nom ne sera pas traîné dans la boue et, par conséquent, celui de Caroline non plus. Je préfère garder ça sous silence, en tirer une bonne leçon et prendre un congé de maladie en leur disant que j'ai fait une chute qui m'immobilise pour un certain temps. Pour ce qui est de la famille, pas un mot sur l'affaire, juste à Renaud si tu veux bien, car j'aurai sans doute besoin de ses soins... Mais pas à Caroline, je t'en supplie ! Laisse l'appartement tel qu'il est, je vais le remettre en ordre demain ou après-demain.

— Non, je vais au moins ramasser ce qui traîne, relever les lampes par terre, replacer les fauteuils...

— Tu es bien bonne, Émilie, je te revaudrai ça.

— Non, ce n'est pas de la bonté, Paul, c'est devenu de la pitié. Je vais me taire, je vais me plier à ta volonté, mais je te préviens pour la dernière fois, Paul ! Si tu ne changes pas, si tu ne t'améliores pas, si tu continues de boire et de bambocher, je te laisse tomber !

Chapitre 10

Dimanche 18 décembre 2011

Chère Émilie,

Il me faut t'écrire, c'est la seule façon de m'ouvrir le cœur sans être interrompu. Je sais que tu ne veux que mon bien et j'ai été incapable de te faire plaisir jusqu'à ce jour. Je pense être maintenant en mesure de le faire si tu veux bien croire en moi une fois de plus. Avant toute chose, merci de m'avoir soutenu lors de ma dernière mésaventure. Merci de ne pas m'avoir trahi, merci mille fois de ta discrétion. Tu es une femme incomparable et une sœur inestimable. Voilà pourquoi je tiens à toi plus qu'à tout au monde.

Pour résumer l'incident dont tu as été témoin ou presque, je vais être franc avec toi cette fois, je ne te cacherai rien, cela fait partie du passé maintenant. Un Nouvel An va bientôt se lever. 2012, Émilie ! L'année où tout va changer pour moi avec l'aide de Dieu, bien entendu. J'espère bénéficier de tes prières aussi. J'implore Joey de temps à autre, mais j'ai l'impression qu'il n'aide pas ceux qui ne veulent pas s'aider. Et c'était mon cas. Tu sais, Émilie, le gars qui m'a agressé n'avait pas trente ans, mais vingt-cinq ans tout au plus. Je ne le connaissais pas, il m'a croisé dans un sauna, il m'a souri, j'ai compris qu'il était un « commercial » comme on les qualifie dans le coin, et je l'ai invité à la maison. Parce qu'il était beau, que j'en avais envie et que j'avais passablement bu.

Or, ce jeune hispanique, Péruvien ou Colombien, je ne sais trop, m'avait dit s'appeler Vari comme s'il venait d'Hawaï. Ce qui n'était pas le cas. Comme d'habitude, j'ai accepté ses avances et je l'ai payé après ses services d'une soirée et d'un début de nuit. Mais, il m'a demandé de rester, il voulait vivre avec moi pour quelque temps sans rien me charger, pourvu que je lui serve à boire et à manger. Tu me connais, je n'ai pas pu refuser, il avait été plus qu'intéressant lors de son engagement. Je t'épargne les détails, je n'ai rien à t'apprendre. Sauf qu'après quelques jours de gentillesse, il a commencé à être exigeant, à vouloir de l'argent, je le sentais en manque, je ne savais pas qu'il se droguait. J'ai refusé, je lui ai dit qu'il devait partir le lendemain, que notre séjour à deux était terminé. Durant la nuit, il m'a volé et, au petit matin, avant de s'en aller, voyant qu'il semblait avoir les poches pleines, j'ai voulu le retenir, reprendre ce qui m'appartenait, avec le résultat que tu connais. J'aurais dû le laisser partir avec son butin. On ne doit pas risquer sa vie pour quelque deux cents dollars, une montre, quelques bijoux… J'aurais pu me faire tuer pour si peu, quand j'ai tant d'argent à la banque. Et comme il avait besoin de sa drogue, qu'il était nerveux… Mais comme j'étais encore saoul de la veille et que j'avais déjà repris la bouteille…

Alors, voilà Émilie, c'est derrière moi, tout ça, et j'ai pris une décision qui va te faire plaisir. Je vais vendre mon condo du Plateau et en acheter un de l'autre côté de la rivière, à Laval quelque part, il y en a plusieurs d'annoncés dans les journaux et sur Internet. Peut-être même dans l'immeuble de Mathieu... Chose certaine, je vais quitter ce quartier qui me garde dans mes vices comme tu les appelles. Loin de la rue Sainte-Catherine, plus près de la nature et des endroits reposants, ma vie va changer, je le sens. Non pas que je vais complètement cesser de boire, pas pour l'instant, mais dans un nouveau décor avec moins de tentations, je vais diminuer graduellement et essayer de me remettre d'aplomb. J'ai eu soixante et onze ans il y a quelques jours, il est temps pour moi de constater qu'à un âge respectable on ne peut jouer avec sa chance indéfiniment sans risquer de nuire à sa santé. Je vais aussi cesser de fumer, il me faut regagner la forme et Mathieu va m'aider s'il a encore un peu d'affection pour son oncle.

Je n'irai pas plus loin, Émilie, mais je veux que tu saches que mon enfer est pavé de bonnes intentions... Aide-moi à vendre et à trouver autre chose et aide-moi à déménager. C'est tout ce que je te demande, petite sœur. Après, il n'en tiendra qu'à moi de me relever, de me tenir debout et de réaliser que les vices, à mon âge, se doivent d'être terminés. Ne parle pas de cette lettre à Renaud et surtout pas à Caroline, garde-la entre toi et moi, mais je te permets d'en glisser un mot discrètement à Mathieu, car j'aurai besoin de ses soins préventifs pour ne pas me retrouver brusquement parmi ses patients. L'année se termine bientôt, l'hiver sera là dans une semaine, il fait soleil, il neige, il grêle, c'est décembre qui hurle, mais ces jours d'intempéries ne sont rien à côté des regrets que j'ai de ma vie. Je pense souvent à Manu, je me repens de ce que je lui ai fait subir, je donnerais tout pour le reprendre, mais à quoi bon... Les remords ne sont pas des cautions pour tant de trahisons. Qu'il soit heureux comme j'aurais pu l'être avec lui, si seulement j'avais compris...

Excuse mon long bavardage, mais il fallait que je me livre, Émilie. À toi seule qui me tends encore la main alors que tant d'autres me repoussent. Ne me réponds pas, aide-moi juste à trouver un nouveau gîte quelque part et tu verras que je ferai ma part. Je ne te décevrai pas, je te le promets, je pourrais le jurer, mais j'ai besoin d'être encore plus fort pour le faire. Surtout sur la tête de Joey!

Je t'embrasse, petite sœur, et je remets mon sort entre tes mains. Merci de l'empoigner fermement.

Paul

Émue, il va sans dire, Émilie relut la lettre une autre fois avant de la déposer dans la poche de sa robe d'intérieur. Elle avait déjeuné, rangé la confiture et le pain, et elle allait mettre le couvert pour Renaud qui se lèverait dans une quinzaine de minutes pour ensuite se rendre à sa clinique où ses premiers patients l'attendraient. Ce mercredi était humide, ça sentait vraiment l'hiver avec ces brusques changements de température d'une journée à l'autre. Renaud se leva, prit une douche, s'habilla, mangea en vitesse et enfila rapidement son imperméable doublé de fourrure. Regardant sa femme, il lui demanda:

— Que vas-tu faire de ta journée, ma chérie ?

— Je ne sais trop, peut-être aller magasiner avec Caroline, peut-être pas, mais il me faut aller acheter des cadeaux pour Mathieu et Véronique. Ainsi que le tien !

— Allons, je n'ai besoin de rien…

— Oui, comme à chaque Noël, mais tu sais fort bien que tu auras quelque chose à déballer au pied du sapin.

Il sourit, l'embrassa sur le front et partit pour ne pas être en retard à son premier rendez-vous de la matinée. Restée seule, relisant la lettre de son frère, Émilie fut prise de compassion pour lui. Il semblait avoir tant de remords, cette fois, il lui paraissait si anéanti qu'elle ne pouvait le « laisser tomber » comme elle l'en avait menacé. Et comme il promettait de s'amender, de changer, de même déménager… Elle était quelque peu sceptique, il lui avait fait tant de serments par le passé sans en tenir aucun, mais cette fois, après l'incident qui aurait pu lui coûter la vie, elle osait croire qu'il avait eu assez peur de ce goujat et de la sauvage attaque pour vivre dans l'inquiétude de ce milieu, s'installer dans un quartier plus paisible, changer un peu son existence… Tout en maintenant ses penchants, bien entendu, mais qui sait si, avec le temps, il ne rencontrerait pas quelqu'un comme Manu, un bon compagnon de route pour ses vieux jours… Elle soupirait, elle se permettait d'espérer, mais elle allait tout faire pour l'éloigner non seulement du Plateau, mais du bas de la côte qui l'avait tant malmené ces dernières années. De l'autre côté du pont Lachapelle, pas loin de chez Mathieu, il ne pourrait s'adonner à ses vices aussi facilement. Il allait certes dormir encore avec ses fantasmes, mais à son âge, il n'aurait plus la force et encore moins l'énergie pour aller… à la chasse !

Prenant son courage à deux mains, annulant la sortie prévue avec Caroline en après-midi, elle la reporta au lendemain ou vendredi, prétextant une migraine. Puis, attendant que la journée s'écoule, elle soupa avec Renaud et lui avoua de façon évasive :

— Paul veut déménager, il aimerait s'acheter quelque chose au nord de la métropole ou à Laval, il souhaite quitter son quartier.

— Bon, voilà qui serait bien pour lui ! Loin de ces lieux qui lui sont défavorables, il risque de devenir plus sérieux. Ce qui serait raisonnable à son âge avancé.

— Je crois qu'il a envie de changer de vie, de diminuer sa consommation d'alcool, de prendre soin de sa santé.

— Bien, il en est temps, Émilie ! Il a eu de la veine de s'en être tiré pas trop mal sur le plan médical, mais il ne peut jouer avec le fruit du hasard indéfiniment. Il veut déménager maintenant ?

— Non, sûrement pas avant les Fêtes, ce serait insensé, mais en janvier ou février peut-être ? Il tient à trouver avant de vendre.

— Ce qui est raisonnable. Pourquoi ne regarde-t-il pas du côté de Chomedey, là où Mathieu habite ? Les condominiums sont superbes, le service d'autobus doit l'être aussi, c'est si près de Montréal, juste un pont à traverser…

— Oui, là ou à Duvernay… Mais je crois que Laval l'intéresse. Il ne veut pas aller sur la rive sud, il ne connaît personne dans ce coin-là, nous sommes tous plus près du nord de la ville. Même Caroline…

— Ce qui ne change rien en ce qui la concerne, ils ne peuvent se souffrir, l'un l'autre ! Et ça, de près ou de loin, ça ne se corrigera pas !

Émilie laissa Renaud regagner le salon avant de tenter d'atteindre Mathieu à son appartement. Prêt à partir pour se rendre chez Véronique, il prit quand même le temps d'écouter sa mère. Lui faisait part du désir de Paul de vendre son condo du Plateau et de s'en acheter un à Laval non loin du sien, Mathieu hésita et, incertain, répondit:

— Je ne suis pas sûr d'avoir envie de l'avoir comme voisin. Dans le même immeuble, il serait souvent chez moi... Tu comprends, maman? Avec son genre de vie, son sans-gêne, son alcoolisme... Je l'aime bien, mais pas à un ou deux étages plus bas ou plus haut que le mien. Il y en a plusieurs à vendre près du métro Cartier, moins chers qu'ici...

— Non, pas près d'un métro, il sauterait dedans et descendrait en ville très souvent. Il faut l'isoler davantage, Mathieu.

— Pourquoi pas à Sainte-Rose, maman?

— Non, trop loin, c'est moi qui serais prise avec ses déplacements. Écoute, Mathieu, Paul est ton oncle, il est âgé, il ne peut plus faire la même vie qu'avant. Je suis certaine qu'il ne serait pas dérangeant s'il habitait près de chez toi...

— Bon, puisque tu y tiens et qu'il est un membre de la famille, je vais jeter un coup d'œil. Celui que j'avais en vue pour papa et toi a été vendu, mais il y a un autre immeuble juste à côté et un autre un peu plus loin. Laisse-moi vérifier et je te rappellerai. Il faut que je raccroche, Véronique m'attend, nous allons au cinéma ce soir.

— Ah oui? Un nouveau film qui vient de sortir?

— Non, un film de cet été, *Les Bien-aimés* avec Catherine Deneuve. On le présente dans un cinéma de répertoire et Véronique aime beaucoup cette actrice.

— Moi aussi, elle est si belle encore, je l'ai vue dans *Mayerling*.

— Bon, je te laisse, maman, je suis déjà en retard. Et je t'appelle dès que j'ai du nouveau.

Émilie avait raccroché, elle aurait aimé causer plus longtemps avec Mathieu, mais comme il avait maintenant une femme dans sa vie… Depuis la mort de Joey, il ne lui restait que ce fils à qui parler de choses futiles. Renaud ne voulait rien entendre des ragots concernant les vedettes ou les politiciens, et Mathieu, plus intéressé par la médecine que par les arts en général, ne faisait que plaire à Véronique en se rendant souvent au cinéma avec elle. Parce qu'il l'aimait éperdument !

Renaud s'était assoupi dans son fauteuil devant le bulletin de nouvelles et Émilie en profita pour appeler son frère de sa chambre, où elle ne risquait pas de réveiller son mari.

— Paul ? C'est moi.

— Émilie ! Tu… tu as reçu ma lettre ?

— Oui, étampée de la main qui tient la plume dans le coin gauche… Belle lettre, mon frère, je l'ai lue à deux reprises et si tout ce que tu planifies subsiste encore aujourd'hui, je suis prête à t'aider.

— Je n'ai pas changé d'idée, il faut que je parte d'ici. Je reçois des appels téléphoniques et il n'y a personne bout du fil. Ça m'inquiète. Le plus tôt sera le mieux, crois-moi !

— Écoute, je ne reviendrai pas sur tout ce que tu te promets de faire, mon cher frère, mais j'ai déjà parlé à Mathieu concernant un condo dans le secteur qu'il habite.

— Tu ne lui as rien dit de tout le reste, au moins ?

— Non, ne crains rien, je lui ai dit que tu voulais vivre dans un endroit plus aéré, non loin des cliniques et des hôpitaux, il y en a un à Laval, un autre à Montréal, près du pont Lachapelle… Bref, je lui ai dit que, pour des raisons préventives, tu voulais habiter un quartier moins achalandé. Tu me suis ?

— Oui, bien fine de ne pas avoir dévoilé quoi que ce soit…

— Alors, écoute, Mathieu va jeter un coup d'œil pour toi, mais il te serait difficile de déménager avant les Fêtes.

— Peut-être, mais en début de janvier au plus tard, je veux partir d'ici, j'ai peur de ce gars-là et de ses amis…

— N'ouvre à personne et arrange-toi pour ne pas être souvent seul. Invite des collègues de travail, saute dans des taxis, viens me voir tant que tu voudras, tu ne déranges pas.

— Tu me crois, n'est-ce pas, quand je te dis que je vais changer ?

— Heu… oui, Paul, je te crois… Avec encore un peu de méfiance, mais je veux bien cette fois me fier à ta franchise. À soixante et onze ans…

— Oui, je sais, tout doit changer, Émilie. Merci de ton aide, de ton appui, tu m'enlèves une épine du pied. Et… que faites-vous à Noël ?

— Un souper familial, Paul, comme chaque année. Mathieu viendra avec son amie Véronique que je te présenterai…

— Parce que je serai invité ?

— Bien sûr, voyons, tu l'as toujours été, nous n'allons pas te laisser de côté, mais je te préviens, Caroline sera là. Il faut me promettre…

— Ne t'inquiète pas, Émilie, je maîtriserai ma hargne, je ferai tout en mon pouvoir pour l'éviter à table, je causerai avec Renaud. Mais il faudrait l'avertir, de son côté, de ne pas chercher à m'apostropher... Un mot de travers... Non, je vais me contrôler si c'est le cas. Je te promets de ne rien gâcher de cette soirée, d'autant plus que la Française de Mathieu sera là.

— Véronique, Paul, Véronique Danaud, pas « la Française » ! Une jeune femme admirable, tu verras.

— Je n'en doute pas un seul instant. Connaissant ton fils, ce célibataire quasiment endurci, il n'a sûrement pas jeté son dévolu sur la première venue.

— Tu as des nouvelles de William ?

— Oui, ils m'ont même invité à souper au jour de l'An. Pas croyable d'être devenus amis de la sorte, lui qui me haïssait tant ! Mais, c'était Caroline, tu sais, c'était elle...

— Paul !

— D'accord, je clos la parenthèse. Norma est très aimable de m'accueillir avec quelques autres amis. Elle cuisine très bien, elle est agréable, je vais passer une belle soirée avec eux.

— Bon, contente pour toi ! Plus tu sortiras de chez toi, mieux ce sera ! En espérant que tout s'estompe du côté de ton... Si jamais il revient dans les parages, n'hésite pas, appelle le 911, n'attends pas l'irréparable. Le harcèlement, c'est illégal, tu sais...

— Oui, je connais la loi et j'userai de prudence, mais je ne mêlerai pas la police à cette histoire. Je te l'ai dit, mon nom est plus important que les patrouilleurs du quartier. De toute façon, un vieil homosexuel avec des problèmes... Surtout avec un jeune ! Ils vont en rire et me traiter comme bien d'autres. J'en connais un qui a osé porter plainte et ça s'est retourné contre lui. Je serai vigilant, Émilie, mais donne-moi des nouvelles dès que Mathieu te rappellera, s'il trouve. Sinon, nous irons ensemble explorer les condos du nord de Montréal, ceux de Saint-Laurent, ceux de l'Ouest-de-l'Île... N'importe où loin d'ici ! Qu'importe le prix, Émilie ! J'emprunterai si je n'ai pas assez d'argent !

— Attendons de voir ce que Mathieu trouvera et, si rien de bon ne se présente, nous irons voir près de Place Vertu ou plus à l'ouest encore. Mais, d'ici deux mois, tu seras sorti de ton quartier, mon frère, ça je peux te le jurer !

Mathieu, malgré son lot d'occupations en décembre, avait pris le temps de faire des recherches dans tous les immeubles à condos voisins du sien. Dans celui à sa gauche, il y en avait justement un à vendre pour cause de mortalité. Et ça semblait pressé, la veuve avait hâte de s'en défaire. Facilement négociable, Paul pouvait l'obtenir pour un prix révisé et s'y rendit avec Émilie un après-midi de la fin de semaine qui suivait. Un beau cinq-pièces au deuxième étage, avec balcon, très propre, frais peinturé et rénové à souhait. Il n'hésita pas une seconde, fit une offre à l'agent immobilier que la veuve accepta, pressée de déménager. Ils signèrent tous les papiers en compagnie de Mathieu qui s'y connaissait en ce domaine, et Paul, conformément à ce qu'il souhaitait, pourrait s'y installer dès le 5 janvier, la dame voulait partir précipitamment pour aller habiter chez sa fille à Boucherville.

De retour chez lui, Paul s'empressa à son tour de mettre son condo en vente par l'entremise du même agent et ce dernier, très habile, lui trouva un acheteur après trois visites seulement de gens intéressés. Le Plateau, étant un quartier recherché par les artistes, les intellectuels et quelques parvenus qui voulaient investir dans l'immobilier, il dénicha vite le candidat idéal pour ce condo de bon goût que Paul vendit à très bon prix, sans avoir à baisser d'un sou le montant sollicité. L'acheteur, un représentant dans le domaine littéraire, souhaitait lui aussi en prendre possession dès janvier si possible. On lui promit que le condo serait libre le 10 janvier 2012, ce qui allait permettre à Paul de déménager quelques jours avant et de remettre ensuite la clef au nouveau proprio. Sa voisine, curieuse de nature, lui avait demandé :

— Vous nous quittez, monsieur Hériault ? Est-ce à cause de ce qui vous est arrivé ? On n'a jamais enquêté sur ça ?

— Non, madame, pas nécessaire… Et je pars d'ici pour m'installer à Dorsicodira où j'ai acheté autre chose.

— Où ? Vous pouvez me répéter ça ?

Le temps des Fêtes arriva chez les Boinard comme partout ailleurs, et les festivités se suivaient d'un jour à l'autre. Émilie avait préparé son souper traditionnel et tous s'amenèrent avec des fleurs pour la table, du vin, des pâtisseries et un gâteau aux fruits de la part de Véronique qui ne savait quoi leur offrir. Paul avait revêtu son complet avec chemise blanche et cravate pour faire la connaissance de Véronique Danaud, et Caroline, arrivée la première, s'était contentée d'enfiler une robe de velours mauve à manches longues garnie de perles au collet. Madame Boinard était ravissante dans un ensemble beige dernier cri d'une boutique de la rue Sherbrooke, alors que Renaud remettait son complet des Fêtes habituel. Mathieu n'avait rien acheté de spécial, il avait un placard bien rempli d'habits, de chemises et de cardigans, et Véronique, cheveux aux épaules, maquillée avec soin, portait un tailleur noir avec un blouson de satin vert et un ras-de-cou de perles qui amplifiait son teint clair. On mangea copieusement, on parla de tout, Paul trouva « la Française » charmante, Caroline fit en sorte d'entretenir la jeune femme longuement et Mathieu, avec une grenadine soda entre les mains, parlait avec son père d'un nouveau procédé pour les éventuelles coronarographies. Paul s'était contenté d'un apéro, de deux verres de vin rouge et d'une crème de menthe blanche comme digestif. Il voulait faire bonne figure face à la nouvelle venue dans la famille. Caroline, seule cette fois, sans compagnon, n'osait adresser la parole à son frère de peur d'être rabrouée et lui, de son côté, craignait comme la peste cette vilaine petite sœur, qui aurait pu lui faire perdre sa prestance par une parole déplacée. Mais aucune de ces appréhensions ne se produisit et le souper fut un réel succès, cette fois. Émilie, certes triste à la pensée de Joey, n'en glissa mot à qui que ce soit. Et, plus éprouvée encore à l'idée que sa petite-fille serait absente du décor. Elle n'en parla pas pour autant, par crainte de briser l'harmonie du moment. On se quitta, chacun partit de son côté, Paul appela un taxi, refusant l'offre de Mathieu de le ramener chez lui et, fait assez troublant, Caroline, regardant son grand frère qu'elle détestait, ne put s'empêcher d'attirer son regard et de lui souhaiter, de loin, *Bonne Année*. Ce à quoi Paul ne sut que répondre, pour ensuite se ressaisir et répliquer : « Pareillement. »

Lorsque l'An nouveau fit son apparition, Véronique et Mathieu vinrent souper à la maison. Paul, tel qu'entendu, s'était rendu chez Norma et William, et Caroline avait accepté l'invitation de sa collègue pharmacienne plutôt que de se rendre encore chez Émilie et passer, aux yeux de Véronique, pour une chipie sexagénaire laissée pour compte.

Le lendemain, alors que madame Boinard s'informait du souper de Paul chez William et sa femme, son frère lui révéla :

— Ce fut bien, elle avait fait un canard à l'orange, ce qui faisait changement de la dinde. Il y avait là quelques amis de William avec leurs femmes, une amie célibataire de Norma, un de ses neveux avec son amie et moi. Mais je me suis contenu, Émilie, j'ai bu raisonnablement. À tel point que William, étonné, m'a demandé si j'avais des problèmes de santé.

— Il t'a connu autrement, tu sais…

— Oui, mais entre toi et moi, c'est lui qui a des problèmes de santé, Émilie, il m'a avoué être suivi de près pour la prostate. Quelque chose ne va pas de ce côté, mais ce n'était guère le moment d'entrer dans ce sujet à table. D'autant plus que William parlait d'une glande de l'appareil génital, pour ensuite se rendre au postérieur et un peu plus creux… ailleurs !

Émilie ne put s'empêcher de rire et, Paul, de bonne humeur ce matin-là, changea de sujet pour lui dire :

— C'est au début de la semaine prochaine que je déménage à Chomedey. J'ai hâte, tu ne peux pas savoir comment !

— J'ai hâte pour toi, Paul ! Le seul fait de te savoir loin de…

— Tu sais, je ne suis allé nulle part cette fois, Émilie. Pas même prendre un verre dans un bar mieux tenu que les autres. J'ai trop peur de le croiser, j'évite le bas de la côte comme la peste. À d'autres, les mécréants qui font semblant d'être intéressés pour ensuite te voler !

— Tu as mis du temps à le comprendre, mais mieux vaut tard…

— Oui, mieux vaut tard que jamais et je ne retournerai plus dans ce quartier infâme qui m'a fait perdre de belles années. D'autant plus que je n'ai même pas de souvenirs de quelques bons moments, j'étais saoul tout le temps ! Mais, cessons de parler de ces sujets, je suis à l'aube d'un nouveau départ, Émilie. Grâce à toi !

— Non, grâce à toi, Paul ! C'est toi qui as décidé de changer, moi, je n'ai rien fait d'autre que t'épauler. Le mérite t'en revient… Et j'irai t'aider à t'installer et à décorer ton nouvel appartement.

— Bien, je n'osais pas te le demander, petite sœur, je n'ai pas un goût très raffiné. Tes doigts de fée me seront bien utiles.

— N'exagère pas, je ne suis pas une *designer,* mon frère. Que l'essentiel, mais de bon goût, je l'avoue. Véronique m'a dit que c'était très joli chez nous !

— Quelle femme distinguée, celle-là ! Mathieu a bien fait d'attendre tout ce temps. Le destin lui a choisi une très belle partenaire. Polie, bien élevée, articulée, je l'aime beaucoup, tu peux le lui dire. Pas à elle, à Mathieu, bien sûr !

Une semaine plus tard, soit le 9 janvier 2012, Paul Hériault s'installait dans son nouveau condo de Chomedey, fort heureux de savoir son neveu à quelques pas, ce qui le rassurait beaucoup. Il avait tout laissé derrière lui sans même se retourner. Sans être allé faire ses adieux à quelques barmans qu'il avait appréciés, sans avoir frappé chez sa voisine qui, pourtant, surveillait de son œil magique le va-et-vient dans le couloir de l'étage. En quelques heures, plus rien ne subsistait de Paul sur le Plateau-Mont-Royal. Il avait tout réglé, salué son barbier, et il était parti, content de regarder de haut ce bas de côte qui lui rappelait de pénibles souvenirs. Tous ces jeunes, Jérémie comme les autres, Nino venu de si loin, puis le dernier qui le faisait encore frémir de peur. Tous ensevelis dans sa mémoire de septuagénaire. Et le vendredi suivant, jour de sa retraite officielle à soixante et onze ans, un record chez les fonctionnaires, on l'avait fêté en lui remettant un parchemin honorifique pour toutes ces années. Il avait été celui qui avait occupé son poste le plus longtemps. Tous les autres étaient partis à soixante ou soixante-cinq ans, mais il avait refusé de s'effacer et on l'avait toléré, mais là, selon la convention... Justine, toujours en poste, était venue l'embrasser pour ensuite lui dire :

— Je vais garder un bon souvenir de vous, monsieur Hériault.

— Non, pas monsieur Hériault, Paul, comme on en a convenu lors de... Et, qui sait, on se reverra peut-être, toi et moi... On a un certain lien de parenté...

Gentiment, elle avait répondu :

— Oui, c'est vrai, et quand tu parleras à ta sœur, dis-lui que j'irai la visiter avec la petite cette année. Je ne sais pas quand, mais je viendrai... Et je leur présenterai mon mari, un homme que tu vas aimer, Paul. Un très bon papa pour Madeleine !

En effet, ayant rencontré l'âme sœur, Justine avait épousé ce mécanicien qui gagnait sa vie chez un concessionnaire d'automobiles de l'est de la ville. Maintenant divorcé, avec un garçonnet dont il avait la garde partagée, il s'était épris de la petite qui lui rendait ses caresses et ses câlins. Il voulait certes fonder une nouvelle famille avec Justine, mais il avait dit à cette dernière :

— Je ne veux pas adopter Madeleine, je veux qu'elle soit la fille de son défunt papa. J'aimerais même que tu lui donnes le nom de son père avant qu'elle commence l'école. Je vais la considérer comme ma fille, Justine, mais c'est à Joey qu'elle appartient. C'est lui qui l'a conçue et, quand elle grandira, nous lui parlerons de lui. Elle devra retrouver aussi ses grands-parents et la famille entière de son papa… Comme ta mère n'est plus là, Madeleine aura deux grands-mamans avec ma mère qui la gâtera et madame Boinard qui en fera autant. Est-ce entendu ? Es-tu à l'aise avec ça ?

— Parfaitement, Éric, je ne pouvais pas en espérer tant. Et je suis certaine que madame Boinard va t'aimer dès le premier regard. Tu es un homme remarquable… J'ai eu la main heureuse.

— Non, pas la main, Justine, le cœur. Parce que c'est lui qui choisit, la main, les deux mains, c'est pour prendre soin de l'autre ensuite.

Avril vit fondre les dernières neiges, séquelles d'un long hiver, et madame Boinard, épuisée par tout ce qu'elle avait accompli récemment, suggéra à son mari un petit éloignement pour refaire « le plein » comme on disait. Surpris de sa demande, elle qui n'aimait pas voyager entre ciel et terre, il lui répondit :

— Je veux bien, mais pour aller où, cette fois ?

— Pas loin, une auberge, une autre province, un court séjour…

— En voiture ? Pas en avion ? Tu veux me faire conduire…

— On pourrait prendre le train si la conduite de l'auto t'indispose.

— Non, pas du tout, mais tu dois avoir une idée derrière la tête, tu as sûrement un endroit en vue…

— Si on veut, mais je peux changer d'idée… Les Maritimes ! Le Nouveau-Brunswick ou l'Île-du-Prince-Édouard, quelque part dans ce coin-là.

— Que dirais-tu de te rendre à Saint-Jacques au Nouveau-Brunswick, j'ai une patiente qui vient de cet endroit et qui me parle de son patelin sans cesse. Elle a grandi en banlieue de la ville, elle pourrait même me renseigner sur les endroits à visiter…

— Oui, pas mal, on pourrait même demander à Manu ce qu'il en pense, il a travaillé dans ce coin-là durant quelques années.

— Non, ne lui demande rien, on découvrira le reste de nous-mêmes. Manu est sorti de la famille maintenant, on ne sait même pas ce qu'il est devenu.

— Détrompe-toi, Renaud, je suis encore en contact avec lui.

— Je m'en doutais bien et je ne suis pas d'accord. Il n'est pas normal que tu entretiennes un lien avec l'ex-amant de ton frère. C'était tout de même une liaison marginale…

— Renaud ! Serais-tu devenu homophobe, par hasard ?

— Mais non, tu le sais bien, mais leur statut n'existe plus, ils ont rompu depuis longtemps, chacun a refait sa vie…

Émilie n'ajouta rien, mais elle n'était pas certaine de l'approbation de son mari sur ce sujet. Il s'était toujours tenu loin d'eux à l'époque, regardant de travers cette union trop formelle qu'il n'acceptait sans doute pas. Mais elle n'insista pas, ce long passage était derrière eux et comme Paul n'avait jamais apprécié le fait de vivre à deux…

— Oublions les Maritimes, Renaud, je suis trop indécise sur les endroits qui m'attirent… Allons plutôt en Ontario, à Toronto, pas plus loin, et en train, classe affaires. Nous irons dans un chic hôtel pour quelques jours, nous visiterons la ville et tout ce qu'il y a de nouveau, et nous reviendrons à notre routine.

Renaud ne se fit pas prier. Fatigué, travaillant du matin au soir, il était évident que le train le détendrait beaucoup plus que la voiture. Il agréa de bon cœur et, huit jours plus tard, ayant avisé ses patients, il partit avec sa femme pour un repos bien mérité. À Toronto, aux bons soins de l'hôtel où ils étaient descendus, ils firent du *Site Seing Tour* à deux reprises en autocar, assistèrent au spectacle de jazz du bar de l'endroit et visitèrent quelques musées et d'autres lieux qu'on leur avait conseillés.

Après cinq jours, à bord du train, traités comme des monarques, ils revinrent à Montréal et reprirent leur routine, lui avec ses patients, elle avec ses besognes. Puis, sans qu'elle s'y attende, Justine se manifesta un certain matin :

— Madame Boinard ? Ici Justine ! Vous allez bien ?

— Justine ! Quelle belle surprise ! Oui, je vais bien, et toi ?

— Oui, tout va bien, je suis maintenant mariée…

— Je sais, Paul m'en a informée. Heureuse, au moins ?

— Oh oui ! Éric est un très bon mari. Le bon Dieu m'a aimée, je suis comblée avec lui. Il est mécanicien… Son fiston vit parfois avec nous, mais plus souvent avec sa mère.

— Je sais tout cela, Paul ne m'a rien caché. Et Madeleine ?

— Elle va très bien, elle s'achemine sur ses quatre ans, elle est intelligente, elle est fine, elle est adorable. Et, pour vous surprendre davantage, j'attends un bébé. Je n'en suis qu'au début, mais ce sera pour dans sept mois !

— Toutes mes félicitations, Justine ! À toi et à ton époux !

— Écoutez, si je vous appelle aujourd'hui, c'est pour vous demander si vous aimeriez revoir votre petite-fille.

Au bout du fil, Émilie ne parlait plus, des larmes de joie nouaient sa gorge. Se ressaisissant, elle parvint à murmurer :

— Bien sûr, j'attends ce jour depuis longtemps.

— Ne pleurez pas, madame Boinard, vous allez m'émouvoir, je suis sensible à la peine des autres. Dites-moi, puis-je vous présenter Éric, il aimerait vous connaître ainsi que votre mari.

— Bien sûr, Justine, avec plaisir ! Mais la petite sait-elle qui je suis ?

— Non, mais ça viendra, elle va finir par apprendre qu'elle a une grand-maman, elle aussi. De plus, selon le désir d'Éric, il veut bien en prendre soin, mais il ne tient pas à l'adopter. Il insiste pour qu'elle porte le nom de son père, pas le sien ni le mien. Nous allons tout arranger, faire de nouveaux papiers, mais Madeleine sera une Boinard.

Cette fois, c'en était trop et Émilie éclata en sanglots :

— Jus... Justine ! Quelle joie ! La fille de Joey portera son nom... Quel bonheur ! Quelle générosité de ta part !

— Alors, quand pourriez-vous nous recevoir ? Pas le soir, elle se couche tôt, un samedi ou un dimanche...

— Quand bon te semblera ! Samedi et dimanche qui viennent, nous serons à la maison, Renaud et moi. Quel jour te conviendrait ?

— Samedi serait plus favorable, je suis libre, Éric aussi, il ne travaille pas les fins de semaine. Le samedi, pour nous, c'est la détente.

— Vous voulez venir souper à la maison ?

— Heu... non, pas cette fois, nous irons vous visiter en plein après-midi et nous repartirons ensuite, la mère de mon mari nous attend pour le souper. Mais, une autre fois, je vous le promets, je viendrai souper avec la petite lors d'une visite.

— Avec ton mari, bien entendu.

— Nous verrons, Éric tient à ce que la petite retrouve ses grands-parents, mais il compte rester discret. Madeleine aura forcément deux familles, vous comprenez ?

— Oui, il en sera comme il le désire, mais j'ai tellement hâte d'annoncer la bonne nouvelle à mon mari.

— Faites-le, madame Boinard, Madeleine va aussi retrouver son grand-papa ! Et j'espère que vous avez de belles photos de Joey, je n'en ai qu'une qu'elle a vue souvent, je veux l'habituer à connaître son papa...

— J'ai un plein album de photos, elle le verra sous tous les angles. De son jeune temps jusqu'au...

Émilie s'était arrêtée, elle ne voulait pas chagriner Justine avec un souvenir qui l'attristait sans doute encore. Les deux femmes raccrochèrent et Émilie, retrouvant son souffle, téléphona à Caroline pour lui dire qu'elle allait revoir sa petite-fille, bref, pour lui répéter ce que Justine lui avait dit, sans toutefois l'inviter à venir le samedi, elle désirait être seule avec Renaud lorsque l'enfant les visiterait avec ses parents.

Entre-temps, Mathieu, toujours épris de Véronique, avait demandé à cette dernière, lors d'une sortie un soir, d'aller vivre avec lui sous son toit. Très amoureuse elle aussi, elle avait toutefois refusé en lui disant :

— Non, Mathieu, c'est ainsi que de belles liaisons se gâtent.

— C'est curieux, je croyais que ça les solidifiait. À l'âge que nous avons, se fréquenter comme des adolescents, toi chez toi, moi chez moi, je trouve cela désuet, dépassé même.

— Bien, pas moi, mon amour. Ne pas être ensemble sans cesse, c'est se désirer, s'attendre quand on sait qu'on va se retrouver, être surpris de voir comment l'autre va nous apparaître. Sous le même toit, il n'y a plus de secrets. La vie à deux, c'est pour les gens mariés, pas pour les amoureux. C'est ainsi que j'ai été élevée.

— Alors, c'est bien simple, marions-nous ! Tu veux bien devenir ma femme, Véronique ? Je t'aime tant…

Surprise, déboussolée par la demande inattendue, du moins de cette façon, elle ne sut que dire pour ensuite répondre :

— Tu parles sérieusement, Mathieu ? Tu ne plaisantes pas ?

— Sûrement pas ! Nous sommes en âge de le faire, nous nous aimons suffisamment, j'ai très envie de m'installer avec toi.

— N'est-ce pas plutôt parce que je refuse d'aller vivre avec toi que tu prends cette décision hâtive ?

— Non, Véronique, pas du tout. Je t'aurais demandée en mariage dès que tu serais arrivée chez moi, si tu avais accepté ma demande. Je ne suis pas du genre concubinage. Ça t'aurait permis de me connaître plus intimement et de ne pas être surpris l'un de l'autre, arrivés au mariage. Mais là, en refusant de venir cohabiter, tu n'as fait que précipiter ma démarche. J'aurai trente-six ans cette année, toi, trente et un. N'est-il pas temps de songer sérieusement à notre avenir ensemble ? Tu n'as pas encore répondu à ma demande, Véronique...

— Non, parce qu'il est permis de prendre au moins cinq minutes pour y réfléchir, tu ne trouves pas ?

Pour ensuite éclater de rire et ajouter :

— Bien sûr que j'accepte, Mathieu ! J'ai envie de devenir ta femme et de nager dans le bonheur avec toi. Et je crois être assez grande pour te rendre heureux...

Il sourit, la serra dans ses bras et continua :

— Et je te rendrai heureuse, n'en doute pas. Tu es la femme que j'attendais depuis mes vingt ans. Tu as mis du temps à m'arriver, mais ça en valait la peine. Nous allons être bien ensemble, nous allons nous marier sans même nous fiancer, je t'offrirai une bague en même temps que je glisserai l'anneau à ton doigt.

— Ça, alors... Et quand comptes-tu faire ça, mon bel amour ?

— Je te laisse décider, mais il faudrait que ce soit cette année. Sans trop tarder…

— Tu peux prendre des vacances quand tu le veux ?

— Évidemment, voyons, je suis médecin, je peux m'absenter, un autre prendra la relève avec mes patients pour quelques semaines.

— Moi, cependant, avec le travail à la firme comptable, il ne faudrait pas que ce soit durant la période des impôts qui s'en vient à grands pas. Et je ne veux pas d'un mariage en hiver. Que dirais-tu du mois de mai ? Tiens ! laisse-moi regarder mon calendrier dans mon sac à main.

Véronique fouilla dans son sac et Mathieu reconnut en elle les qualités de sa mère. Très organisée, tout à la portée de la main. N'était-elle pas du signe du Lion tout comme Émilie ? Sans s'arrêter à l'astrologie, Mathieu, natif du Cancer, sentait qu'il trouvait en sa future beaucoup d'analogies avec sa mère. Repérant enfin son petit calendrier 2012 dans un compartiment de son sac à main, elle l'ouvrit à la page du mois de mai et, réfléchissant un peu, demanda à son bien-aimé :

— Que dirais-tu du samedi 26 mai ? Il fait de plus en plus beau à la fin de ce mois et je serais plus libre, les fortes semaines seraient passées en comptabilité.

— Ton choix est le mien, ce qui me donne amplement de temps pour organiser la visite des patients en cardiologie et transférer plusieurs d'entre eux à Richard et d'autres à Valérien, un cardiologue au bord de la retraite qui me dépannerait, j'en suis certain.

— Mais Richard et Sandra seront invités, Mathieu !

— Oui, pour le mariage ! Mais ils ne nous suivront pas en voyage de noces, mon amour !

— Que je suis bête ! Alors, c'est fait, nous nous marierons le 26 mai... Mais où ?

— Écoute, on a bien le temps d'y penser... Un mariage intime te conviendrait ?

— Que veux-tu dire par intime ?

— Que les proches, mes parents, l'oncle Paul, Caroline, Richard et Sandra, personne d'autre de mon côté. Et, du tien ?

— Bien, nous avons le même couple d'amis et, comme parenté, mon père, mon frère Gérard et sa femme s'ils veulent se déplacer de la Suisse jusqu'ici. Mon père est très âgé, mais peut-être que mon frère... De toute façon, je les invite, on verra bien la suite. Ce sera intime, en effet, et comme j'ai déjà été mariée, pas de robe blanche, ça porte malheur la deuxième fois. Quelque chose de bleu, peut-être, mais pas élaboré. Pas de filles d'honneur, rien de tout ça. Que les invités, toi et moi, et dans une chapelle, si possible. Es-tu d'accord avec mes intentions, mon chéri ?

— Plus que d'accord ! Juste toi et moi, ça m'aurait suffi...

— Non, quand même, ta mère ne te le pardonnerait pas. Parlant d'elle, tu vas le lui annoncer quand ?

— Lors d'un prochain souper chez eux. Avec toi, si possible.

— J'y serai, je veux voir sa joie quand elle apprendra. Elle veut tellement ton bonheur, ta mère, et comme elle semble m'apprécier...

— Apprécier ? Ma mère t'aime infiniment, Véronique ! Elle sait que tu es la perle rare que je cherchais. Et moi... le rubis de tes pensées, ma pierre de naissance ! ajouta-t-il en riant de sa propre réplique.

Toutefois, le samedi qui venait, c'était Justine qui s'amenait avec son mari et la petite Madeleine à la maison de ses grands-parents. Anxieuse, nerveuse, Émilie surveillait leur arrivée de la fenêtre. Une auto beige se stationna, un couple en descendit et madame Boinard reconnut Justine tout en jetant un œil sur son mari. Pour ensuite poser les deux yeux sur sa petite-fille qui, tentant de grimper, sonna le carillon, aidée de son père. Émilie ouvrit, Renaud se leva de son fauteuil pour les accueillir, et on sentit vite une gêne chez l'enfant qui ne connaissait ni la maison ni la dame qui lui souriait. Après avoir embrassé Justine et serré la main d'Éric qu'elle trouva fort bien, elle les invita à passer au salon où Renaud les attendait avec autant d'amabilité. Ayant pris place sur le divan, madame Boinard remarqua que Justine avait changé. Encore jolie, plus ronde cependant et moins coquette qu'au temps où elle et Joey... Bref, ça n'avait pas d'importance. La petite, assise sur un pouf, regardait les bibelots du salon et désigna un minuscule chien de porcelaine qu'elle désirait avoir. Sa mère tenta de lui faire comprendre que ce n'était pas un jouet, mais Émilie le lui tendit en lui disant, pieux mensonge, qu'il s'appelait Fido. La petite, plus à l'aise, souriait maintenant à sa grand-mère et cette dernière, profitant du moment, lui demanda gentiment :

— Comment t'appelles-tu, ma belle fille ?

— Madeleine ! dit l'enfant sans lever les yeux sur elle, trop occupée par le petit chien dans sa main.

— Et on peut savoir quel âge tu as ?

— J'ai trois, non, j'ai quatre ans, marmonna-t-elle en montrant ses doigts et regardant si sa mère l'approuvait.

— Non, ma chérie, tu as juste trois ans… Il y aura encore de la neige quand tu auras quatre ans.

— Viens voir ce que j'ai pour toi, lui dit sa grand-mère.

La petite, curieuse et empressée, suivit la grand-maman jusqu'au divan en coin d'où Émilie sortit d'un revers de coussin, une jolie boîte enrubannée de satin vert. Madeleine la saisit, retira la boucle et, ouvrant la boîte, aperçut une jolie poupée avec des cheveux blonds bouclés et des joues roses.

— Regarde, maman ! Elle est grande comme moi ! Elle a trois ans elle aussi !

— Tu dis merci à grand-maman pour le cadeau ?

— Oui, merci… murmura-t-elle en serrant la poupée dans ses bras.

Renaud, revenant de la cuisine, lui dit à son tour :

— Viens voir maintenant ce que grand-papa a pour toi.

Madeleine se rendit jusqu'à lui, plus intimidée cette fois, et Renaud lui tendit un ourson de peluche brun qu'il cachait derrière son dos. Contente, les yeux grands ouverts, l'enfant de lui dire :

— Il est gros ! J'en ai un comme lui, mais tout petit. Lui, c'est le papa !

Tous éclatèrent de rire et, tout en causant avec Justine et son mari, Émilie remarqua que leur petite-fille, tout en ayant les traits de sa mère, avait les yeux verts et les cheveux blonds de son père. Ce qui l'enchanta ! Elle retrouvait son Joey dans l'enfant qu'il avait conçue avant de s'en aller…

Émue juste à y penser, elle dérogea des parents pour offrir des biscuits et du lait à Madeleine qui acceptait de bon gré toutes les gâteries qu'on lui proposait. Le temps fila, Renaud et Émilie remercièrent Éric et Justine de laisser la petite porter le nom de son père et, tout en lui tendant son manteau de drap, Émilie dit à la future maman :

— Je te souhaite une belle grossesse et un bel accouchement, Justine ! Aussi beau et aussi facile que lorsque tu as eu Madeleine !

— Je vous remercie, madame Boinard et, d'ici là, je reviendrai avec la petite. Je veux qu'elle vous connaisse de plus en plus. Vous permettez ?

— Oh ! mon Dieu ! Quelle joie ! Je n'osais le faire !

Au moment du départ, Justine, regardant sa fille, lui dit :

— Tu fais un gros câlin à grand-maman pour la poupée ?

La petite s'exécuta et, enserrée par les petits bras autour de son cou, Émilie sentit une larme lui effleurer la joue. Puis, lorsque Justine lui demanda d'en faire autant à son grand-papa, la petite hésita…

— Voyons, ma chérie, c'est lui qui t'a donné le papa de ton ourson.

À ces mots, l'enfant s'approcha de Renaud et, sans le prendre par le cou, lui tendit timidement sa joue.

— Mon ourson s'appelle Méo, lui dit-elle.

— Ah oui ? Alors le papa s'appellera Roméo, lui !

Madeleine éclata de rire et trouva l'idée géniale puisque, de retour chez elle, le père de Méo était bel et bien Roméo dans sa petite tête. Sans toutefois avoir trouvé un nom pour sa poupée.

Émilie s'était empressée de téléphoner à sa sœur pour lui parler de sa petite-fille retrouvée et Caroline, heureuse pour elle, souhaitait bien la rencontrer un de ces jours. Paul, mis au courant à son tour, téléphona à Justine à son travail pour la féliciter de son geste. Mathieu, qui avait eu vent de leur visite, s'empressa de dire à sa mère :

— Bon, en voilà une de réintégrée dans la famille. Joey en sera fier, maman.

— Elle lui ressemble, Mathieu, elle a ses yeux, son regard, ses cheveux…

— Tant mieux, le sang des Boinard se prolonge avec elle.

Il coupa ensuite court à la conversation pour lui demander :

— Puis-je aller souper chez toi samedi prochain avec Véronique ? Nous n'irons pas au cinéma comme de coutume… Et ça fait si longtemps que je n'ai pas goûté à ton rôti de veau.

— Amenez-vous, ne changez pas d'idée, le rôti sera sur la table tel que tu l'aimes, Mathieu. Bien cuit, avec des légumes verts et des pommes de terre au four. Un peu de vin avec ça ?

— Oui, pourquoi pas cette fois, Véronique apprécie un verre de blanc de temps à autre. Et ça fera plaisir à papa.

Les jours glissèrent vite les uns sur les autres et, le samedi suivant, accompagné de Véronique, Mathieu se présenta chez sa mère à qui il avait apporté des fleurs pour le centre de sa table.

— En quel honneur ? Il n'y a pas fête !

— Qui sait ? On passe à table bientôt ?

— Tout est prêt, vous arrivez juste à temps et je crois que ton père a un creux ! répondit Émilie en riant.

Ils prirent place dans la salle à manger et Renaud, en bon hôte qu'il était, déboucha un Saint-Véran pour en verser un demi-verre à Véronique ainsi qu'à son fils qui l'accepta, cette fois. Puis, remplissant le verre de sa femme et le sien, il allait porter un toast à la santé de tous, lorsque Mathieu s'interposa :

— Ce soir, c'est moi qui porte le toast, papa !

Émilie, étonnée, attendit qu'il le fasse, mais au nom de qui ou de quoi ? Et Mathieu, le verre levé avec les autres qui l'imitèrent déclara solennellement : « Je lève mon verre ainsi que celui de Véronique, à un heureux mariage auquel vous allez assister ! Véronique et moi allons nous marier le samedi 26 mai et vous y êtes conviés ! »

Folle de joie, Émilie faillit renverser son verre, pendant que Renaud, moins démonstratif, se contenta de leur dire :

— Mes félicitations, sachez que nous y serons. Quelle bonne décision !

— Quelle belle nouvelle ! s'écria la mère. Un mariage ! Enfin ! Quel merveilleux couple vous allez former !

Ravie, elle embrassa sa future belle-fille pour ensuite frôler la joue de son fils de ses lèvres et lui dire :

— Comme tu me rends heureuse ! Enfin ! Je n'ose le croire !

— Et nous nous marierons avant d'avoir un an de plus révolu, Véronique et moi. À trente-cinq ans pour moi, trente pour elle !

— Quel genre de mariage prévoyez-vous ?

— Intime, discret, de répondre Véronique. Les proches, quelques amis… J'inviterai mon père, mon frère Gérard et son épouse, mais je doute qu'ils viennent, c'est si loin, père n'est pas bien, il avance en âge…

— Et de notre côté, d'enchaîner Mathieu, il y aura Paul, Caroline, Richard et Sandra, nos amis communs à Véronique et moi. Personne d'autre… Nous n'avons pas songé encore à l'endroit du voyage de noces, mais nous avons le temps… Voilà, c'était notre surprise !

— Comme l'année s'annonce bien ! s'écria Émilie. On dirait que 2012 veut nous faire oublier les affres de 2011. Dieu merci !

Puis, après avoir terminé le dessert et passé au salon pour parler de tout et de rien, Émilie, songeuse, regardait Mathieu qui, s'en rendant compte, lui demanda :

— Qu'y a-t-il, maman ? Tu sembles lointaine…

— Non, tout près, mais je me demande…

— Quoi ? insista le fils.

— Je me demande si nous ne devrions pas inviter à vos noces, Justine, son mari et notre petite-fille.

Surprise, Véronique préféra laisser son mari répondre :

— Mais, c'est qu'il n'y aura pas d'autres enfants…

— Qu'importe, Mathieu, la petite est la fille de Joey, une Boinard qui portera son nom, selon sa mère. Elle est de la famille et celle qui lui a donné le jour aussi… Et son mari est adorable…

— Alors, n'hésite pas maman, invite-les ! Non, c'est nous qui allons le faire de vive voix. Ta petite Madeleine sera là, je te le promets ! Pas comme bouquetière nous n'en aurons pas, mais comme ma nièce, la fille de mon frère.

— Et sans qu'elle soit bouquetière, d'ajouter Véronique, je me ferai un plaisir de lui remettre mon minuscule bouquet en sortant de la chapelle. Elle l'aura pour elle seule !

— Comme vous pensez à tout, Véronique ! Vous êtes admirable !

— Non, pas de « vous » de votre part, madame Boinard, vous pouvez me tutoyer, je serai votre belle-fille dans peu de temps.

Oui, tout allait comme sur des roulettes en ce printemps qui venait. Paul était dans son nouveau condo et apprivoisait peu à peu la solitude qu'il éprouvait dans ce quartier inconnu. Pas facile à faire, le deuil de ce bas de la côte et des jeunes gens qui avaient fait son bonheur... passager ! Pas facile de se retrouver à faire son marché et à causer avec un couple âgé de son immeuble, eux de leurs maladies, lui de sa famille. Non, pas facile pour Paul Hériault de non seulement devenir vieux, mais de sentir, dans ce milieu, qu'il l'était maintenant. Vieux comme les autres ! Septuagénaire, retraité, esseulé, un écran de télévision, un sourire parfois aux jeunes gens du quartier qui ne le lui rendaient pas. Pas facile de donner un généreux pourboire au livreur d'épicerie, espérant que ce dernier prenne une bière avec lui, et se voyant refuser l'offre parce que le gars lui répondait : « Jamais sur la job, monsieur ! Et pas avec des clients ! » Mais il avait tenu bon, il avait modéré de beaucoup sa consommation de boisson, de vin surtout. Il buvait avec ses voisins, le couple âgé, mais avec leurs malaises, un demi-verre de vin leur suffisait. Il jouait aux cartes avec eux, il prenait un taxi pour se rendre chez Émilie, il cherchait à rencontrer Mathieu qui, hélas, n'était jamais chez lui le jour et était chez Véronique le soir. Seul, il scrutait parfois les petites annonces où des masseurs offraient leurs services, mais apeuré de s'y rendre ou d'en faire entrer un chez lui, il se contentait de fantasmer en regardant, sur son ordinateur, les mâles qui exposaient leur nudité et leurs exploits. Il en était rendu, comme tant d'homosexuels vieillissants, à rêver d'indécences, sans être en mesure de les provoquer. Or, faisant contre mauvaise fortune bon cœur, Paul se mit à relire Voltaire, Flaubert, Verlaine et Balzac, les philosophes, poètes et romanciers de ses jeunes années. Puis à regarder des films d'autrefois qu'il achetait chez Archambault ou dans un Vidéotron lorsqu'il en trouvait quelques-uns, comme l'inoubliable film en noir et blanc, *The Miniver Story,* avec Walter Pidgeon et Greer Garson. Causant parfois avec un monsieur plus âgé, octogénaire ou presque, et se plaignant de la vieillesse, ce dernier lui avait dit : « Ce n'est pas d'être devenu vieux qui est pénible, c'est de s'y rendre. Moi, je baisse maintenant les bras, le mal est fait et votre tour viendra. » Ce qui l'avait quasiment déprimé !

Un après-midi de pluie verglaçante, il n'était pas sorti, il avait peur de trébucher, de tomber, de se blesser… Émilie l'avait averti de ne pas bouger de chez lui. Or, assis devant son ordinateur et refaisant pour la cinquième fois son jeu appelé Solitaire qu'il ne réussissait presque jamais, il entendit le téléphone sonner. S'empressant de répondre, il reconnut la voix de Norma qui, tremblotante, lui disait :

— Je vous appelle au sujet de William, Paul ! Il est très malade !

— Qu'est-ce qu'il a ?

— On vient de lui détecter un cancer de la prostate ! Il est abattu, démoralisé, il est certain qu'il va mourir…

— Où est-il ? Puis-je lui parler pour l'encourager ?

— J'aimerais bien, mais il est en examen, on se demande si on va pouvoir l'opérer. Rappelez-le, Paul ! Il est désespéré !

Et si vous avez la foi, priez pour lui ! Pauvre William ! Une telle épreuve alors qu'il avait réservé pour nous un lieu discret, un bel hôtel près des chutes Niagara. Nous comptions partir à la mi-avril. Donnez-lui un coup de fil ce soir, Paul ! Parlez-lui, je vous en supplie !

Chapitre 11

Quelle magnifique journée que celle du 26 mai 2012 dans la vie de Véronique Danaud et Mathieu Boinard ! Le beau cardiologue allait enfin épouser la jolie comptable agréée qu'il aimait. Les préparatifs étaient allés bon train et, du côté de la mariée, seul son père avait pu être mis à bord d'un avion malgré ses quatre-vingts ans révolus, sa canne et son dos voûté. Le frère de Véronique, trop préoccupé par ses transactions immobilières, n'avait pu se déplacer et sa femme devait rester pour prendre soin des enfants. Papa Danaud arriva donc avec un superbe ensemble de verres de cristal de la part de son fils et, de la sienne, une nappe ayant appartenu à son arrière-grand-mère, non défraîchie, un trésor familial inestimable. Tout en dotant sa fille d'une somme considérable pour le grand événement. Tiré à quatre épingles, fier de la voir épouser un médecin, cardiologue de surcroît, il logea à l'hôtel Hilton Bonaventure pour obtenir tous les services dont il avait besoin. Le lendemain de son arrivée, Véronique s'était empressée d'aller le quérir et de le présenter aux Boinard qui furent ravis de faire sa connaissance. Émilie apprécia sa distinction, Renaud le trouva également aimable… quoique précieux ! Monsieur Danaud aimait trop faire étalage de sa culture en politique actuelle, allant jusqu'aux sous-ministres de la Suisse et de la France, alors que Renaud ne suivait rien ou presque de ce qui se passait en Europe sur ce plan.

Or, en ce matin où, vêtue d'une robe bleue trois-quarts avec un léger voile de dentelle derrière la nuque et un joli bouquet de roses blanches, Véronique fit son entrée dans la chapelle d'une majestueuse église. Mathieu, aux côtés de son père, l'attendait avec le sourire aux lèvres dans son habit noir avec cravate achetée pour l'occasion. La mariée, trop grande pour monsieur Danaud, était plutôt celle qui lui offrait le bras et non le contraire. Le vieux monsieur, courbé, les yeux à la hauteur des bancs, avait peine à regarder ce qui se passait un peu plus haut que le prie-Dieu des mariés.

Véronique et Mathieu échangèrent les vœux d'usage et, après la bénédiction et la courte messe suivie de la communion, ils quittèrent la chapelle aux sons de la *Marche nuptiale* de Felix Mendelssohn, venue de l'orgue du jubé de l'église. Madame Boinard, le mouchoir souvent aux yeux, regardait avec admiration le couple qui descendait la courte allée en souriant. Surtout son fils qu'elle trouvait si majestueux ce matin-là. Et Renaud, sans le manifester d'aucune manière, ressentait au fond du cœur une grande fierté devant les accomplissements de son « préféré » jusqu'au jour de son mariage. Madeleine, qui avait tenté d'être sage le plus possible, fut très intimidée lorsque la mariée, en quittant la chapelle, se pencha vers elle pour lui offrir son bouquet. La fillette finit par l'accepter sur les insistances de sa mère, mais elle le gardait éloigné de sa petite robe blanche, pour ne pas en abîmer les roses. Le groupe se dirigea ensuite vers une salle d'un chic hôtel du centre-ville, réservée pour la réception. Véronique n'avait rien négligé pour que le tout soit à la hauteur des invités, surtout de son père et des Boinard qui en seraient impressionnés. Paul, bien vêtu pour la circonstance, le menton élevé, tentait de se donner l'allure de l'aristocrate... qu'il n'était pas ! Caroline, dans une robe lilas avec petit caluron à voilette du même ton, faisait distinguée avec ses verres dont la monture venait d'être changée. Madame Boinard, élégamment habillée par une boutique de son quartier, avait choisi le rose cendré comme couleur d'apparat, et Renaud, fidèle à lui-même, avait sorti de sa garde-robe un smoking qui avait servi maintes fois pour d'autres cérémonies huppées. Justine et son mari, fort élégants tous deux, avaient fait de Madeleine une petite bouquetière sans qu'elle le soit. Toute de blanc vêtue, la fillette avait même deux boutons de roses blanches épinglés sur sa manche. Richard et Sandra formaient, il va sans dire, un très beau couple parmi les assistants. Aussi élégants que les mariés ou presque. Juste après !

L'hôtel s'était doté d'un pianiste et d'un violoniste pour agrémenter l'atmosphère d'une musique de choix, et c'est sur un tube assez récent de Michael Bublé que les mariés ouvrirent la danse. Puis, on mangea copieusement, on causa, on trinqua maintes fois au bonheur des nouveaux époux, on but le champagne et les vins capiteux, et Paul se contenait. Son penchant pour l'alcool l'aurait certes incité à boire ce qu'il avait devant lui, le rouge comme le blanc, mais il se retint pour ne pas que le père de la mariée change d'idée à son sujet. Car, monsieur Danaud, sachant qu'il était l'oncle du marié, lui avait demandé en entrant: « N'êtes-vous pas politicien ? » Sur réponse négative de la part de Paul, il avait ajouté: « J'aurais pu le jurer, vous en avez l'allure. » Ce qui avait fait sourire Caroline, évidemment, qui avait saisi le compliment. Paul, heureux d'avoir été perçu de la sorte, maintint donc ses consommations à quelques verres seulement. Mais il avait comblé le vide de l'alcool par un vice plus ancré, en faisant de l'œil à l'un des serveurs dans la fin vingtaine. Un beau blond qui avait accepté, sans en paraître dérangé, les compliments de l'oncle du marié. Assis très loin de Caroline, et pour cause, Paul Hériault conversait avec Richard, le collègue de Mathieu, à sa gauche, et très peu avec Justine, placée à sa droite. Non pas qu'il fuyait cette dernière, mais avec un mâle comme Richard à ses côtés, médecin de surcroît, on n'avait pas à se demander sur qui le fonctionnaire retraité allait jeter son dévolu.

Émilie, joyeuse sous les quelques effets du champagne, n'avait d'yeux que pour la petite Madeleine, la chair de la chair de son fils, avec le même regard espiègle que Joey. À un certain moment, la fillette avait grimpé sur ses genoux pour lui demander: « Tu as une autre poupée pour moi ? » La serrant contre son cœur, sa grand-mère lui avait répondu: « Oui, ma chérie, quand tu reviendras chez moi, il y aura une autre poupée pour toi. » Contente, la petite avait pointé du doigt Renaud, qui était debout près de Caroline, pour demander à Émilie: « Et un autre toutou ? » Émilie avait bien ri, Madeleine se souvenait que son mari lui avait fait cadeau d'un ourson lors de sa visite. Au mariage de son aîné, malgré le bonheur présent autour d'elle, Émilie Boinard n'avait qu'un visage en tête ce jour-là. Celui de l'absent, celui de Joey, celui de son fils qu'elle avait tant aimé et dont elle redécouvrait le sourire sur les lèvres de sa petite-fille quand un invité la taquinait.

Quelques heures plus tard, la réception prit fin et les mariés quittèrent la salle, laissant les convives avec les derniers petits desserts. Ils allèrent se changer, se préparer pour partir en voyage le soir même. Pour sept jours seulement, parce que le devoir du médecin ne pouvait lui permettre un plus long congé. Véronique avait opté pour le Costa Rica où les plages étaient ensoleillées et Mathieu avait approuvé. Une semaine ensemble à s'aimer au bord de la mer, à s'échanger des mots tendres sous le vent doux des soirs cléments et à faire l'amour dans une somptueuse suite d'un hôtel particulier cinq étoiles. Oui, à s'aimer comme ils n'avaient encore pu le faire librement. À s'aimer physiquement ! Cloués l'un à l'autre comme le plus beau couple de la terre !

Quelques mois s'écoulèrent, et Paul, suivant de près l'évolution de la maladie de William, n'en avait encore rien dit à Émilie qui en aurait parlé à Caroline. Il tenait à ce que ces moments difficiles n'appartiennent qu'à Norma, dévouée comme pas une, au chevet de son mari qu'elle adorait. William, ayant reçu la visite de Paul un certain soir, lui avait dit :

— Je suis fini, Paul ! Je n'en ai plus pour longtemps ! On n'a rien pu faire pour la prostate, ça se répand. Donc, inutile d'opérer un morceau si le cancer s'en va jusqu'aux os.

— Ne parle pas ainsi, laisse-les faire, la science fait des miracles de nos jours.

— Pas pour tout le monde... J'en ai vu crever à l'hôpital où l'on m'a gardé quelque temps. J'en ai vu mourir des cancéreux, ce ne sont pas tous des vainqueurs, il y a aussi des vaincus. Je ne me fais pas d'illusion, mais ça me peine de quitter Norma, elle est si douce, si compréhensive, elle m'a fait vivre mes plus grandes joies, ici-bas.

— Plus que Caroline, on s'entend...

— Oui, mais je n'y pense plus, elle avait quand même ses bons côtés, ta sœur. Un caractère de chien, mais le cœur sur la main. Je ne regrette pas de l'avoir quittée, mais j'ai des remords de l'avoir trompée si souvent avant de rencontrer Norma. Tromper n'est pas honnête, j'aurais dû être plus franc, lui avouer que ça n'allait plus... À quoi bon maintenant, tu lui diras, toi, que je regrette de n'avoir pas été sincère avec elle.

— Ne compte pas sur moi, qu'elle vive avec sa conscience, la... Non, je me retiens et je reviens à toi. Que pourrais-je faire pour t'aider, William ?

— Rien, Paul, absolument rien, mais ta compagnie me fait du bien. Tu es heureux, là où tu habites maintenant ? Pas loin de Mathieu, je crois...

— Oui, tout près, mais je ne le vois pas souvent. Et là, marié, il va peut-être déménager, acheter une maison... J'ai des amis, des voisins que j'aime bien, j'ai quelques connaissances, mais ma vie n'est plus la même sur le plan... Tu sais ce que je veux dire, non ?

— Oui, mais ça ne me regarde pas.

— Peut-être, mais laisse-moi te dire qu'à mon âge, bien des choses changent dans la vie d'un homme. À tous points de vue... On a vécu, on a bamboché, on a tout fait ou presque et, ensuite, on regarde des plus jeunes faire ce qu'on a fait. Les bons coups comme les bêtises ! On devient voyeur de leurs vies, William, et on attend de faire partie des colonnes de la nécrologie… Oh ! excuse-moi !

— Tu n'as pas à t'excuser et tu n'as pas à songer à ta fin, Paul. Garde-toi en santé, repose-toi, tu auras une belle longévité. Moi, en ce qui me concerne, je te dirais que c'est une mort accidentelle qui m'attend. Parce que j'ai été frappé par le cancer comme d'autres le sont par la foudre. Aussi simple que ça ! Et j'en ai vu partir des bien plus jeunes que moi de ce mal qui ne pardonne pas. Sans parler des tragédies de la route où des jeunes perdent la vie. À dix-huit, vingt et vingt-quatre ans… Venir au monde pour vivre si peu longtemps. Pense à Joey, Paul ! C'est pire que ma mort « accidentelle », la sienne. Comment pourrais-je en vouloir au bon Dieu en pensant à lui ? Ah ! que les conversations m'épuisent. Tu veux demander à Norma de m'apporter mon médicament ? J'ai des douleurs qui ne se décrivent pas !

— Oui, j'y vais de ce pas et je te quitte, William. Je reviendrai la semaine prochaine et, d'ici là, je prendrai de tes nouvelles en téléphonant à Norma. Sache que je prie pour toi, tu ne mérites pas ça, mais comme tu disais en parlant des plus jeunes…

Paul se dirigea vers la cuisine, avisa Norma de la demande de William et l'embrassa en lui souhaitant bon courage, avant de repartir vers le métro qui le mènerait de l'autre côté de la rivière où un taxi se chargerait du reste du trajet. Le soir venu, tel que promis, Paul pria pour son beau-frère non sans avoir ajouté à l'endroit du Créateur auquel il croyait tant : *Pardonnez-nous, Seigneur, pour le mal qu'on a pu faire ! Je parle au nom de tous et du mien. Soyez indulgent, car quoi que j'aie pu faire, je ne voudrais pas finir en enfer !*

Une semaine plus tard, Norma téléphonait à Paul pour lui annoncer que William venait d'être admis à l'hôpital Notre-Dame :

— Au cinquième étage, Paul, aux soins palliatifs.

— Si vite que ça ? Son état s'est vraiment détérioré ?

— À une vitesse folle ! Il a si mal, il veut en finir, la morphine l'aide de moins en moins. Et à la maison, c'était insoutenable, je devais le veiller jour et nuit. On l'a transporté hier et, sur les lieux, on s'est rendu compte que les soins palliatifs étaient ce qu'il y avait de plus humain dans son état.

— Sans que William proteste ?

— Non, il leur a dit de le droguer le plus possible, qu'il avait peine à lever une jambe, que ses os se brisaient… Ce matin, plus calme avec des médicaments plus forts, il souhaitait vous revoir, Paul, et il demandait aussi à voir votre sœur, Émilie.

— Émilie ? Pas Caroline ? C'est elle qui était…

Norma l'interrompit pour ajouter :

— Oui, je sais laquelle était sa femme, mais c'est Émilie qu'il voudrait voir avant de partir, il a quelque chose à lui dire.

— Écoutez, Norma, je vais faire ce que je peux, ma sœur ne sait même pas que William est mourant… Je vais l'appeler dès cet après-midi et, demain, avec elle ou pas, je serai là.

Ayant raccroché, Paul prit un léger dîner et eut une bonne pensée pour son beau-frère qu'il avait appris à apprécier depuis son divorce d'avec Caroline. Puis, s'installant dans le salon, fermant le son du téléviseur, il téléphona à Émilie qui répondit après le premier coup perçu. Paul lui parla de William, de sa grave maladie et, Émilie, au bout du fil s'exclama :

— Mon Dieu ! Quel drame ! Quelle tristesse ! Je n'en reviens pas !

— Écoute, Émilie, il est actuellement aux soins palliatifs de l'hôpital Notre-Dame et, sachant que j'irai le voir demain, il a exprimé le désir de te voir également.

— Moi ? Pourquoi ? Je ne suis pas si près de lui que tu peux l'être…

— Il veut te revoir une dernière fois, il a quelque chose à te dire, selon Norma. Viens avec moi, Émilie, ce sera moins pénible à deux.

— Bien, écoute, si Caroline entendait cela… C'est elle qu'il devrait réclamer, pas moi !

— Non, il ne veut pas la voir, il ne veut que toi et moi.

— Ouf ! Pas facile ce que tu me demandes là ! Si Caroline apprend…

— Tu n'en parles à personne et elle ne saura pas que tu l'as visité avant son grand départ. À Renaud, bien sûr, mais demande-lui d'être extrêmement discret. Je serai bouche cousue aussi, car, la connaissant, ce serait assez pour qu'elle ne te parle plus.

— Voilà ce que je crains… Tu peux faire confiance à Norma sur ce plan ?

— Absolument et tu verras, c'est une brave personne. Elle a pris soin de William comme si elle avait été sa mère. Alors, tu viens ?

— Oui, j'irai te prendre après le dîner et nous nous dirigerons tranquillement jusque-là. Ce qui t'épargnera le long trajet...

— Merci, c'est très aimable à toi, c'est tellement loin pour moi. Tu sais, ici, c'est bien, mais c'est loin de tout...

— De tout ce qui te rendait fou, Paul ! Tu as maintenant trouvé la paix ! Pense à tes bonnes intentions et ne te plains pas ! C'est une seconde chance que tu as !

Le lendemain, en début d'après-midi, Paul et Émilie arrivèrent aux soins palliatifs et, ayant repéré la chambre du patient, Paul frappa discrètement avant de pousser la porte. Norma, le visage défait, les traits tirés, s'était levée en l'apercevant avec une dame qui le suivait. William, anéanti par les sédatifs, sommeillait partiellement. Paul présenta Norma à Émilie et cette dernière, prise de compassion devant la douleur de la dame, lui dit :

— J'aurais préféré vous rencontrer dans d'autres circonstances. Je suis désolée pour William. Il est si jeune encore...

— Merci, madame Boinard, mais son heure est venue, tout va se terminer ici. Il n'a pas combattu, vous savez, il s'est laissé aller, il ne croyait pas en la médecine, il a baissé les bras dès qu'il est revenu à la maison.

Elles jasèrent un peu de tout, à voix basse naturellement, et Paul, regardant son ex-beau-frère gisant dans son lit, le vit ouvrir peu à peu les paupières.

— Voyez, Norma, il entrouvre les yeux.

Cette dernière se leva et, s'approchant du lit, lui murmura :

— Paul est ici, mon chéri, et sa sœur aussi. Émilie est là...

À ces mots, Émilie s'avança près du lit et, regardant William avec pitié, elle eut la force de lui dire :

— Tu étais pourtant si solide. Peut-être qu'avec un dernier effort et quelques prières... Sait-on jamais ?

— Non, Émilie, c'est inutile, je suis fini, mais je te remercie d'être venue. Tu es la seule de la famille que j'ai toujours beaucoup estimée. Non, je me trompe, Renaud aussi. Mais Paul et moi... Tu vois ? On est les meilleurs amis du monde maintenant !

— Ne te fatigue pas trop, ça semble te faire mal, je vois par tes mimiques que tu souffres constamment. Tu as un médicament à ta portée ?

— Oui, il est là, dans ma veine, Émilie ! Mais pas pour longtemps. Ça soulage, mais ça tue, ce liquide-là. C'est ça, le palliatif. On nous rend confortables, on nous traite comme des rois et hop, on est partis... Il n'y a que dans ces moments-là que l'hôpital ressemble à un hôtel. Une chambre privée, des infirmières avec le sourire, des préposés discrets et dévoués... À l'urgence, c'est tout le contraire, on est comme du bétail, on a un numéro dans le dos. Je le sais, j'ai vu les deux, à tour de rôle.

— Ne t'épuise pas, ne parle pas trop, ta femme est charmante, elle m'a très bien accueillie.

— C'est une perle que je laisse derrière moi, Émilie, j'ai été si heureux avec elle. Norma, tu es là ? Approche, viens écouter ce que je dis à Émilie de toi.

Norma s'avança et comme William allait l'encenser davantage, elle lui mit un doigt sur les lèvres pour lui dire :

— Ne t'épuise pas, tu dépenses ton souffle, tu n'as pas à le dire, je sais ce que tu penses de moi, William.

Puis, se tournant vers Émilie, elle ajouta:

— Je vous le laisse quelques minutes, parce qu'avec la dose qui vient de couler, il va retomber dans l'inertie dans peu de temps.

Émilie, regardant son beau-frère agoniser lentement, put l'entendre lui dire:

— Tu sais, je vais aller retrouver Joey, Émilie. Je serai le premier membre de la famille à l'embrasser de l'autre côté.

À ces mots, Émilie éclata en sanglots pour ensuite étouffer de son mouchoir les hoquets qui persistaient.

— Ce n'est pas triste, ce sera une joie. Lui et moi, on sera ensemble à vous attendre, là-haut. Et je suis certain qu'il va prendre soin de moi, il était si fort ton p'tit gars. Écoute, si tu as un message pour lui, je peux le lui transmettre. Tu es croyante, n'est-ce pas?

— Très croyante, William, et quand tu seras auprès de lui, dis-lui que je l'aime et que je pense à lui chaque jour. Dis-lui aussi que sa petite Madeleine... Mais non, à quoi bon, il nous voit, il nous entend, William... Soyez heureux ensemble, je vais prier pour vous, je vous garderai dans mon cœur.

Norma s'était retirée, elle pleurait sur l'épaule de Paul qui, bouleversé, ne savait quoi faire pour alléger l'atmosphère. Émilie recula de quelques pas, William avait fermé les paupières, il dormait sous l'influence des calmants et de la morphine qui coulait lentement... Constatant qu'ils avaient passé tout près d'une heure à son chevet, elle invita Paul à la suivre, à repartir, non sans voir donné la main à Norma et l'avoir assurée de ses bonnes pensées. Paul, plus familier, embrassa la femme de son beau-frère qu'il avait visitée plusieurs fois. Elle l'avait ensuite accompagné jusqu'à la porte où sa sœur l'attendait et lui avait dit :

— Je vous téléphonerai à mesure que les doses progresseront et que... Paul, je vous le promets.

Le lendemain matin, vers dix heures, alors que Paul s'apprêtait à regarder une émission américaine en buvant son café, le téléphone sonna. C'était Norma qui, tristement, lui disait que William était parti, que la mort était venue le chercher au petit jour. Peiné sans en être surpris, Paul s'empressa de prévenir Émilie qui, elle, se chargerait de transmettre la nouvelle à Caroline qui ne savait rien de la maladie de son ex-mari. Paul avait ajouté qu'il lui ferait part des arrangements funéraires dès qu'il en serait avisé par Norma. Émilie, ayant annoncé à Renaud la triste nouvelle, composa le numéro de sa sœur pour l'informer du décès de son ex-mari. Caroline, secouée, la voix tremblante, lui avait demandé :

— Il est mort de quoi ? Et comment l'as-tu su ?

— Il a été emporté par un cancer et c'est Paul qui m'en a averti, il les fréquentait...

— Oui, je sais, et il n'a pas osé m'en informer de vive voix, ce damné ! Il fallait qu'il passe par toi ! Ah ! le...

— Non, retiens-toi, pense plutôt à William, il a beaucoup souffert, tu sais, Paul disait...

— Laisse faire ce que Paul disait ! J'ai perdu mon mari, ça me fait de la peine, mais ce qui me fait plaisir, c'est que la grue ne l'aura pas eu très longtemps. C'est comme ça quand on vole le mari des autres ! De plus, il n'a jamais revu personne de la famille, sauf Paul ! Juste le mouton noir ! Piètre consolation !

Voyant que Caroline n'était pas dans une de ses bonnes journées, Émilie préféra mettre un terme à la conversation en lui disant :

— J'avais pour mandat de te l'apprendre, c'est fait. Maintenant, je te laisse, j'ai ma lessive qui traîne encore dans le panier.

Puis, ayant raccroché, Émilie se demandait ce qui serait arrivé si Caroline avait su qu'elle avait revu William avant sa mort. Et qu'elle avait rencontré Norma. Priant pour que son frère ait raison et que Norma reste discrète, elle toucha du bois pour ne jamais avoir à subir une colère de la petite dernière. Pas même un soubresaut, Caroline était à craindre. L'avoir à dos, c'était avoir la main dans un étau !

Norma avait appelé Paul pour lui donner les coordonnées de la sépulture. William n'allait être exposé qu'un seul soir, le cercueil fermé avec sa photo sur le coussin de fleurs. Un unique avis de décès avait été placé dans *Le Journal de Montréal* le même jour. Puis, une lecture liturgique auprès de la dépouille, le lendemain matin, et une mise en terre avec ses parents, au cimetière de l'Est où tous deux reposaient. Selon ses dernières volontés, avait-elle ajouté. Paul avait pris note des renseignements et, rappelant Émilie, il lui demanda si elle comptait aller se recueillir sur la tombe de son ex-beau-frère.

— Je ne sais pas si c'est de mise, Paul. S'il fallait que Caroline se mette en tête de s'y rendre et qu'elle constate que sa femme me connaît… Tu vois d'ici ce qui pourrait s'ensuivre ?

— Pas pire que si tu ne t'y rends pas et que Norma s'échappe et lui dise te connaître, Émilie. Prends une chance, viens avec Renaud et moi. Peut-être que Mathieu s'y rendra avec sa femme...

— Non, Mathieu ne sera pas là, il a toujours été solidaire de Caroline, ils ont fait tant de ski ensemble... Et Mathieu n'aimait pas à ce point William, il le trouvait quelconque. Bon, j'irai avec toi, Paul. Pour ce qui est de Renaud, on verra, mais je n'insisterai pas. Notre envoi de fleurs devrait suffire pour sa part.

— Pourvu que tu sois avec moi, je n'ai pas envie d'y aller seul. Et souviens-toi de ce que William t'a dit de Joey...

— Je n'ai rien oublié, Paul, et c'est pour Joey que j'irai, car lui pourrait me le reprocher. William est avec lui maintenant. Je passerai te prendre jeudi soir et nous irons ensemble. Pour ce qui est de Caroline, je n'ose rien lui demander. J'espère juste qu'elle n'ait pas la mauvaise idée de s'y rendre d'elle-même.

Le soir de la visite au corps, Émilie était allée chercher Paul chez lui pour ensuite descendre sur la rue Jean-Talon où le cercueil était exposé. Il y avait peu de monde, bien entendu, mais quelques gerbes et couronnes de fleurs ornaient les présentoirs. D'anciens camarades qui avaient travaillé avec William avaient aperçu l'avis dans le journal et avaient cru bon de lui rendre un dernier hommage. Puis, quelques amis de Norma, deux cousines, un cousin, des copains de longue date, Paul, Émilie... Sur le cercueil d'ébène, un coussin de roses rouges était étalé avec une jolie photo de William, sourire aux lèvres, et un mot de Norma sur lequel on pouvait lire : *Jamais je ne t'oublierai. Norma, ta bien-aimée.* Émilie s'était agenouillée, avait fait une courte prière et, ayant offert ses condoléances à Norma, elle s'était retirée pour la laisser avec Paul qui avait causé plus longtemps qu'elle avec la veuve. Norma avait été discrète, elle avait accueilli Émilie, sur les conseils de Paul, comme si elle ne l'avait jamais vue. Renaud n'était pas venu, il avait des patients à recevoir, ce soir-là. Mathieu, averti du décès de son ex-oncle par alliance, avait fait parvenir à la veuve un arrangement floral avec ses vives condoléances. On allait bientôt fermer, quelques personnes s'étaient déjà retirées, et Paul et Émilie s'apprêtaient à en faire autant lorsque, se retournant, ils virent Caroline s'avancer près du cercueil en regardant droit devant elle. S'agenouillant, elle fit mine de se recueillir dans une ou deux prières, mais Norma qui l'avait reconnue grâce à des photos que William avait gardées d'elle, s'avança pour se tenir tout près d'elle. Se relevant, la fixant sans la moindre émotion, Caroline ne lui tendit même pas la main avant de l'apostropher devant tout le monde :

— C'est vous, la voleuse de mari ? Il fallait qu'il meure pour que je vous voie la face ? Il était à moi, cet homme, vous n'avez pas honte ? Vous le fréquentiez alors qu'il était encore mon époux ! Aucune gêne de votre part ! De mon lit au vôtre !

Sidérée, reculant d'effroi, Norma ne savait comment se défendre devant une telle attaque. C'est Paul qui, témoin de l'esclandre, s'approcha pour dire à sa sœur :

— Ça suffit ! Norma est son épouse depuis longtemps ! Comment oses-tu venir ici et profaner ainsi la dépouille de William !

— Je voulais voir sa grue ! C'est fait, je m'en vais ! Et je n'ai pas de blâme à prendre de toi, l'ivrogne !

Il aurait pu l'étrangler devant tout le monde, mais elle avait tourné les talons et, apercevant Émilie derrière un fauteuil, Caroline s'arrêta sec et, déboussolée, lui cria :

— Et tu es venue avec lui ! Toi, ma sœur ! Voir ce lâche qui m'a abandonnée et qui m'a trompée avec cette... Je me retiens ! Comment as-tu pu, Émilie ?

Madame Boinard, embarrassée devant les gens restés sur place, la pria de se taire pour ensuite lui murmurer :

— Paul avait besoin de quelqu'un pour le conduire, il habite loin, et comme William et lui se fréquentaient, je lui ai offert de l'accompagner. Il faut être humain et civilisé, Caroline ! Ce que tu viens de faire est insensé !

— C'est ça ! Tu peux le dire plus fort, ne te gêne pas ! Traite-moi d'insensée maintenant ! Et ton excuse n'est pas valable ! Si Paul a de l'argent pour boire, il en a pour prendre un taxi !

Puis, sortant avec fracas, elle laissa Émilie et Paul sur place avec les autres invités qui avaient peine à se remettre de l'attaque verbale. Norma, affaissée sur un fauteuil, sanglotait en regardant le cercueil de celui qu'elle avait aimé. Émilie, s'approchant d'elle, lui avait dit :

— Ne tenez pas compte de ce qu'elle a fait, si possible. Elle n'est pas bien, elle est intempestive, William a souvent été sa victime...

Paul retenait son souffle pour ne pas dire à tous qu'elle était folle, que c'était une vache, une maudite, la chipie de la famille, mais il se contint et repartit avec Émilie alors que Norma en faisait autant avec des amis. En route pour Laval, elle avait dit à bord de la voiture :

— Imagine si elle avait vu la couronne de roses blanches de Renaud et moi ainsi que l'arrangement de la part de Mathieu et Véronique. Les deux tributs étaient à côté d'elle, mais, trop enragée après la veuve, elle n'a pas eu le réflexe de regarder autour du cercueil.

— Elle n'avait d'yeux que pour le portrait de William et pour la grue, comme elle l'appelle, d'ajouter Paul.

— Un fait demeure, elle a aimé William de tout son être. Aucune femme ne ferait un tel scandale pour un mari qui n'en valait pas la peine.

— Ce n'est pas qu'elle l'a aimé, Émilie, c'est parce qu'elle n'a jamais accepté d'avoir été trompée et quittée. C'est une vengeance qu'elle est venue exercer, ce soir, pas un amour inoubliable à exprimer ! Tu as vu comment elle m'a traité devant les étrangers ? J'ai failli lui sauter à la gorge une fois de plus ! La mère a manqué son coup avec la p'tite dernière ! Elle nous a laissé une folle à mettre dans une camisole de force !

— Peut-être, Paul, mais elle a presque manqué son coup avec toi aussi. Je dis « presque » parce que maintenant tout semble avoir changé, mais il fut un temps... Pas si loin, souviens-toi !

Le lendemain, Caroline téléphonait à Émilie, histoire de vérifier si elle était allée à la mise en terre de William. Sa grande sœur, devinant son intention, lui avait répondu avant qu'elle ne questionne :

— Ne t'en fais pas, je ne suis pas allée à l'enterrement, Paul non plus. Je l'ai accompagné hier seulement, je lui ai servi de chauffeur. Tu n'avais aucune raison d'agir comme tu l'as fait !

Voyant que son aînée était irritée de sa conduite de la veille envers elle, Caroline s'empressa de s'excuser:

— Je te demande pardon, Émilie, je n'aurais pas dû m'emporter contre toi devant les gens, je suis navrée, je m'excuse mille fois.

— À l'avenir, il faudra que tu y penses avant, Caroline. Et pas seulement pour moi, pour Paul aussi et pour la veuve de William. On ne fait pas d'esclandre publiquement quand on est divorcée d'un homme depuis plusieurs années. Décédé en plus ! Et en plein salon où on l'expose ! Imagine ce que va penser sa femme de toi ! Une détraquée qui est venue l'insulter devant la tombe de son mari ! Je m'emporte à mon tour, mais il est temps que tu te prennes en main ! Tu ne peux plus agir de la sorte à ton âge !

— C'est que je suis impulsive, que je n'ai pas de retenue…

— Alors, apprends à en avoir ! Est-ce possible de se comporter ainsi devant des étrangers qui vont juger la famille à cause de tes sorties publiques ? Et laisse Paul tranquille ! Il aurait pu te sauter à la gorge comme il l'a déjà fait ! Dans deux salons funéraires en plus ! Deux scandales ! Pour Joey comme pour William ! Et puis, pourquoi es-tu venue, hier soir ? Pourquoi ne pas être restée chez toi et passer à autre chose ?

— Je souhaitais dire à William une dernière fois que je l'aimais…

— Non, Caroline, c'est faux ! Tu voulais t'en prendre à Norma, l'humilier devant tout le monde, te venger d'elle… Tu n'avais aucune intention de te recueillir sur le cercueil de ton mari.

— Bien, je voulais qu'il sache…

— Non, tu ne désirais rien d'autre que semer le trouble ! Pour ce qui est de William, tu aurais pu lui faire chanter une messe ! C'eût été plus honorable que d'aller insulter sa veuve !

— Écoute, je me suis repentie tantôt, que puis-je faire de plus…

— T'excuser à Paul et à Norma de tes attaques sauvages !

— Non, jamais, tu vas me passer sur le corps avant ! Jamais à lui, cet alcoolique dénaturé, cet agresseur de jeunes gens, ce maniaque de la couchette… Et encore moins à elle, la grue !

— Tu vois ? Tu continues ! Alors, je ne te passerai pas sur le corps, mais si tu persistes à agir de la sorte, je vais couper les ponts, Caroline. Est-ce clair ?

— Voyons, Émilie, je n'ai que toi…

— Alors, arrange-toi pour ne pas me perdre ! Change de caractère, Caroline ! Mets-toi au pas, travaille sur toi ! Est-ce possible d'être, à soixante-deux ans, aussi vilaine que tu l'étais à trente-cinq ? Bon, je passe encore pour cette fois, mais c'est ta dernière chance ! Un autre faux pas et je te tourne le dos, ma sœur ! Tu ne me feras pas honte une fois de plus, je te le jure !

— Bon, j'ai compris, je m'excuse une fois de plus, mais, dis-moi, as-tu fait parvenir des fleurs à William au salon mortuaire ? Il me semble…

— Oui, une immense corbeille, et Mathieu et sa femme aussi ! Il y en a qui savent vivre dans la famille ! Sur ce, je te laisse, j'ai un repassage à faire !

Émilie avait raccroché brusquement pour que sa sœur s'aperçoive qu'elle était sérieuse cette fois. Et elle avait pris le dessus du pavé pour éviter que Caroline se mette à déblatérer encore sur le compte de Norma, de Paul, d'elle et de sa famille. Somme toute, elle avait attaqué avant de l'être ! Parce que, Caroline Hériault, l'épée à la main la première, n'épargnait personne quand venait le temps de frapper.

Une visite était à prévoir chez les Boinard et c'est avec fébrilité qu'Émilie attendait la venue de sa petite-fille le lendemain. En effet, Justine avait téléphoné pour s'inviter avec sa petite Madeleine pour l'après-midi. Madame Boinard s'empressa de se rendre au centre commercial et de revenir avec une poupée et un ourson, tel que promis à l'enfant le jour des noces de Mathieu. Le mercredi, jour choisi pour sa venue, Madeleine avait revêtu une jolie robe de coton rose avec des canetons blancs sur la poche du haut. Émilie l'embrassa affectueusement et la fillette lui fit un câlin qu'elle n'était pas près d'oublier. Elle lui servit un morceau de gâteau aux fraises avec un verre de lait, ainsi que des petits chocolats mous que sa petite-fille apprécia. Puis, elle lui offrit la jolie poupée, semblable à la première, mais habillée différemment et avec des cheveux bruns et non blonds cette fois. Elle la lui tendit en lui disant :

— Regarde, ma chérie, c'est la petite sœur de l'autre !

Madeleine, émerveillée, contemplant la poupée lui répondit :

— Pas sa petite sœur, grand-maman, elle est aussi grande que Pénélope !

— Ah ! c'est Pénélope qu'elle s'appelle, l'autre ? Disons que celle-ci a juste un an de moins, mais c'est vrai qu'elle est aussi grande. Et tu vas l'appeler comment celle-là ?

— Heu… Bénédicte ! C'est le nom que je voulais donner à Pénélope avant de me décider, mais c'est elle qui va s'appeler Bénédicte. Le même qu'une petite amie à la garderie. C'est correct, maman ?

Justine lui sourit, lui passa la main dans les cheveux et répondit :

— Bien sûr que c'est correct, deux belles poupées avec deux beaux prénoms. Une blonde et une brune ! Tu es gâtée, n'est-ce pas ?

— Oui, mais je voulais aussi un ourson…

— Pour ça, il va falloir que tu attendes grand-papa qui va rentrer tôt ce soir. C'est lui qui achète les oursons, pas moi !

Madeleine fit une autre caresse à sa grand-mère qui en frissonnait de joie et se mit en frais de déshabiller sa poupée pour ensuite la rhabiller, pendant que les deux femmes, moins dérangées maintenant que la petite était occupée, puissent enfin jaser :

— Comment se porte la grossesse, Justine ? Aussi bien que la première ?

— Non, madame Boinard, j'ai plus de difficulté. J'ai des maux de dos qui me causent des ennuis. C'est le poids du bébé, je crois. Il sera plus gros que Madeleine l'était, et je pense que ce sera un garçon, je ne porte pas de la même façon.

— Le médecin ne t'a pas dévoilé le sexe de l'enfant ?

— Il a tenté de le faire, mais j'ai refusé. Je préfère avoir la surprise comme vous l'aviez, vous, et mes grands-parents aussi. Éric aurait aimé savoir, mais je lui ai demandé d'attendre et il a accepté. J'ai un très bon mari, madame Boinard, j'ai eu la main heureuse.

— Oui, il est charmant, bien élevé, intelligent…

Émilie n'alla pas plus loin dans ses compliments, parce que, pour elle, Éric était tout de même le remplaçant de Joey auprès de sa « belle-fille ».

— Tu cesseras de travailler quand ?

— Dans pas très longtemps, j'arrive à la fin de mon terme, vous savez. Et j'ai le ventre si gros que j'ai peine à monter les escaliers au bureau. Parlant de travail, comment va Paul ? Il s'habitue à sa nouvelle vie ? Et la retraite, il s'en accommode bien ?

— Si on veut, mais le quartier n'est pas tout à fait son genre. Un peu trop tranquille pour lui, tu saisis ? Chomedey est un endroit où les familles sont multiples, sans parler des immigrants qui s'y installent de plus en plus. Paul préférait le Plateau, c'est certain, mais entre toi et moi, il est mieux à Laval avec ses vieux voisins que près des bars... On se comprend ?

— Oui, je sais ce que vous voulez dire, surtout à son âge. Il finira bien par s'y faire, d'autant plus que Mathieu et Véronique habitent tout près.

— Pour l'instant, car ma bru semble avoir l'œil sur des maisons. Chaque fois qu'elle vient ici, elle est en extase devant la nôtre, le jardin, la tranquillité, les voisins éloignés... On verra bien, car Mathieu n'aime pas être très loin des hôpitaux.

Après une heure ou plus de conversation, après le thé et les biscuits, alors que la petite jouait encore avec le chien de porcelaine et la poupée, on entendit un bruit venant d'en avant :

— Tiens ! Je pense que c'est Renaud, j'entends la porte du garage. C'est grand-papa qui arrive, Madeleine ! Approche, on va tenter de le voir par la fenêtre !

Émilie souleva la fillette qui reconnut son grand-père qui grimpait l'escalier et descendit des genoux de sa grand-mère pour aller se réfugier près de sa mère. Renaud entra, vit l'enfant, lui sourit, salua Justine et embrassa Émilie sur la joue. Puis, regardant sa petite-fille qui était encore intimidée par lui, il se pencha pour lui dire :

— J'ai une surprise pour toi, tu sais. Pour l'avoir, il va te falloir me serrer très fort contre toi.

Anxieuse d'avoir le cadeau au plus tôt, Madeleine s'exécuta, mais ne resta pas longtemps collée contre son grand-père. S'en dégageant, elle lui demanda :

— Il est où, mon ourson ?

Renaud éclata de rire, constatant que la petite savait ce qui l'attendait. Émilie lui fit signe de regarder dans le placard du couloir et Renaud, suivi de l'enfant, ouvrit la porte pour découvrir, assis par terre, un plus gros ourson que l'autre ! Gris cette fois ! Avec une belle boucle rouge autour du cou.

Surprise, la petite lui dit :

— Il est bien gros ! C'est le papa de Roméo ?

— Heu... oui, c'est le grand-papa de ton petit Méo que tu as chez toi. Comment va-t-on l'appeler, celui-là ?

— Je... j'sais pas, c'est toi qui trouves les noms, grand-papa.

Renaud fit mine d'hésiter et, puisant dans ses neurones, il sortit :

— Que dirais-tu de l'appeler grand-papa Roméo celui-là ? Ça irait bien avec papa Roméo que tu as déjà et le petit Méo chez toi.

— Non, je vais l'appeler gros Méo, parce qu'il y a déjà un Roméo et un petit Méo !

— Bonne idée, ma chouette, alors gros Méo est à toi ! Il te plaît ?

— Oui, mais la prochaine fois, tu peux acheter un lapin ou un chat, pas toujours des oursons ! J'aime les autres animaux aussi !

— Bien, c'est promis ! répondit Renaud en la serrant contre lui.

Émilie et Justine avaient éclaté de rire, ce qui avait gêné la fillette qui fit semblant de bouder pour montrer qu'elle n'aimait pas qu'on se moque d'elle. Voyant le temps passer, Justine prit son sac à main et se leva en emmenant Madeleine, sa poupée et son ours.

— Nous reviendrons, madame Boinard, on soupera avec vous la prochaine fois. Ce soir, papa nous attend...

— N'importe quand, Justine ! Tu es toujours la bienvenue ! Viens nous voir souvent avec la petite, ça nous fait vraiment chaud au cœur de la serrer contre nous.

— Oui, je le sais, je le sens, et c'est le moins que je puisse faire. Madeleine est à vous autant qu'à nous, vous savez.

— Merci de nous le dire, Justine, nous t'aimons bien, tu sais.

C'est en octobre que, finalement, Justine donna naissance à son second enfant. Un garçon cette fois, tel qu'anticipé par la maman. Un bébé de huit livres et trois onces, d'où les plus fortes douleurs lors de l'accouchement. Éric, nouveau papa, se promettait bien d'aimer son p'tit gars autant que son autre fils et Madeleine. Cette dernière, contente du retour de sa mère à la maison, avait appelé Émilie le lendemain pour lui dire :

— On a un bébé dans notre maison ! Un vrai ! Un bébé garçon !

— Tu es contente, ma chérie ? Il est gentil ce beau bébé ?

— Oui, mais il pleure souvent, il pleure fort, il crie fort, il réveille mes poupées.

— Tes poupées seulement, pas toi ?

— Non, parce que je mets mon gros Méo sur mes oreilles !

Émilie éclata de rire et, causant avec Justine, elle lui dit :

— Je suis heureuse pour toi ! Un beau garçon ! Te voilà comblée !

— Oui, j'avoue, mais ça n'a pas été facile, il a poussé fort, celui-là !

— Je serais allée te voir à l'hôpital si j'avais su... Pourquoi ne pas m'en avoir avisée avant ?

— Je ne suis pas restée longtemps, on nous expédie rapidement. Et puis, avec ma belle-mère qui venait chaque jour, les sœurs d'Éric, les amis... Honnêtement, je souhaiterais que vous passiez me voir à la maison quand vous en aurez la chance. Nous pourrons parler plus longuement et Madeleine sera contente de vous montrer sa chambre.

— Bon, c'est promis ! Félicite ton mari de ma part et de celle de Renaud. Et ne m'en veux pas, j'ai fait livrer des fleurs chez toi. La petite en sera ravie !

— Ce n'était pas nécessaire, madame Boinard... Voyons donc !

— Au contraire, un petit frère pour notre petite-fille et pour l'autre fiston de ton époux, c'est tout un événement. Accepte-les de bon cœur, Justine, et compte sur moi pour une visite prochainement.

Elles raccrochèrent, et Émilie, le récepteur à la main, se demandait pourquoi elle n'avait pas été plus élogieuse à l'endroit d'Éric, le père de l'enfant. Bien qu'elle connût la réponse. Depuis la mort de Joey, aucun autre homme ne pouvait le remplacer dans le cœur de qui que ce soit. Pas même dans celui de « sa blonde » qu'il n'avait fréquentée que six ou sept mois.

Quatre semaines plus tard, une autre surprise attendait Émilie. Un soir de novembre alors qu'elle tricotait des mitaines pour Madeleine, elle reçut un appel de Mathieu qui lui lança au bout du fil :

— Tiens-toi bien, maman ! Tu vas encore être grand-maman !

— Quoi ? Tu veux dire que Véronique...

— Oui, elle est enceinte, c'est confirmé maintenant, nous attendions le moment opportun pour l'annoncer. Je crois que papa sera très heureux lui aussi.

Renaud, pas loin de sa femme, eut vent de la nouvelle alors qu'elle avait mis sa main sur le récepteur. Ravi au plus haut point, il s'était écrié :

— Quelle joie, Mathieu ! Papa enfin ! Félicitations, mon gars !

Sans ajouter un mot pour Véronique qui était tout de même fort impliquée dans l'événement. Pour Renaud, c'était son fils qui comptait, lui d'abord, sa femme ensuite. Son fils aîné, son préféré ! Celui qui allait lui donner, il l'espérait, un petit-fils pour perpétuer la lignée des Boinard.

— Alors, ce sera pour quand ? demanda Émilie à Mathieu.

— D'après le gynécologue, un confrère de l'hôpital qui suivra Véronique, l'enfant devrait naître en juin prochain.

— Vous n'avez pas une idée du sexe ?

— Non, pas encore, un peu plus tard. Moi, j'aurais pu attendre jusqu'à la délivrance, mais Véronique veut le savoir, elle veut décorer la chambre du bébé en conséquence.

— Quelle chambre ? Tu as suffisamment de place chez toi ?

— Oui, nous avons une chambre d'amis que nous pourrions transformer, mais nous sommes indécis actuellement. Véronique aimerait bien qu'on fasse l'acquisition d'une maison. Une jolie résidence de pierres comme il y en a de l'autre côté du pont, sur Gouin, en allant vers Pierrefonds.

— Oui, je vois, elles sont majestueuses dans ce coin-là.

— Nous verrons, nous allons attendre que l'année se termine et nous mettrons ensuite un agent immobilier sur le projet. Dis, tu veux parler à Véronique ? Elle est juste à côté de moi.

— Bien sûr, passe-la-moi au plus vite !

— Bonsoir, madame Boinard, je n'ai pas grand-chose à ajouter, Mathieu vous a tout dit, incluant le déménagement si nous ne changeons pas d'idée.

— Ça va bien ? Pas de problèmes des premiers temps ?

— Non, aucun malaise, pas même un dérangement. Je ne croyais pas être enceinte avant qu'on me le confirme, mais je suis très heureuse, j'avance en âge, un premier bébé dans la trentaine…

— C'est normal de nos jours, Véronique, les couples se marient plus tard ou pensent à fonder une famille lorsque bien établis. Tu es encore assez jeune pour en avoir trois autres.

Véronique s'esclaffa pour ensuite répliquer :

— Ce n'est pas ce que votre fils prétend, lui ! Il se trouve déjà vieux à trente-six ans... Ce bébé sera le premier et le dernier, selon lui.

— Attends que sa fibre paternelle se développe, il changera bien d'idée. Tu sais, être père, ça s'apprend ! En pratique je veux dire, pas en théorie, car dans ses livres il a davantage lu sur la cardiologie que sur la paternité.

— Et comment ! Bon, je ne vous retiens pas, Mathieu l'a fait assez longuement. Saluez monsieur Boinard de ma part et je vous tiendrai au courant des développements. Mathieu vous fait dire de bien dormir sans le moindre calmant, cette fois. Il ajoute que le bonheur n'a pas besoin de somnifère.

Émilie raccrocha, embrassa Renaud et lui confia :

— Grands-parents une seconde fois ! C'est inespéré ! Je ne croyais jamais voir un bébé dans les bras de notre aîné, lui, si loin des enfants dans son univers de patients très âgés.

— Il sera un bon père, sois-en certaine. Notre fils réussit tout ce qu'il entreprend, Émilie. Il en sera de même avec son enfant. Fais-lui confiance ! Un petit bébé ce n'est rien, quand on est médecin pour en prendre soin.

— Il lui faudra aussi l'élever, Renaud, et sur ce point, je compte plus sur Véronique que sur lui !

— Pas sûr de ça, moi, elle est beaucoup trop douce, trop sensible. Mathieu a plus de fermeté et de ténacité. Comme moi !

— Ce qui n'est pas nécessairement une référence, Renaud...

La fin de l'année s'écoula bien, Émilie avait fait son souper et invité Paul, Caroline, Mathieu et Véronique dont la grossesse ne paraissait pas d'un pouce. Le frère et la sœur ne s'étaient pas adressé la parole, ils avaient évité de se regarder. Caroline avait discuté avec Véronique de son enfant à naître, allant jusqu'à lui demander:

— Vous préférez une fille ou un garçon?

Et Véronique de répondre. comme à peu près toutes les futures mamans:

— Pas d'importance, pourvu que ce soit un enfant en santé.

Mathieu avait trinqué à leur futur bonheur et avait avisé son père d'un éventuel déménagement s'ils trouvaient la maison de leurs rêves. Paul, à cette annonce, de lui reprocher:

— C'est ça! Tu m'emmènes dans ton coin puis tu déguerpis!

— Remarque que c'est maman qui t'a suggéré Chomedey, Paul, pas moi.

— Bon, dans ce cas, c'est à elle que je m'adresse…

— Ne chiale pas pour rien, mon frère, rétorqua Émilie. Je suis toujours là pour tes déplacements et tu es encore capable de t'occuper de ton épicerie et de tout le reste…

— Bien oui, je sais…

Pour ensuite marmonner quelque chose que personne n'avait saisi, mais qui avait fait soupirer Caroline d'impatience à l'autre bout de la table. Décidément, ça ne s'arrangeait pas avec l'âge, ces deux-là. Ils allaient toujours être comme chien et chat. On s'échangea quelques vœux entre voisins de table et on songea ensuite au Premier de l'an que chacun irait fêter quelque part:

— Nous allons souper chez Richard et Sandra, annonça Mathieu.

— Moi, je vais chez ma collègue, la pharmacienne. Elle reçoit quelques amis, je ne connais personne, mais ça va faire changement.

— Et toi, Paul ? de s'enquérir Renaud.

— J'ai été invité chez mes voisins, le couple âgé, mais je ne suis pas certain d'avoir envie d'y aller. Ils sont vieux jeu... Vous faites quoi, vous deux ?

— Rien de spécial, répondit Émilie, et si tu veux te joindre à nous, tu seras le bienvenu, Paul.

— Bien, j'accepte ! Ça va être beaucoup plus agréable qu'avec les vieux ! Mais, va falloir que tu viennes me chercher, Émilie !

— Y a des taxis !

Tous s'étaient retournés, Paul aussi, la remarque désobligeante venait de l'autre bout de la table. De la langue sale de Caroline !

Chapitre 12

Le 30 décembre au soir, alors que madame Boinard marinait des betteraves pour l'année qui viendrait, le téléphone sonna chez elle. *Qui donc, par un dimanche ?* se demanda-t-elle. Caroline avait appelé dans l'après-midi, Mathieu s'était manifesté… Elle regarda l'afficheur et ne reconnut pas le numéro. Soulevant le récepteur, elle répondit machinalement :

— Oui, allô ?

— Madame Boinard, je suis madame Grangère, la voisine de votre frère, celle chez qui il vient souvent veiller.

La vieille dame semblait à bout de souffle et Émilie de lui dire :

— Prenez votre temps, que se passe-t-il ? Mon frère…

— Il est malade, madame, on vient de le découvrir il y a une heure, l'ambulance vient de partir avec lui pour l'hôpital. On a essayé d'aller chez votre fils, Mathieu, mais il n'y avait personne encore, ils sont sortis. Puis, j'ai trouvé votre numéro dans le carnet d'adresses de Paul.

— Qu'est-ce qu'il a ? Que lui est-il arrivé ?

— Je ne sais pas trop, mais mon mari dit qu'il a paralysé. Il était couché par terre près du téléphone. Il a peut-être rampé jusque-là, mais c'est Robert qui l'a trouvé.

— Mon Dieu ! Paralysé, dites-vous ? Comment cela se peut-il ?

— Bien, Robert a essayé de lui parler, mais votre frère avait la bouche croche, mon mari ne comprenait pas ce qu'il marmonnait. Puis sa main gauche, sa jambe gauche ou droite, je ne sais plus, mais il a perdu connaissance, on a appelé Urgences-santé et ils l'ont emmené.

— À quel hôpital ?

La vieille dame donna les informations requises et, avant de clore la conversation, la voisine précisa :

— Il devait venir jouer aux cartes avec nous autres et, comme il n'arrivait pas, Robert est allé frapper à sa porte, puis il l'a entendu se plaindre. On a appelé le concierge, on a ouvert, et le reste, vous le savez…

— Merci, madame, je vais m'occuper de lui, merci de m'avoir prévenue.

Émilie raccrocha puis, nerveusement, ébranlée par le choc, elle dit à son mari qui n'avait rien entendu de la conversation :

— Paul a paralysé, Renaud ! Il est à l'hôpital !

— Quoi ?

— Oui, c'est la voisine qui vient de me l'apprendre, c'est son mari qui l'a trouvé par terre, inconscient ou presque, je ne le sais pas, mais donne-moi vite mon manteau, je dois y aller, Mathieu n'est pas chez lui.

— Appelle-le sur son cellulaire, Émilie ! Il peut nous être utile !

— Commençons par nous rendre au chevet de Paul et de là, on avertira Mathieu, il devrait être rentré à ce moment-là. Pas besoin de le déranger pour l'instant. Tu m'accompagnes ?

— Bien sûr, je ne te laisserai pas faire le trajet seule, Émilie. Tu es nerveuse et agitée. Le temps de prendre mon manteau et mon chapeau.

Ils se rendirent à l'hôpital et, avant d'entrer, comme les portables n'étaient pas permis à l'intérieur, Émilie tenta de joindre Mathieu qui répondit cette fois :

— Mathieu ! Je suis à deux pas de l'hôpital où tu travailles, Paul y a été conduit ce soir. Il a paralysé ! Nous avons tenté de te joindre...

— Véronique et moi avons soupé chez Richard ce soir, c'était l'anniversaire de Sandra. Écoute, le temps de redescendre et je vous rejoins aussitôt. Attendez-moi à l'entrée de l'urgence, j'irai m'enquérir avec vous deux, il se peut qu'on vous interdise l'accès.

Comme demandé, Émilie et Renaud prirent place très loin du poste des infirmières et personne ne les dérangea. Il y avait, comme de coutume, un monde fou, des gens qui attendaient depuis l'après-midi et même avant. Mathieu arriva en trombe, retrouva ses parents et leur demanda de ne pas bouger, qu'il allait aux nouvelles. À titre de médecin attaché à l'hôpital, il n'eut pas à expliquer sa présence et, dès son entrée aux urgences, il repéra assez vite l'oncle Paul près duquel deux médecins et une infirmière s'affairaient. Mathieu, qui les connaissait bien, leur apprit que le patient était son oncle et s'informa de son état. Paul, avec l'aide de calmants, semblait dormir paisiblement.

— On fait le nécessaire, lui dit l'un des médecins. Il va s'en remettre, mais il restera paralysé. Du côté droit. Pas chanceux le monsieur, le côté gauche aurait été moins dommageable. Avait-il des problèmes cardiaques ? On n'a rien sur lui dans les archives de l'hôpital.

— Non, rien du côté cœur, mais septuagénaire, tout peut arriver, vous le savez. Il ne faisait pas grand cas de sa santé, il ne consultait jamais ou presque. Et il avait une fâcheuse habitude, il buvait, mangeait mal…

— Voulez-vous dire alcoolique par « il buvait », docteur ?

— Heu… si on veut, il buvait beaucoup, du vin et de la bière surtout, il avait diminué depuis peu, mais le problème durait depuis plusieurs années, cependant.

— Fumait-il ?

— Il disait avoir cessé, mais je crois qu'il trichait de ce côté. On trouvait encore des mégots dans son cendrier.

— Bon, on va l'hospitaliser et, dès demain matin, on va lui faire tous les tests d'usage. Allez-vous être en poste ? La veille du jour de l'An…

— Non, je viendrai assez tôt pour suivre le déroulement des choses. Ma mère, sa sœur, est dans la salle d'attente avec mon père, mais je doute qu'il soit nécessaire qu'elle entre pour le voir.

— En effet, il va dormir longtemps avec ce qu'on lui a donné, il était très agité malgré sa paralysie, il émettait des sons qui dérangeaient les autres. Nous allons le faire monter dès que vous serez parti, on a trouvé une chambre à deux pour lui.

— Je préférerais une chambre privée, docteur.

— On n'en a aucune de libre, elles sont si peu nombreuses.

Mathieu regarda le médecin de garde droit dans les yeux et ce dernier, reprenant la parole, lui dit :

— C'est bon, je vais m'informer. On a en toujours une ou deux pour des cas à isoler et, dans sa condition, votre oncle...

— Oui, trouvez-en et si vous rencontrez quelque objection, prévenez-moi et je vais intervenir.

— Très bien, répondit le jeune médecin qui semblait en admiration devant l'éminent cardiologue qu'était devenu le docteur Boinard. Sa réputation le précédait dans les annales médicales de l'hôpital.

Mathieu sortit retrouver ses parents et, avisant sa mère que Paul était entre des mains expertes, il la pria, ainsi que son père, de retourner à la maison et d'attendre ses instructions le lendemain. Ce qu'ils firent sans protester, sachant fort bien que Paul ne pouvait être plus en sécurité que sous l'œil averti de leur fils. Pauvre Paul ! Lui qui devait venir manger chez Émilie au jour de l'An ! Lui qui avait demandé si elle pouvait lui faire des tourtières avec la viande de tête dépecée d'un porc. Comme celles que faisait leur mère jadis ! Ce qu'Émilie avait refusé, rétorquant qu'elle n'avait pas assez de sang-froid pour vider, comme sa mère le faisait naguère, une tête de cochon !

De retour à la maison, elle appela Caroline pour lui annoncer la nouvelle et cette dernière, impassible au bout du fil, lui répondit :

— Bien, il aura couru après ! Avec ses bouteilles de vin et ses vices ! Encore chanceux de s'être rendu jusqu'à son âge sur ses deux pattes ! Ç'aurait pu lui arriver bien avant !

— Tu parles comme s'il était mort, Caroline...

— Pas mort, mais pas fort à ce que je vois ! Il va rester croche et mal foutu... Et ça, c'est s'il s'en sort !

— Bon, j'aurais dû y penser. Avec toi, la compassion...

— Non, pas de *false pretenses,* comme disent les Anglais ! Je ne vais pas m'attendrir après avoir passé presque ma vie à le haïr ! Si son heure est arrivée, je t'avertis, ce n'est pas moi qui vais pleurer. Et ce qu'il vit, je ne le lui ai pas souhaité, Émilie. Je lui ai souhaité pire !

Émilie avait raccroché, découragée du peu de sympathie de la part de sa sœur. Bien sûr qu'elle n'aimait pas Paul, ils se détestaient tous les deux, mais en un pareil moment... Renaud, la sentant bouleversée, lui dit :

— Tu savais à quoi t'attendre, Émilie. Pourquoi l'avoir appelée ?

— Je pensais que l'état de son frère pourrait l'attendrir...

— Voyons donc ! Elle le méprise et c'est réciproque. Il a failli l'étrangler en lui sautant à la gorge. Tu crois qu'elle va se pencher sur lui et laisser parler son cœur après cela ? Caroline est une forte tête. Tu devrais cesser d'insister, de t'interposer entre les deux comme tu l'as toujours fait. Ils ont assez de vécu l'un comme l'autre pour s'arranger avec leurs problèmes.

— Tu as raison, Renaud, mais tu aurais dû me dire cela bien avant. Ça m'aurait évité de me faire du mauvais sang bien souvent.

— Alors, tu veux bien qu'on aille dormir à présent ? Demain sera une dure journée, Mathieu va sans doute t'appeler. Quelle fâcheuse façon de terminer l'année ! Dans la maladie...

— Renaud, nous ne sommes pas les seuls, tu as vu toutes ces personnes à l'urgence ? Elles ont toutes un parent malade en ces lieux quand ce n'est pas elles-mêmes qu'on va hospitaliser. Les épreuves sont pour tout le monde, Renaud, on ne choisit pas son temps.

— Oui, je parle égoïstement parfois, mais je te sens si fatiguée...

— Non, j'ai encore de la résistance, mais tu aurais une petite pilule verte pour m'aider à dormir ? Je n'y parviendrai pas sans ça, je vais penser à Paul toute la nuit... Sainte misère ! Courage ! J'en aurai besoin ! J'en demanderai à la Vierge et à son fils Jésus qui vient de naître.

Le lendemain, Mathieu se présenta à l'hôpital afin de suivre de près les interventions et les traitements qu'on réservait à Paul. Ce dont il souffrait relevait de la cardiologie, mais il préféra laisser le malade aux soins de ses collègues, les chirurgiens, ce qu'il n'était pas. Émilie qui s'était informée de la santé de son frère, s'était fait dire qu'il avait subi un AVC ou une thrombose, comme on disait avant. Le côté droit avait été affecté et, s'il n'avait pas perdu conscience en tombant dans son appartement, c'est qu'il n'avait pas encore été foudroyé par la formation du caillot au cerveau, ce qui se produisit quelques secondes plus tard. Bref, Paul n'était pas sorti du bois et allait passer plusieurs jours à l'hôpital. Un endroit qu'Émilie visiterait souvent dès le lever de l'année 2013 qui semblait peu prometteuse pour elle et désastreuse pour Paul.

Après quelques semaines, tout près d'un mois, on suggéra que Paul réintègre sa maison et qu'on s'occupe de lui, mais le drame était que Paul vivait seul et que personne ne pouvait le prendre en charge. Il y avait, bien entendu, le CLSC qui pouvait apporter sa contribution, mais comme il ne parlait pas, qu'il ne s'exprimait que par des sons rauques et des cris, qu'il marchait en «traînant de la patte», comme on disait, qu'il n'avait plus l'usage de son bras droit et que son intelligence était amoindrie, on se demandait ce qu'on allait faire de lui. Il n'était pas question qu'Émilie le recueille chez elle, Renaud s'y opposait, c'était une trop lourde corvée. On pensa à engager une infirmière privée, mais c'était vraiment cher et, malgré ses économies, Paul n'avait pas les moyens de se payer une telle personne à temps plein. On commença donc par avoir recours au CLSC pour les soins les plus urgents et on demanda à monsieur et madame Grangère, ses voisins, s'ils accepteraient de lui venir en aide avec les repas, l'habillement du matin, la mise au lit le soir, en les dédommageant généreusement. Ils hésitèrent quelque peu, mais Robert Grangère, retraité et sans pension sauf son régime de rentes, fut intéressé par l'emploi que leur offrait le docteur Boinard, voisin de l'autre immeuble. Madame Grangère verrait à la cuisine, à ses médicaments et au ménage de son appartement, tandis que Robert verrait à ses soins plus particuliers jusqu'à ce que le malade puisse s'aider et parvenir à s'occuper lui-même de son hygiène, alors que le CLSC continuerait à venir lui donner un bain deux fois par semaine.

Quelques mois passèrent, tout alla bien, et quand Émilie tentait de dire à Caroline ce qu'il advenait de son frère, elle répondait: « J'veux rien savoir de lui ! Est-ce assez clair ? » Or, devant une telle attitude, Émilie ne parla plus de Paul à sa sœur, préférant discuter de son état avec Renaud et Mathieu qui, habitant encore près de son oncle, passait le voir régulièrement. Néanmoins, Mathieu avait visité des maisons avec Véronique et avait même fait une offre sur une spacieuse résidence de pierres du boulevard Gouin, à l'entrée de Roxboro. Véronique avait été enchantée de la demeure et de l'endroit et n'avait pas hésité à donner son accord pour l'achat après avoir négocié solidement avec le vendeur, sa carrière en comptabilité l'y aidant. Enceinte de sept mois, sans déranger son mari dont les temps libres étaient moindres, elle avait effectué le déménagement avec une compagnie réputée et, en moins de sept jours, tout était replacé dans la maison qui allait être celle de leur avenir. Mathieu n'avait rien eu à redire, il lui avait donné carte blanche pour la décoration comme pour le choix des pièces dont, entre autres, la chambre de l'enfant. Et deux semaines plus tard, alors que le mois de mai sonnait au calendrier, elle avait préparé la chambre du bébé, connaissant le sexe maintenant. Elle avait même téléphoné à sa belle-mère pour lui annoncer :

— Votre mari et vous allez en être heureux, j'attends un garçon !

Émilie avait sauté de joie ! Un garçon ! Un autre Boinard ! Renaud, pas peu fier, avait répandu la nouvelle au sein de sa clientèle qui le félicitait pour l'événement à venir. Caroline, de son côté, avait retrouvé le sourire en disant à sa sœur : « Un autre petit Boinard à aimer ! » Cela voulait-il dire que la fille de Joey, la ravissante Madeleine, n'était pas dans ses bonnes grâces ? Pas tout à fait, mais sans jeter la pierre à la grand-tante de l'enfant, Caroline avait toujours préféré les garçons aux filles. Elle la trouvait mignonne, Madeleine, mais trop précieuse, trop « porcelaine », elle avait peur de la casser en jouant à la balle molle avec elle, ce que d'ailleurs la petite fille aux poupées détestait. Et, tant qu'à y être, Caroline avait annoncé à Émilie, le jour de son appel :

— Je crois avoir trouvé un autre homme pour ajouter à mes conquêtes, Émilie. Un type cultivé, pas laid et bien bâti.

— Ah oui ? Quelqu'un de ta génération, cette fois ?

— Non, pas vraiment, il vient d'avoir trente-huit ans.

— Caroline ! Tu en as soixante-trois ! As-tu perdu la raison ?

— Non, je crois avoir trouvé le bon... Et, laisse-moi finir au moins !

— Finir quoi ? C'est sans doute un opportuniste, voyons ! Un profiteur !

— Je ne crois pas, il travaille en technologie, il fait un bon salaire.

— Bien, pourquoi s'intéresser à une femme de ton âge ?

— Parce qu'il les aime plus âgées, plus expérimentées...

— Comme si tu l'étais ! Toi, une enfant gâtée, toi qui n'aimes pas les rapprochements intimes, toi qui t'éloignes dès qu'on t'approche...

— Tu ne me connais pas, Émilie. J'ai beaucoup changé. Le fait d'être privée de toute affection finit par sensibiliser les sens, tu sais. Et puis, comme je te le disais, il n'est pas laid...

— *So what!* Quoi d'autre à part ça !

— Bien... il est Japonais !

Le mois de mai s'écoulait, juin approchait et Véronique et Mathieu, maintenant installés dans leur vaste demeure, attendaient l'heureux événement dans peu de temps. Émilie et Renaud, invités à visiter leur maison, l'avaient trouvée superbe. Pas aussi grande que la leur, mais tellement moderne. Toutefois, Émilie déplorait que les maisons neuves aient si peu de terrain, elles étaient trop collées les unes sur les autres, ce qui n'était pas le cas à Outremont avec les demeures d'avant-guerre. La chambre du futur bébé était fort belle et, pour déroger à la vieille coutume d'avoir du bleu pour un garçon et du rose pour une fille, Véronique avait décoré de jaune et de blanc la chambre de l'enfant. Avec de jolis rideaux jaunes à rayures blanches et non ceux qu'on vendait avec des oursons roses pour les filles ou des camions pour les garçons. Elle avait écrit à son père, qui était fort heureux d'apprendre qu'elle aurait un fils qui porterait le nom de son père, le docteur Boinard, pour lequel il avait tant de respect. Son frère et sa femme, plus indifférents, l'avaient complimentée, mais s'en étaient tenus à une formule de politesse, sans chaleur, sans enthousiasme. Parce que Véronique, préférée de son père, avait tenu à l'écart trop longtemps son grand frère Gérard.

Sur le côté de la demeure de Véronique et Mathieu, un lilas, planté là on ne savait par qui, avait fleuri plus tôt et laissait encore répandre son arôme par la fenêtre entrouverte de leur vivoir. Ce qui faisait le bonheur de la jolie Française qui adorait le parfum des fleurs. Or Mathieu, comblé à souhait avec sa femme et l'enfant qui venait, accordait maintenant plus d'attention à sa vie intime, sans priver pour autant ses patients de ses bons soins. Mais la médecine n'était plus sa première raison d'être. Véronique en avait pris la relève, ensuite, la place. Et Renaud était ravi, il va sans dire, de sentir « son préféré » si favorisé !

Un qui l'était moins, et pour cause, c'était Paul Hériault qui, dans son appartement, se battait chaque jour afin de retrouver, en vain, ses capacités d'antan. La paralysie l'avait anéanti, mais son état s'était amélioré avec une thérapie indiquée pour lui, mais les progrès étaient tout de même limités et, sans l'aide de ses voisins, les Grangère, et le CLSC, il eut été impossible pour lui de vivre seul. C'était à ne pas y penser ! Et le malheur devait s'abattre sur lui lorsque, le 12 juin, madame Grangère avisa Émilie qu'elle et son mari ne pourraient plus s'occuper de leur frère, qu'ils s'en allaient dans une résidence pour personnes autonomes afin de réduire davantage leurs dépenses et assurer la tranquillité de leurs vieux jours. Désespérée, Émilie se demandait que faire, qui appeler... Le CLSC voulait bien faire sa part, mais de là à remplacer le couple dans leur tâche, il ne fallait pas y penser. En discutant de l'état de Paul avec Mathieu, ce dernier avait murmuré : « S'il avait gardé Manu... Tu vois ? Il n'avait pas songé qu'un jour il aurait pu dépendre de ses bons soins. » Émilie avait hoché la tête en guise d'approbation et, en fin d'après-midi, dans un soudain élan, avant de rester seule aux prises avec le problème, elle décida d'appeler Manu et de voir où il en était dans sa vie. Au cas où... Elle avait conservé le numéro de son cellulaire, mais depuis un an, elle avait perdu de vue l'ex-amant de son frère et la relation s'était étiolée. Elle avait eu tant d'autres personnes à s'occuper, et comme Manu n'était pas de la famille... Toutefois, elle parvint à l'atteindre au dernier numéro qu'il lui avait laissé. Content de l'avoir au bout du fil, il s'empressa de répondre à ses questions avant de poser les siennes :

— Oui, Émilie, je suis toujours en couple avec Félix ! On a encore la même différence d'âge ! Moi dans la cinquantaine, lui dans la trentaine, mais nous formons bien la paire. On a fait l'acquisition d'une petite maison *War-time* pas trop chère à Ville Saint-Laurent. Un quartier plutôt modeste avec beaucoup d'immigrants, mais des gens qui se mêlent de leurs affaires. Je suis toujours gérant de département de magasin à Place Vertu, mais Félix a changé d'emploi, il a décroché un meilleur poste au Centre Rockland. On le paye plus que ce qu'il gagnait au rayon qu'on lui avait confié. Il est maintenant responsable des vêtements pour hommes, il a des employés à sa charge et c'est plus huppé dans ce coin-là. N'est-ce pas là que tu magasines, Émilie ?

— Oui, parfois, mais je suis encore fidèle au centre-ville dans l'ouest. Je vais un peu partout cependant, à Laval comme à Dorval. J'aime découvrir de nouveaux magasins, Caroline aussi.

— Elle va bien, ta petite sœur ?

— Oui, pas mal, elle est souvent amoureuse, mais elle ne les garde pas longtemps. Toujours aussi spéciale, celle-là. Elle fréquente actuellement un Asiatique de trente-huit ans. Tu t'imagines ? Ça ne va pas durer, c'est certain, car les rencontres sur Internet, moi, je n'y crois pas. Le temps d'une rose la plupart du temps. En passant, j'aimerais t'annoncer que Mathieu va être papa ce mois-ci, Véronique et lui attendent un garçon, ils en sont fiers.

— Je ne l'ai pas connue, celle-là. Gentille ?

— Oui, très charmante, sur mesure pour lui. Une Française d'origine, mais vivant ici depuis une décennie. Très aimable, je l'aime beaucoup.

— Et l'autre, celle de...

— Ne te gêne pas, dis-le, celle de Joey. Tu sais, après quatre ans, presque cinq, on s'habitue au départ de ceux et celles qui nous quittent. La vie continue ! Avec un manque cependant... Oui, je revois Justine qui est maintenant mariée et qui a eu un garçon avec son mari. Ça fait pas mal de monde, tout ça, mais je vois fréquemment notre petite-fille, Madeleine, qui vient nous visiter avec sa mère et parfois, avec son père et son petit frère. Une soie, Manu ! Belle comme un cœur ! Les yeux et les cheveux de Joey. Tendre, polie, bien élevée... il en serait fier, crois-moi.

— Comment va Paul ?

— Nous y voilà, pas tellement bien, il a paralysé avant les Fêtes, il a réintégré son appartement, il habite à Chomedey maintenant, mais il est mal en point. Nous avions l'aide de ses voisins, mais hélas, ils doivent partir et c'est très difficile pour nous... Paul n'est pas autonome, il a perdu l'usage de la parole, il est paralysé du côté droit, nous cherchons une solution...

Manu qui venait de comprendre qu'Émilie l'appelait, non pas pour avoir de ses nouvelles, mais pour tenter de le sensibiliser à son frère, sentit un malaise l'envahir. Lui qui croyait que le coup de fil n'était qu'amical s'aperçut que c'était plutôt une investigation que des retrouvailles.

Mécontent, sans le laisser paraître, il avoua cependant à Émilie :

— J'espère que tu ne penses pas à moi, Émilie... Ce serait de mauvais goût.

— Non, non... c'est toi qui m'as demandé de ses nouvelles.

— Curieuse coïncidence tout de même ! Juste au moment où Paul est en difficulté avec ses aidants. Écoute, je vis une très belle relation avec Félix et pour rien au monde je ne voudrais l'entraver. Et je vais aller plus loin, même si j'étais seul et disponible, jamais je ne retournerais auprès de celui qui a gâché vingt ans de ma vie. Mes plus belles années, Émilie ! Brisées par son alcool, ses infidélités, ses injures... J'ai tiré un trait sur mon passé depuis fort longtemps. Je suis navré d'apprendre ce qui lui arrive, désolé de le savoir à la merci des autres, mais je ne peux rien y faire. Tu sais, la vie nous rattrape parfois...

— Oui, en effet, sauf que sa vie devient aussi la nôtre, tu comprends...

— Je vais te surprendre en te posant cette question, mais tu vis encore dans ta même maison, n'est-ce pas ?

— Oui, je ne bougerais pour rien au monde.

— Alors, pourquoi ne pas régler le sort de ton frère en le prenant sous ton toit ? Ce ne sont pas les pièces qui manquent et comme Renaud est chiropraticien et Mathieu, cardiologue, Paul serait entouré de soins, ce qui pourrait l'aider dans sa réadaptation ?

Mal à l'aise, ne sachant quoi répliquer à ce propos direct, elle hésita quelque peu pour ensuite lui répondre :

— Non, ce serait une trop lourde tâche pour moi... De toute façon, Mathieu s'occupe de trouver une solution.

Écoute, Manu, sur ces mots, je vais devoir te quitter, j'ai des courses à faire et je veux revenir avant la noirceur. Je suis ravie d'avoir pu parler avec toi, d'apprendre que tout va bien et que tu es heureux, tu le mérites tellement… À une prochaine fois, peut-être ?

— Bien sûr, appelle-moi quand tu voudras, Émilie, le numéro sera le même.

Ils avaient raccroché et Manu sentit que c'était là le dernier entretien sinon l'ultime lien qu'il aurait avec Émilie et sa famille. N'ayant pas trop aimé *À une prochaine fois, peut-être ?* Surtout le *peut-être,* il avait décidé, dès ce moment, de mettre une croix sur les Hériault desquels il ne voulait garder que le souvenir des joies, non des peines. Car, si Émilie et Caroline l'avaient toujours apprécié au temps où il était le souffre-douleur de leur frère, aucune d'entre elles n'avait tenté de le sortir de sa dévastation, avant qu'il ne le fasse de lui-même.

Il leur fallait réagir vite, les Grangère allaient bientôt partir et personne ne pourrait venir les remplacer, à moins qu'Émilie… Mais Renaud refusa qu'elle prenne la relève auprès de Paul :

— Non, une fois sera coutume, Émilie, il ne voudra que toi, il sera exigeant, il te rendra malade… Je vais parler à Mathieu ce soir, il faut qu'il fasse quelque chose de son côté. Il a des collègues qui peuvent le conseiller, des relations dans le domaine de la santé… Mais pas toi, il n'en est pas question !

En début de soirée, alors que Mathieu venait de prendre son souper avec Véronique, le téléphone sonna, c'était Renaud qui, au bout du fil, après lui avoir demandé comment avait été sa journée, lui dit sans ménagement :

— Écoute, Mathieu, Paul a besoin d'aide et il ne faut pas compter sur ta mère. Les voisins s'en vont en fin de semaine, il ne peut être laissé à lui-même. Tu connais beaucoup de monde, fais-toi aider, mais trouve-lui un endroit. Il faut le placer, Mathieu, ton oncle est incapable de rester seul et le CLSC ne suffit pas.

— Maman s'est-elle informée auprès d'eux ?

— Oui, mais ils ne font pas plus que ce que leur grille de soins leur indique. Ils conseillent de le placer, de le mettre en résidence quelque part, mais où ? Il est un cas lourd, selon eux, pour les endroits privés des alentours, ils parlent de CHSLD.

— Voyons, papa, il y a des mois d'attente, sinon des années avant d'y être admis… Et je ne vois pas Paul parmi tous les patients de ces établissements. Il ne parle pas, mais il fonctionne pas mal bien intellectuellement, il écrit sur un petit tableau tout ce qu'il veut, les voisins me l'ont affirmé. Dans un CHSLD, occupés comme ils le sont…

— Là où ailleurs, qu'importe, mais c'est toi qui dois faire en sorte de lui trouver un endroit, ta mère n'en a pas la force, elle a en déjà beaucoup fait pour lui. La société se doit de le prendre en charge. En vendant son condo, il sera plus à l'aise financièrement.

— Écoute, papa, je vais chercher au privé, il existe sûrement un endroit. Donne-moi quelques jours, je m'en informe et je te reviens…

— Que quelques jours, Mathieu, car dès dimanche, il sera laissé à lui-même. Les Grangère partent samedi… Tu saisis ?

— Oui, oui, je m'en occupe, j'en parlerai avec des personnes affectées à ces ressources à l'hôpital. Dis à maman de ne pas s'inquiéter, je vais tout arranger. Paul ne sera pas abandonné, comptez sur moi !

Le lendemain soir, Mathieu retéléphonait et annonçait à sa mère qui avait répondu :

— Dis à papa que j'ai trouvé, que tout est réglé. Une auxiliaire m'a fait visiter une résidence privée qui s'occupe de soins prolongés. Même les paralysés, ils en ont déjà un ou deux dans un état semblable. Mais ce n'est pas donné, c'est onéreux, maman, ils ne sont pas légion à les accepter dans de telles conditions.

— Qu'importe le montant, Paul a de l'argent, il reçoit des pensions, il vendra son condo, et quand il sera à sec, nous prendrons la relève, ton père et moi. Quand peut-on l'accueillir ? Ils savent que c'est urgent ?

— Oui, et présumant que tu serais d'accord, j'ai déjà réservé. Une chambre privée passablement bien meublée. Mais tu devras avertir l'oncle Paul de son départ dès demain, maman, ils l'attendent dimanche ou lundi au plus tard, le personnel sera réduit la semaine prochaine.

— J'irai le visiter en matinée. Laisse-le-moi, je vais le convaincre que c'est pour son bien et s'il s'y oppose, ce sera tant pis pour lui, Mathieu. Ce sera de gré ou de force, mais Paul doit être à cet endroit dès que possible. Ils ont de bons soins, là-bas ? Tu t'es renseigné ?

— Oui, des infirmières, des préposés compétents, je les ai tous rencontrés, maman. Et le médecin qui les visite chaque jour ou presque est un ancien de l'hôpital qui a choisi cette voie en fin de pratique. Un docteur affable, gentil et très compréhensif. Paul va l'aimer. J'ai tout vérifié et Paul sera bien traité, compte sur moi.

Renaud, qui avait eu vent de certaines bribes de la conversation, avait dit à sa femme, après qu'elle eut raccroché :

— Tu vois ? Il a tout arrangé ! Il suffisait de mettre notre fils au défi, il réussit toujours à les relever !

Le lendemain, en matinée, Émilie se dirigea vers Chomedey afin de visiter son frère, dont les Grangère s'occupaient pour une dernière journée. Content de la voir, Paul marmonna des mots qu'elle ne saisissait pas et, impatient, il écrivit sur son ardoise à craie *Mathieu ? Il est parti ?* Ce qui fut long, Paul, n'étant pas gaucher, tremblait en traçant chaque lettre de l'alphabet. Émilie l'informa :

— Oui, il a déménagé, ils ont acheté une maison pour élever leur enfant qui s'en vient. Ce sera un petit garçon, Paul ! Un autre Boinard pour nous !

Puis, comme les Grangère écoutaient leur conversation, Émilie leur demanda de retourner chez eux et de les laisser seuls, son frère et elle. Voyant qu'il cherchait à se lever, elle l'aida et, tentant ensuite de lui tenir le bras, il se dégagea d'elle en la repoussant, voulant prouver qu'il pouvait marcher seul. Émilie n'insista pas, mais songea : *Mauvais caractère ! Je n'ai pas choisi une bonne journée.* Paul fit quelques pas, appuyé sur sa canne, mais trébuchant sur une lampe, il se retrouva par terre. Émilie l'aida à se relever et à se rasseoir dans sa chaise tout en se disant : *Comment pourrait-il fonctionner seul ? Il ne peut même pas marcher sans tomber !* Prenant son courage à deux mains, elle lui dit :

— Tu sais que tes voisins déménagent, qu'ils ne seront plus là pour prendre soin de toi ?

Paul hocha de la tête et regarda dehors.

— Nous avons trouvé une solution, Paul, tu ne peux pas rester seul ici, c'est trop risqué, il va te falloir aller en résidence jusqu'à ce que tu sois plus rétabli, mentit-elle.

Il grimaça, pointa le doigt sur elle et marmonna ce qu'elle comprit cette fois :

— Non, non, Manu.

— Quoi ? Tu veux que je demande à Manu de revenir ?

Il fit signe que oui et insista en écrivant à la craie : *Appelle-le, trouve son numéro.*

Ne voulant lui avouer que c'était déjà fait et que Manu ne retournerait jamais auprès de lui pour en prendre soin, elle préféra lui répondre que Manu ne vivait plus au Québec, qu'il était ailleurs, qu'il avait refait sa vie avec un autre homme et qu'elle avait perdu sa trace. En ajoutant :

— Il ne m'a pas appelée depuis un an et plus, Paul. Je pense qu'il a coupé les ponts avec nous, on ne sait plus ce qu'il devient.

Paul fit un signe de la main qui signifiait : *Qu'il aille au diable !* Pour ensuite écrire : *Je vais m'arranger seul, j'ai besoin de personne.*

— Non, tu ne peux pas, Paul, pas encore. Peut-être qu'après une bonne réadaptation, là où tu iras, mais pas maintenant. Il va falloir vendre ton condo, ce qui veut dire que tu auras assez d'argent pour être servi comme un prince à la résidence. Chambre privée, repas sur plateau, si tu le désires…

Paul vint pour protester lorsque sa sœur ajouta :

— C'est Mathieu qui a trouvé la place, c'est lui qui te suivra en plus du médecin responsable qu'il connaît. Fie-toi à ton neveu, il s'est beaucoup démené pour toi. C'est un endroit coûteux que Mathieu a trouvé, une résidence privée très bien tenue. C'est situé sur la rive sud, à Belœil ou Saint-Lambert, je ne sais pas trop. Et tu devras t'y rendre dès dimanche parce que les Grangère ne seront plus là pour prendre soin de toi.

Il la montra du doigt et inscrivit ensuite sur son ardoise: *Toi, tu es là, tu pourrais le faire.*

— Non, répondit-elle, je n'ai pas la formation ni la force pour le faire. Tu es un homme, Paul, il faut te déplacer souvent. Monsieur Grangère pouvait le faire, lui, mais pas moi.

Découragé, une larme perlant au coin de l'œil, Paul écrivit: *Chez toi, emmène-moi chez toi, Renaud sera là.* Ce qui lui avait pris cinq minutes à tracer. Émue, mais gardant son sang-froid, Émilie lui fit comprendre que Renaud travaillait encore et qu'elle était incapable d'en prendre soin, elle venait de le lui dire. N'écoutant que son entêtement, il écrivit: *Un infirmier peut venir, je peux payer, je veux aller chez toi.* Voyant qu'il était récalcitrant à l'idée d'être placé, Émilie dut prendre un ton plus ferme pour qu'il comprenne:

— Paul, pour l'instant, il n'y a qu'une solution et c'est la résidence que Mathieu a trouvée! Il a même déjà versé le premier mois. Pour l'amour, collabore de ton côté! C'est dans un tel endroit qu'on va pouvoir te réadapter, pas chez moi!

Voyant qu'il venait de perdre la manche, Paul se terra dans un mutisme face à sa sœur et attendit qu'elle appelle les voisins pour prendre la relève. Avant de partir, elle se pencha pour l'embrasser, mais il retint le geste de sa main gauche. Visiblement, il lui en voulait, les Grangère en étaient mal à l'aise. Devant le fait, Émilie prit son sac à main et se dirigea vers la porte. Regardant dehors, Paul évita de la fixer alors qu'elle se retournait une dernière fois. Retrouvant son aplomb, elle avait dit aux voisins qui terminaient presque leurs tâches :

— Demain matin, on viendra le chercher. Sans doute mon fils et quelqu'un d'autre. J'espère que vous garderez un bon souvenir de lui, Paul ne reviendra plus ici.

— Nous vous téléphonerons pour nous en informer, madame Boinard, de lui répondre la voisine.

Ce qu'ils n'allaient probablement jamais faire, Paul Hériault ne leur rapportant plus d'argent.

Le samedi, Mathieu se rendit à l'appartement de Paul avec son collègue Richard, en congé lui aussi ce jour-là. Avant de partir, les Grangère avaient préparé les effets de Paul pour son déménagement. Ses produits de toilette, ses sous-vêtements, ses pantoufles... Bref, tout ce dont il aurait besoin à la résidence. Paul ne résista pas à Mathieu qui lui avait présenté son collègue, le docteur Richard Marleau. Quoique Paul se souvenait de l'avoir rencontré lors du mariage de son neveu. Il l'avait écrit sur l'ardoise en ajoutant de prendre les deux bouteilles d'alcool que le voisin avait rangées dans son armoire. Un fond de rhum, un trois-quarts de vodka. Mathieu le fit, se promettant bien toutefois de les faire disparaître quand son oncle serait arrivé à la résidence. Le transport se fit assez bien avec la familiale de Richard qui s'en servait pour aller camper ou aller à la pêche. On installa Paul solidement et, de la fenêtre de la voiture, il put apercevoir son immeuble qu'il n'avait pourtant jamais aimé, mais qu'il avait peine à quitter. On roula raisonnablement et Mathieu entretenait son oncle pendant que Richard, les yeux sur la route, lui jetait un coup d'œil par le rétroviseur. Il trouvait désolant qu'un homme qui avait occupé un si haut poste en soit réduit à l'état de loque dans les derniers tournants de sa vie. On traversa le fleuve, on roula assez loin et, en ralentissant devant un immeuble d'au moins cinq étages, on emprunta le chemin qui menait à l'entrée principale. On glissa Paul jusqu'au sol pour ensuite l'asseoir confortablement dans son fauteuil. Puis, on le poussa à l'intérieur où une dame de forte taille, apercevant le patient, lui dit du haut de son buste dominant: « Vous allez être heureux avec nous, monsieur Hériault, on va bien prendre soin de vous ! » Paul lui sourit à peine, il n'aimait pas être à la merci des autres. Surtout d'une femme ! On le fit monter au quatrième où une spacieuse chambre l'attendait. Paul jeta un coup d'œil furtif, aperçut le téléviseur en coin, la table de chevet, un gros fauteuil semblable au sien et, poussant la porte du pied pour écarter les curieux qui s'étaient rassemblés, il fit signe à son neveu, geste à l'appui, qu'il désirait prendre un verre. Mathieu tenta de le convaincre de manger avant, d'avaler ses médicaments ensuite, mais Richard, plus flexible, intervint:

— Sers-lui au moins un petit verre de rhum avec un peu de cola, le sevrage est déjà difficile pour ce pauvre homme.

Mathieu, plus sévère, se laissa convaincre non sans avoir hoché négativement de la tête. Se pouvait-il qu'en un moment pareil, dépaysé, à peine entré dans un nouveau décor, Paul puisse avoir envie de boire ? Aussi bon médecin était-il, il ne connaissait rien ou presque du problème de l'alcoolisme, un cours un tantinet contourné lors de ses longues études. Somme toute, ce qui importait, c'est que Paul était maintenant placé et pas près de sortir de cette résidence où il allait se sentir confiné. De bons soins, de bons repas, de petites exceptions aux règlements, mais avec tant d'autres patients, hommes et femmes, avec des maladies pires que la sienne qu'il ne voulait pas tolérer. Il ne descendait au réfectoire que lorsque le personnel était trop restreint, certains jours, pour lui apporter le repas à sa chambre. Et on l'isolait des autres qu'il ne pouvait pas supporter, pas même regarder. Sauf un préposé dans la trentaine, beau de surcroît, qui s'occupait de sa toilette quotidienne et de ses bains que Paul voulait trois fois par semaine et non deux, comme les autres patients. En glissant un généreux pourboire dans la main de celui qui lui redonnait peu à peu le sourire. Un préposé qui voyait à ses provisions de vin et de spiritueux, à ses petites gâteries du dépanneur et autres petits services « personnels ». Un autre Manu sur commande, pensait le sexagénaire, sauf qu'il fallait le payer plus grassement, celui-là !

Émilie avait téléphoné à Caroline pour lui annoncer que leur frère était maintenant en résidence et cette dernière lui avait répondu en soupirant :

— Enfin ! Malade et enfermé ! Il était temps qu'on l'arrête de boire et de butiner ! Dans un tel endroit, il va au moins se délivrer de ses mauvais penchants, la boisson et les garçons ! Il n'y a que des vieux dans ces places-là, pas des jeunes comme il les aime !

— Caroline, sois au mois charitable, Paul est très malade, très éprouvé par son état de santé. Ne ressasse plus le passé au moins, sois indulgente…

— Que le diable l'emporte, Émilie ! J'en suis enfin débarrassée ! Jamais plus il ne va m'insulter ou m'agresser, ce fou à lier ! Quant à moi, sa paralysie pourrait l'emporter que…

— Bon, ça va, je n'insiste pas, changeons de sujet. Tu as encore ton Japonais dans les parages ?

— Ted ? Oui ! Et, justement, j'aimerais aller vous le présenter. Crois-tu qu'un de ces soirs… ?

— Pas à la maison, Caroline, mais au restaurant, peut-être. Renaud n'aime pas recevoir des étrangers, tu le sais.

— Ted n'est pas un étranger, c'est l'homme que je fréquente ! Il en a des idées, ton mari ! Précieux, pudique, réservé… Ne te demande pas de qui retient Mathieu ! Nous ne resterions que le temps d'un verre et d'une brève conversation. Le restaurant, c'est trop long, Ted en serait gêné. Faites un effort…

— Bon, ça va, viens demain soir avec lui si tu veux, mais après sept heures. Le temps de nous le présenter, de lui serrer la main, de prendre un verre…

— Oui, oui ! j'ai compris ! Il ne vous mangera pas, c'est un Japonais, pas un cannibale !

— Je ne relèverai pas ta remarque, mais je me demande encore ce qu'un homme de trente-huit ans trouve dans une femme de soixante-trois ans ! Ça ne me rentre pas dans la tête ! Il y a sûrement anguille…

— Non, ni anguille, ni malice, Ted m'aime parce que je suis instruite, que je suis professionnelle. Les pharmaciennes, ça impressionne les Asiatiques, et il me dit jolie.

— Êtes-vous… intimes ? Tu sais ce que je veux dire…

— Oui, nous couchons ensemble pour être plus précise que ton hésitation. Et Ted est un très bon amant ! Il vaut dix fois les deux autres imbéciles qui l'ont précédé dans ma vie. Je ne le compare pas à William, c'était différent, il était mon mari, mais Ted sait ce qu'une femme désire...

— N'entre pas dans les détails, pas d'importance, Caroline, mais je ne comprends pas... Tu es une jolie femme, c'est vrai, mais s'il est aussi séduisant que tu le dis, je... Puis, oublie ça ! Je le rencontrerai et je m'en ferai une meilleure idée.

— Exactement ! Toi et ton scepticisme à outrance... Attends ! Donne la chance au coureur, au moins !

Le lendemain soir, Caroline s'amena avec Ted qui avait apporté une bouteille de vin de son pays pour Renaud. On les reçut fort gentiment et Émilie, dans son for intérieur, encore plus déboussolée que la veille, se demandait ce qu'un tel homme faisait avec sa sœur. Ted était bel homme. Cheveux noirs, dents blanches, les yeux noirs quelque peu bridés, mais quelle carrure, quelles mains viriles, il avait tout du séducteur asiatique comme on en voyait dans certains films ! Elle ne comprenait pas qu'un si bel homme soit libre. Il avait expliqué à Caroline que, depuis l'éclatement de la bulle financière dans son pays au début des années 90, les jeunes hommes avaient décidé de rester célibataires et de devenir des trentenaires sans femme et sans enfants. D'où son attirance pour une femme âgée et pas de sa race, évidemment. Ce qui avait plu à Caroline comme explication, mais qui avait laissé Renaud perplexe lorsqu'il l'avait appris. L'heure de la visite s'écoula moins promptement que prévu et deux heures plus tard Renaud conversait encore avec Ted, prénom américanisé et sans nom de famille, qui parlait de la politique du Japon, de son travail en technologie, sans trop préciser, et pas du tout de sa famille et de son arrivée en terre canadienne. Galant avec Émilie, il avait cependant plus d'admiration pour Renaud à cause de sa distinguée profession. Et pas une seule fois, on avait pu ressentir un lien affectif de sa part envers Caroline. Même si elle avait tenté de lui prendre la main. Émilie avait remarqué qu'il l'avait vite retirée pour ensuite se lever et faire mine d'examiner de plus près une toile de maître au mur du salon. Ils partirent et, enfin seuls, Émilie dit à son mari :

— C'est à n'y rien comprendre, je me demande ce qu'il fait avec Caroline. Gentil, affable, mais peu ouvert sur sa personne, tu ne trouves pas ?

— Oui, assez discret… Je dirais même cachottier face à certaines questions qu'il a su détourner vers d'autres sujets. Bref, je ne sais quoi te dire, Caroline semble collectionner les compagnons étranges… Jamais deux sans trois ? On verra bien ! Et tant mieux s'il la garde de bonne humeur comme elle l'était ce soir !

— Bien oui ! Pas un mot plus haut que l'autre de sa part. Soumise ou presque… Ce n'est pas la Caroline qu'on connaît, celle-là !

Juin, ses reflets d'été et, vers la fin, le 20 plus précisément, Véronique donnait naissance à un fils de huit livres à l'hôpital où Mathieu recevait en consultation. Un beau bébé joufflu, blond comme elle, yeux verts comme elle, mais avec du Boinard dans les traits, le nez de son père, la bouche d'elle ou de lui, on ne savait pas au juste. L'accouchement avait été toutefois difficile, long et douloureux. Véronique avait refusé qu'on songe même à la césarienne, elle voulait le mettre au monde de façon naturelle, quitte à souffrir énormément pour y parvenir. Et l'enfant vit le jour comme souhaité par sa mère. Mathieu, qui avait confié l'accouchement à un collègue dont il connaissait l'expertise, n'avait pas quitté sa femme d'une semelle durant la délivrance. Fort content de son fils qu'on lui avait déposé dans ses bras, il lui souriait et lui parlait... comme si le nouveau-né comprenait déjà ! Il allait être un bon père, selon Renaud, il serait certes ferme, mais fier de ses progrès. Comme lui l'avait été envers ses enfants ! Ce que Véronique redoutait un peu, se proposant de compter pour deux quand viendrait le moment des câlins, des chansons douces, de la chaise berçante, des promenades avec l'enfant dans les rues avoisinantes... Elle allait devenir une si bonne maman que Mathieu aurait à s'en plaindre avec le temps. Le petit allait lui ravir sa femme ! Quel drame ! Mais ce ne fut qu'une passade, car le couple s'aimait éperdument.

Selon le choix de Véronique, on le baptisa Tristan. Monsieur Danaud, averti de la naissance de l'enfant, fit parvenir à son petit-fils le montant d'un certificat d'études dans un lycée... Avec des roses pour sa fille, bien entendu. De la part de son frère Gérard et de sa belle-sœur, Véronique développa une boîte contenant un ensemble de tricot bleu comprenant la petite veste, le bonnet et les chaussettes, pour l'hiver qui allait être froid, avait écrit sa belle-sœur dans la carte. Rien de plus, rien de moins... de la part de celui qui faisait une fortune dans l'immobilier ! On demanda à Richard et Sandra d'être les parrain et marraine du petit, et madame Boinard en fut la porteuse sur les fonts baptismaux. Renaud, pas peu fier de ce bel héritage, savourait le fait d'avoir un autre Boinard pour perpétuer son nom. Et pour que le grand-père se sente davantage près de son petit-fils, Véronique ne fit inscrire que le nom de Tristan Boinard dans les registres, repoussant de ce fait celui des Danaud. Pour que le petit, qui ne connaîtrait pas son grand-père déjà très âgé, n'ait rien en commun, pas même le nom de cet oncle Gérard qu'elle ne comptait pas revoir. L'enfant, dans sa jolie chambre jaune et blanche, reposait comme un ange. Et Mathieu, le regardant, avait peine à croire que Véronique et lui en soient les parents. Surtout lui qui, quelques années auparavant, pensait rester célibataire toute sa vie. Tristan allait être le seul enfant du couple. Par choix, pour que Véronique ne traverse plus une autre grossesse. Et, parce que Mathieu, à presque trente-sept ans, ne se voyait pas avec un autre jeune enfant à quarante ans !

Au début de septembre de la même année, Caroline, essoufflée et quasi sans voix, avait dit à Émilie au bout du fil :

— Le salaud ! L'imbécile ! Le... J'étouffe, laisse-moi retrouver mon souffle !

— Mon Dieu, qu'est-ce qui se passe ? Que t'arrive-t-il ?

— Le misérable ! Il m'a quittée, Émilie ! Juste au moment où j'étais follement amoureuse de lui ! Mais c'était à sens unique ! Il m'a traitée de vieille folle ! Tu entends ! De vieille folle à mon âge ! Soixante-trois ans seulement ! Ah ! le sacripant ! Je l'aimais tant...

Comme Caroline pleurait abondamment, Émilie dut reprendre le fil et lui demander :

— Tu peux me dire ce qui s'est passé, au moins ? Un drame ?

— Non, tout allait bien jusqu'à récemment, il me faisait même miroiter le mariage, mon beau Japonais ! Quel infâme personnage !

— Bon, prends sur toi et raconte-moi ce qui est arrivé.

— Tout allait bien jusqu'au jour où j'ai refusé de l'endosser à la banque pour l'achat d'une voiture. Pas une Mazda, pas une Honda comme tout bon Nippon, mais une Mercedes ! Tu te rends compte ! Il a commencé à sourciller, mais je l'ai laissé faire, je n'allais pas m'embarquer avec une dette sans même être mariée avec lui. Il est devenu plus distant cependant, il était moins entreprenant côté sexe... Tu comprends ? C'était moi qui faisais les premiers pas et je sentais qu'il se forçait, qu'il n'était plus participant. Je me suis tenue éloignée de ces rapports et, un mois plus tard, il disait vouloir acheter une maison avant qu'on se marie. L'idée n'était pas bête, mais il en voulait une grosse, comme celle de Mathieu ou comme la vôtre ! Comme si on avait les moyens de s'acheter des maisons d'un million de nos jours. J'ai argumenté pour une plus petite, il a fini par céder, mais il voulait que ce soit moi qui l'achète, mais qu'elle soit à son nom. C'était comme ça, disait-il, dans son pays lorsque la femme était plus vieille et plus riche que le mari. Je lui répétais ne pas avoir les moyens qu'il me prêtait, mais il eut la mauvaise idée de m'inviter à encaisser mes REÉR ! Alors, là, tu sais comment j'y tiens ! Ce sont mes économies d'une vie, Émilie ! Et il pensait que j'allais tous les prendre pour les mettre sur une maison ! À son nom ! Il m'a prise pour une cruche, le Ted, mais il s'est trompé de porte ! J'ai refusé et c'est devenu plus difficile entre nous. Il ne m'a pas laissé tomber pour autant, il préparait peut-être autre chose dans sa tête folle. On se voyait moins, on ne faisait l'amour que de temps en temps, mais je l'aimais encore, je te l'avoue. Parce qu'il était beau… Tu me connais, non ?

— Oui, sur ce point, c'est un peu de famille, Paul et toi avez cela en commun…

— Compare-moi surtout pas à lui et laisse-moi finir !

À l'autre bout du fil, sourire en coin, Émilie accepta de se taire.

— Deux jours qu'il n'était pas venu, il téléphonait pour me dire qu'il était sur une bonne affaire, qu'il allait tout m'expliquer. Or, pour le surprendre et l'inviter à manger dans son restaurant préféré, je suis allée chez lui l'attendre un certain soir. Pas à l'intérieur, je n'avais pas la clef de son appartement. Mais, comme il n'arrivait pas, je suis montée et, rendue à sa porte, j'entendis des rires, des voix, de la musique… J'ai frappé discrètement et une fille est venue répondre. Une Japonaise d'environ vingt-cinq ans, peut-être un peu moins, une serviette autour du corps. J'ai poussé la porte de mon pied et j'ai surpris Ted qui sortait du lit flambant nu pour se réfugier dans la salle de bains ! J'ai crié, je l'ai injurié, j'ai poussé la petite garce dans un coin, elle a tellement eu peur qu'elle a pris ses vêtements pour sortir et s'habiller sans doute en bas ou je ne sais où. Ted est sorti de la toilette avec un peignoir sur le dos et, m'en approchant, je l'ai traité de tous les noms et je lui ai craché au visage ! Le traître, le scélérat ! Me faire ça à moi !

— Tu n'as pas fait ça, Caroline ? Tu as… Tu dépasses les bornes !

— Non, j'étais enragée ! Et lui, s'essuyant de la manche de sa robe de chambre, commença à m'insulter à son tour, à me traiter de vieille folle, à me dire que j'étais laide et méchante et que jamais il ne m'aurait épousée... Je n'ai pas attendu pour entendre la suite, j'ai redescendu l'escalier et je suis montée à bord de ma voiture pour rentrer chez moi. J'ai tenté de le rappeler pour l'insulter davantage, mais je tombais toujours sur sa boîte vocale. Somme toute, il voulait m'éplucher, Émilie ! S'emparer de ce que j'avais et ne rien me donner en retour.

— Tu aurais dû te douter qu'un homme de cet âge...

— Non, parce que je le valais et que j'étais plus belle que sa Nipponne ! Même à mon âge ! Mais, ce qui m'a le plus choquée, c'est qu'il m'a trompée ! Un autre, Émilie ! Comme William ! Le premier et le dernier m'auront quittée de la même façon ! N'importe quoi, je l'aurais accepté, mais être trompée, non ! On ne fait pas ça à Caroline Hériault sans punition !

— Tu ne l'as pas revu, au moins ?

— Non, mais il avait quelques vêtements chez moi et je les lui ai fait parvenir en lambeaux ! J'ai passé les ciseaux dans tout, même ses chemises de soie !

— Tu as couru un gros risque...

— Non, je n'ai plus entendu parler de lui depuis. Je crois qu'il a eu peur de moi, le Japonais ! Il pensait peut-être qu'enragée comme j'étais, je reviendrais le...

— Le tuer ! Dis-le, tu l'as figé dans la peur, celui-là. Tu as eu ta leçon, j'espère ?

— Oui, Émilie ! Finis les hommes pour moi ! Je n'en verrai jamais un autre ! Quand on est née pour un petit pain...

— Ce n'est pas cela, Caroline, tu aurais pu trouver, mais pas par le biais d'Internet, penses-y un peu ! Vois où ça te mène chaque fois ! Tout vient à point à qui sait attendre, mais toi…

— Quoi, moi ? C'était lui le salaud cette fois ! Tous pareils, les hommes ! Ça prend, mais ça ne donne rien en retour, pas même de l'amour.

Constatant que sa sœur était en furie une fois de plus, Émilie, pour la consoler, eut l'ingénieuse idée de lui dire :

— Qu'importe, ce sont eux qui sont perdants avec toi.

Ce qui lui valut une réplique quasi cinglante :

— Bien non ! C'est moi, la perdante ! J'ai perdu William pour la grue et là, je viens de perdre Ted pour une salope ! William, n'en parlons plus, il n'est plus là, mais Ted, lui, c'était tout un mâle dans mon lit ! Tu vois ? J'ai perdu jusqu'à ça !

La conversation s'était terminée par cet aveu de la malheureuse Caroline qui, selon elle, n'avait jamais connu le bonheur. Que des joies passagères… Émilie avait fini par la convaincre de laisser la vie se charger d'elle, de croire au destin, au hasard, comme ça avait été le cas pour Véronique et Mathieu. La sexagénaire fit mine d'y croire, tout en se disant en elle-même que le destin le plus favorable qui soit était le site de rencontres qu'elle avait chaque soir au bout des doigts.

Octobre, novembre, un autre souper des Fêtes avec, cette fois, à part Caroline, Véronique, Mathieu et le poupon Tristan, et au bout de la table, Justine, Éric, leur jeune enfant et la petite Madeleine qui attendait la fin du dessert pour déballer ses cadeaux et y découvrir un chat ou un lapin rembourré, ainsi qu'une poupée. Non sans avoir dit à sa grand-mère qu'elle aimerait bien « acheter » de la vaisselle, des assiettes et des cuillers surtout, pour faire manger Roméo, les autres oursons et ses poupées, assis en rang d'oignons. La joie était à son comble, on parlait de tout, mais surtout des enfants. Sans s'en rendre compte, Justine donnait des conseils à Véronique qui y prêtait peu d'attention, tandis qu'Éric apprenait à Mathieu qu'il en avait enfin fini des nuits blanches des premiers mois. Ce que Tristan n'avait pas fait vivre à ses parents. Renaud, heureux parmi ses petits-enfants, n'avait d'yeux que pour le fils de Mathieu, même s'il aimait beaucoup sa petite-fille. Mais comme Tristan était le fruit de son « préféré »... Caroline s'amusa avec la petite Madeleine et en vint à oublier, dans l'univers des enfants, les méfaits de son beau Japonais.

Le souper de Noël prit fin alors qu'à la télévision une cantatrice et un baryton unissaient leurs cordes vocales pour un concert de circonstance : *Silent Night, Venez divin Messie, The little drummer boy*... Émilie, appuyée sur l'épaule de Renaud, fermait doucement les yeux de lassitude. Il suggéra qu'elle monte se coucher, qu'elle se repose, elle avait travaillé si fort depuis deux jours pour recevoir ses invités. Elle allait le faire lorsque le téléphone sonna. Mathieu avait-il oublié quelque chose ? Renaud répondit et, par son air sombre, Émilie sentit qu'il se passait quelque chose. Il raccrocha et, regardant sa femme, lui annonça :

— C'est la résidence. Paul vient d'être transporté à l'hôpital. Une interruption brutale de l'irrigation sanguine du cerveau. Un accident vasculaire massif, cette fois. On craint pour sa vie...

Épilogue

En dépit de sa fatigue extrême, Émilie avait tenu à se rendre à l'hôpital sur-le-champ, même si c'était sur la rive sud. Renaud aurait souhaité qu'elle attende jusqu'au matin, mais sa femme tenait à être aux côtés de Paul si le pire survenait. Mal lui en prit, car on lui interdisait l'accès à la salle où son frère était, disait-on, en réanimation. Mathieu était arrivé à la hâte, même s'il résidait à des milles de cet hôpital, et voyant que Paul était inconscient, il permit à ses parents d'entrer et de le voir intubé. Dans sa générosité et sans doute avec l'affection qu'elle lui portait, Émilie lui dit, certaine qu'il l'entendrait :

— Accroche-toi, Paul ! Tu es fait fort ! Il faut que tu t'en sortes ! Allons, tu es encore jeune, soixante-treize ans à peine, qu'on a soulignés au début de décembre... Il est sûr que la convalescence sera longue...

Renaud, voyant que le monologue se prolongeait, releva Émilie de sa chaise en lui touchant doucement l'épaule.

— Tu te fatigues en vain, ma chérie, il n'entend pas, il est dans un profond coma, les signes vitaux vibrent de façon saccadée. Viens, allons juste en dehors de la salle, il y a des chaises, tu te reposeras, tu es épuisée, tu t'efforces à garder les yeux ouverts.

Mathieu, qui les avait rejoints, déclara à ses parents:

— Je me suis informé auprès des dirigeants de la résidence et Paul ne menait pas une bonne vie comme on s'y attendait. Il s'était fait copain avec un préposé dans la trentaine qui lui donnait «tout» ce qu'il voulait en échange d'argent. Quand le directeur insiste sur le «tout», il parlait d'alcool, de cigarettes que Paul fumait dans sa salle de bains, de gâteries, mais on se rendit compte que cet homme lui offrait aussi ses faveurs... Vous comprenez? Je n'en ai pas fait un drame pour sauvegarder la réputation de mon oncle à cet endroit, mais il apparaît que le préposé a été congédié il y a un mois et qu'on l'a remplacé par un autre dans la cinquantaine, père de famille et très vigilant sur les directives de l'établissement. Ce que Paul a sans doute mal accepté après avoir été choyé par l'autre. D'où le sevrage radical en tout: plus d'alcool, plus de cigarettes, plus de sexe, plus... rien! Avec des dîners santé à la place de pizzas et de poulets rôtis avec frites que l'autre allait lui chercher en cachette, en passant par le garage. On m'a dit que ces derniers temps il ne filait pas bien, qu'il était souvent fatigué, qu'il dormait beaucoup et qu'il ne se mêlait plus aux autres. Il était sans doute déprimé, les sévères privations l'avaient terriblement stressé, puis angoissé. On était pour nous en aviser quand l'attaque est survenue, mais à quoi bon remuer les cendres maintenant... D'après mes collègues, il serait fort surprenant qu'il s'en sorte. Cet AVC massif a fait de tels ravages...

Émilie passa la journée à l'hôpital et les responsables de l'admission, constatant l'état de Paul, le transférèrent dans une chambre privée où un respirateur artificiel le maintenait en vie. Éplorée, Émilie avait dit à son fils :

— Je ne suis pas certaine que Paul aurait voulu qu'on s'acharne ainsi sur lui pour le garder en vie...

— Peut-être, mais comme on n'a aucune recommandation... Ne t'en fais pas, maman, on ne le maintiendra pas longtemps à ce que je vois, le peu qui reste de lui s'en va tout doucement, et là...

À ce même moment, l'infirmière de garde sortait prestement de la chambre pour dire à Mathieu :

— Docteur Boinard, venez vite, on perd le patient !

Mathieu entra et, debout près du lit de son oncle, il constata que tout s'était arrêté, que Paul était mort et que le respirateur travaillait en vain. On débrancha le tout et, peiné de l'insuccès de ses confrères et du sien, Mathieu sortit pour dire à ses parents :

— C'est fini, il est parti, maman. Le cœur ne pouvait résister à une telle récidive. Il a été foudroyé, tu sais, c'est pourquoi il s'est éteint sans réagir. Paul, c'est triste à dire, était au bout de sa corde. Dans tous les sens du terme.

Émilie sanglotait, Renaud la consolait et, se relevant pour se rendre à la salle d'attente où quelques visiteurs se trouvaient, elle demanda à Renaud d'aviser Caroline du décès de son frère. Se doutant de quelle façon la sœurette allait accueillir la nouvelle, elle n'avait pas la force d'appeler elle-même. C'est donc Renaud qui se rendit dans un bureau adjacent où se trouvait un téléphone qui réveilla Caroline en pleine nuit pour se faire annoncer la mort de Paul. Mais, contrairement à ce qu'Émilie anticipait, Caroline était restée muette au bout du fil. Sans pleurer, sans même être émue, elle trouva quand même l'honnêteté de dire à son beau-frère :

— Dieu ait son âme ! Tu sais, je ne l'aimais pas, je ne l'ai jamais aimé et c'était réciproque. Mais de savoir qu'il est parti me dérange, me peine aussi. Il a rejoint maman, papa, sans qu'on se réconcilie. Temporairement, dirais-je, mais nous aurions pu faire un effort chacun de notre côté... Dommage, parce que ça me laisse en faute envers lui. J'ai été plus souvent agressive qu'il l'a été, je n'ai jamais tenté de l'accepter tel qu'il était, encore moins de l'aimer... Tu sais, Renaud, il me faudra m'en confesser, j'ai quelques fautes à me faire pardonner...

— Ne t'en fais pas, Caroline, j'en ai aussi, pas envers lui... mais j'ai encore des torts sur la conscience. Tu n'es pas seule, tu sais. Paul aussi est parti le cœur chargé. Pense à toi et à lui, pense à Manu, pense à tous ceux... Quelle vie que la sienne ! Mais il n'a jamais été heureux, le pauvre homme. Il a passé sa vie à chercher le bonheur sans jamais le trouver. Encore moins l'amour...

— J'espère que le Seigneur lui en tiendra compte. Je ne lui souhaite pas l'enfer, Renaud, je ne suis pas méchante, mais un petit séjour au purgatoire pourrait peut-être compenser certaines fautes de sa part.

— Non, pas de telles idées, Caroline, ne trébuche pas encore... Je pense que Paul, malgré ses torts, mérite d'aller au Ciel tout droit. Dieu a de ces indulgences...

— Oui, je sais, que je n'ai pas... Alors, un tantinet de repentir, une prière ou deux, et je le laisse ensuite aux bons soins de mes parents, maman surtout qui, elle, saura quoi faire de l'âme de son plus vieux.

Les obsèques de Paul Hériault furent assez discrètes. Un cercueil pas trop coûteux, on allait le mettre en terre. Paul, dans ses dernières volontés, refusait d'être incinéré. On vit défiler quelques anciens collègues de travail qui avaient appris la triste nouvelle par Justine, encore en place. Les amis et parents des Boinard, père et fils, vinrent transmettre leurs respects. Justine et son conjoint passèrent quelques heures, le père de Véronique télégraphia des fleurs, mais la carte était signée de la famille Danaud. Ce qui voulait dire que son frère, Gérard, n'avait rien fait de lui-même. Le lendemain matin, avant la cérémonie de fermeture, on livra une croix de roses et d'œillets de la part de Norma, la veuve de William. Ce qui, intérieurement, déplut à Caroline. De son côté, elle avait commandé une couronne qu'on déposa non loin de lui. Émilie et Renaud s'étaient chargés du coussin de fleurs blanches déposé sur le cercueil fermé, et Mathieu avait fait placer à côté de la tombe, de sa part ainsi que de Véronique et de Tristan, une immense gerbe de fleurs assorties. Étrangement, Manu, qui avait appris par on ne savait qui le décès de son compagnon d'infortune d'antan, s'était abstenu de venir lui témoigner ses respects et avait fait parvenir par un type, et non d'un fleuriste, un tout petit bouquet d'œillets blancs avec un mot seulement : *Sympathies, Manu.* Ce qui avait attristé la famille qui, malgré les outrages du passé, aurait cru que Manuel, à l'heure de la séparation définitive, aurait eu une pensée pour Paul et, surtout, pour Émilie qui l'avait tant secondé. Cette dernière, néanmoins triste de la perte de son frère, se tenait souvent près des tributs floraux pour accueillir les visiteurs. Regardant la photo de Paul sur le coussin, elle en vint à songer qu'il ne lui enverrait plus de ces lettres écrites à la main avec l'effigie habituelle qu'elle allait regretter. Ces lettres intimes qui commençaient toujours par…

Chère Émilie,

Plusieurs personnes laissèrent des cartes dans l'assiette à cet effet et, Caroline, les regardant l'une après l'autre, découvrit celle de monsieur et madame Robert Grangère, ses bons voisins, en résidence eux aussi, qui leur offraient leur vive sympathie. Ainsi qu'une carte de condoléances d'un dénommé *Larry* que personne de la famille ne connaissait, mais qui avait eu la bonne idée d'ajouter sous son prénom : *barman dans le Village gay.* Au moins un de ce quartier qui ne l'avait pas oublié. Une carte que Caroline s'empressa toutefois de soustraire aux autres pour que personne ne sache… ce que tout le monde savait déjà ! Un jeune prêtre haïtien vint faire une courte cérémonie de prières et de bénédictions au salon, et on se dirigea ensuite vers le cimetière où Paul fut enterré dans le lot familial, par-dessus son père, mais de biais avec celui de sa mère, à peine plus élevé que le cercueil quasi décomposé de celle qui l'avait tant aimé.

L'année 2014 s'était manifestée. Dans la tristesse pour les Boinard, mais dans l'allégresse pour ceux et celles qui, à travers les continents, n'espéraient que la santé et la paix pour vivre dans l'harmonie et la quiétude. Émilie et son mari s'étaient rendus à une messe de début d'année afin de communier, et Renaud, comme chaque fois, avait demandé à son fils disparu de lui pardonner ses injustices et ses bévues. Sans toutefois en glisser mot à sa douce moitié qui en aurait sourcillé… Renaud qui, à soixante-cinq ans dans quelques jours, comptait bien prendre sa retraite et diriger ses patients vers un confrère plus jeune, plus robuste et plus à l'affût des dernières technologies.

Avec sa femme, il planifiait des voyages. Pourquoi pas la France ? Pourquoi ne pas retracer ses cousins lointains ? Et puis l'Angleterre si peu éloignée de sa terre natale. Ensuite l'Espagne, l'Italie et combien d'autres endroits du globe… Émilie approuvait, tout en imaginant les vols au-dessus des nuages qui l'angoissaient les uns après les autres. Mais avec Renaud, sa poigne ferme, son bras protecteur… Il fallait qu'elle s'évade un peu avant de ne plus pouvoir le faire. Caroline allait leur servir de référence, elle avait tant voyagé avec William.

Pour la sœur cadette, c'était le beau fixe. Décidée à ne plus fouiner sur son ordinateur, à ne plus chercher dans les sites *cœur cherche cœur,* elle allait consacrer ses années à venir dans le bénévolat pour les enfants défavorisés et pour les pauvres de son quartier. Une façon valable de se racheter de ses fautes ici-bas. Moins hargneuse sauf pour la politique, ce qui était le lot de plusieurs, elle avait troqué les trop nombreux bulletins de nouvelles contre des films qu'elle achetait lorsqu'elle sortait. Elle en avait plusieurs dont *The Tudor* et *The Borgias*, deux séries qu'elle avait appréciées. Elle avait rayé de ses souvenirs les passages de ses amants de courte durée, le Japonais inclus, pour ne garder en mémoire que ses belles années avec William, son mari... devenu celui d'une autre ! Mais sans s'emporter contre Norma quand son image refaisait surface. Elle avait été si fautive envers William, si dominatrice, si vilaine parfois... Quoique lui n'avait pas été en reste en la trompant outrageusement ! Mais telle était la vie de Caroline Hériault. Au gré de ses pensées et de ses impétuosités. Sur ce trait de caractère, même l'âge avancé n'allait pas la changer. Et aucun autre homme n'allait succéder à Teddie ! Finies pour elle les recherches d'Hispaniques ou d'Asiatiques, après avoir épluché les Québécois sur son ordinateur. En plus des films à regarder, elle avait repris la lecture de biographies historiques qu'elle avait toujours adorées. Celle entre ses mains actuellement ? *Madame Élisabeth,* la vie dramatique de la sœur de Louis XVI.

Émilie, de son côté, attendant la retraite de son époux, coulait des jours heureux avec ses deux petits-enfants, Madeleine d'un côté, Tristan, de l'autre. La petite venait souvent voir grand-maman, et elle et Renaud étaient parfois invités à souper chez Justine et Éric, ce qui ravissait l'enfant. Plus assagie, fréquentant l'école maternelle maintenant, elle ne quémandait plus de poupées et d'oursons à ses grands-parents, elle leur disait préférer les crayons de toutes les couleurs, les livres à colorier, les tablettes magiques, les contes comme *Cendrillon* et *Blanche-Neige* que sa maman avait encore dans des coffrets. Bref, une adorable enfant de son temps avec des goûts dépassés en cette ère de jeux électroniques. Ce qui faisait la joie de sa grand-mère. Surtout quand Émilie voyait dans ses yeux verts le regard espiègle de son père. Puis, le petit Tristan ! Le nouveau « préféré » de son grand-père à cause de Mathieu qui en était le père. Incorrect une fois de plus, Renaud Boinard ! Émilie, néanmoins, s'était prise d'une affection démesurée pour ce petit garçon blond aux yeux pers. Chaque fois qu'elle le voyait, elle le prenait et le serrait sur son cœur de grand-mère jusqu'à ce que le petit, inconfortable, s'en dégage.

Tristan était sa joie, son bonheur, sa raison d'être. Et ce, tout simplement parce que, dès qu'Émilie le vit à la pouponnière, deuxième Boinard du nom après Mathieu, elle s'était mise en tête avec foi et respect… que cet enfant était Joey qui revenait.

Suivez les Éditions Logiques sur le Web :
www.edlogiques.com

Cet ouvrage a été composé en Times 13/16
et achevé d'imprimer en juillet 2016 sur les presses de
Marquis imprimeur, Québec, Canada.

garant des forêts intactes[MC]

procédé sans chlore

100% post-consommation

archives permanentes

énergie biogaz

Imprimé sur du papier 100 % postconsommation, traité sans chlore,
accrédité Éco-Logo et fait à partir de biogaz.